Johann Friedrich Christian K

Ältere Geschichte der Herrschaft Ruppin und der Stadt Neuruppin

Wir dürfen nicht vergessen, dass, wie in der Natur das kleinste Insekt, das unbedeutendste Blatt das Ganze der Schöpfung in sich abspiegelt, so auch in der geschichtlichen Welt keine Stadt zu klein oder unbedeutend ist, um nicht durch den in ihr erkennbaren Lebensprozess die Aufmerksamkeit des Freundes der Geschichte zu verdienen.

Johann Friedrich Christian Kampe

Johann Friedrich Christian Kampe

Ältere Geschichte der Herrschaft Ruppin und der Stadt Neuruppin

Bearbeitet und kommentiert von André Stellmacher

Die Deutsche Nationalbibliothek verzeichnet diese Publikation in der Deutschen Nationalbibliografie; detaillierte Daten sind im Internet über http://d-nb.de abrufbar.

ISBN 978-3-88372-063-0

Erschienen im Klaus Becker Verlag

Inhaltsverzeichnis

Leben und Werk Johann Friedrich Christian Kampes

André Stellmacher

Über Johann Friedrich Christian Kampe (Campe) ist recht wenig bekannt. Er wurde am 2. Dezember 1808 im altmärkischen Gardelegen geboren, besuchte von 1822 bis 1827 das Gymnasium zu Stendal, studierte zunächst ein Jahr in Halle (Saale), später drei Jahre in Berlin Theologie und Philologie, um im März 1831 zu promovieren. Danach absolvierte er in Stendal sein pädagogisches Probejahr. Ab dem 15. Oktober 1832 bekleidete Kampe eine Lehrerstelle am Neuruppiner Gymnasium,[1] 1848 wurde er vom preußischen Kultusminister Friedrich Eichhorn zum Professor ernannt. Im Jahr 1852 wechselte Kampe an das Friedrich-Wilhelms-Gymnasium zu Greifenberg in Pommern, dem er bis zu seinem Tod am 1. Juli 1881 als Direktor vorstand.[2]

In Neuruppin engagierte sich Kampe neben seiner Lehrtätigkeit am Gymnasium auch auf sozialem Gebiet. Er zählte 1847 zu den Gründungsmitgliedern des Handwerkervereins, der sich für die Verbesserung der Lage und besonders der Bildung der Handwerker einsetzte, aber auch dem Ziel diente, diese große Bevölkerungsschicht dem Einfluss demokratischer Strömungen zu entziehen.[3] Zudem war Kampe unter den ersten Mitgliedern der Neuruppiner Freimaurerloge, die sich ebenfalls wohltätigen Zwecken verschrieb.[4]

Auch auf dem Gebiet der Politik trat Kampe hervor. Aus der Wahl zur Frankfurter Nationalversammlung am 10. Mai 1848 ging der Konservative als stellvertretender Abgeordneter hervor.[5] Seine politische Haltung schlug sich zudem publizistisch nieder. Noch im selben

1 Elss, Hermann: Geschichte des Friedrich-Wilhelms-Gymnasiums zu Neuruppin. Neuruppin 1939, S. 75f.

2 Kössler, Franz: Personenlexikon von Lehrern des 19. Jahrhunderts. Berufsbiographien aus Schul-Jahresberichten und Schulprogrammen 1825–1918 mit Veröffentlichungsverzeichnissen, Bd. Cadura-Czygan, Art.: »Campe, Johann Friedrich Christian«. Gießen 2008. URL: http://geb. uni-giessen.de/geb/volltexte/2008/6109/ (29.01.18)

3 Meier, Brigitte: Fontanestadt Neuruppin. Kulturgeschichte einer märkischen Mittelstadt. Karwe 2004, S. 90 u. 142.

4 Ebd., S. 135.

5 Ebd., S. 139.

Jahr gründete Kampe die »Provinzial-Zeitung«, die zweimal wöchentlich dem »Gemeinnützigen Anzeiger« beigelegt war. Ihr Wirkungsgrad blieb jedoch gering, denn bereits im Dezember 1849 wurde das konservative Blatt eingestellt.[6]

Kampes Sohn Viktor kam am 28. Januar 1845 in Neuruppin zur Welt und schlug ebenfalls die Lehrerlaufbahn ein. Wie der Vater forschte auch er nebenbei, und zwar vor allem zur Geschichte Rügens, da er ab 1869 am Gymnasium zu Putbus arbeitete.[7]

Adolf Friedrich Riedel legte im Jahr 1844 als vierten Band des ersten Hauptteils seines berühmten Codex diplomaticus Brandenburgensis (CDB) eine Auswahl an Urkunden vor, die die Grafen von Lindow-Ruppin und die Herrschaft Ruppin samt der dazu gehörenden Städte, Lande und Klöster Neuruppin, Wusterhausen/Dosse, Gransee, Lindow, Alt Ruppin, Wildberg, Rheinsberg und Neustadt (Dosse) betraf.[8] Mehr als 300 Urkundentexte und Regesten sowie sieben mehr oder weniger lange Erläuterungen zu den einzelnen Kapiteln füllen die 520 Seiten des Bandes.

So gewissenhaft Riedel und seine Zuarbeiter die Regestierung der Urkunden und ihrer Abschriften und Abdrucke vorzunehmen versuchten, so unzureichend sind jedoch häufig die Quellenangaben. Am konkretesten sind diese noch bei der großen Anzahl von Urkunden angeführt, als deren Quellen die im Geheimen Kabinettsarchiv zu Berlin (im Geheimen Staatsarchiv aufgegangen) aufbewahrten sog. Kurmärkischen Lehnskopialbücher[9] dienten, da Riedel hier meistens die Nummer des Kopials und dazu die betreffende Seitenzahl nannte. Oft genügte ihm aber lediglich die Angabe, er habe die Abschrift von dem »Original« oder einer »alten Kopie« abgenommen.[10]

---

6 Ebd., S. 140. – SCHULTZE, Johannes: Geschichte der Stadt Neuruppin. 4. Aufl. (1. Aufl. 1932), Berlin, 2012, S. 173.

7 KÖSSLER: Personenlexikon, Art.: »Campe, Viktor«. (29.01.16)

8 Bereits 1833 publizierte Riedel einen Quellenband, in dem er u. a. eine Reihe von Urkunden, »die Herrschaft Ruppin und die Grafen von Lindow betreffend«, aufführte. Dieser bekam aber in jener Form keine Fortsetzung. Die Ergebnisse gelangten stattdessen in die späteren CDB-Bände. – RIEDEL, Adolf Friedrich: Diplomatische Beiträge zur Geschichte der Mark Brandenburg und ihr angrenzender Länder, Teil I. Berlin 1833.

9 Heute im GStA PK, I. HA Rep. 78 u. 78a.

10 Zum Leben, Wirken und zur Motivation Riedels siehe vor allem NEITMANN, Klaus: Adolf Friedrich Riedel, der Codex diplomaticus Brandenburgensis und der Verein für Geschichte der Mark Brandenburg. Aufgabenstellungen, Organisationsformen und Antriebskräfte der brandenburgischen Landesgeschichtsforschung 1830–1848, in: HOLTZ,

Auffällig im CDB I/4 ist, dass Riedel die Kenntnis vieler Urkunden, insbesondere der im Kapitel 2, »die Stadt Neuruppin und das hiesige Dominikaner-Mönchskloster« betreffend, »Bratring« (»Bratrings handschr. Urkunden-Sammlung«) und bzw. oder »Dr. Kampe«(»Kampes Vergleichung«, »Kampes Mittheilungen«) verdankte. Es ist daher sicher, dass der vor Ort arbeitende Johann Friedrich Christian Kampe auf Bitten Riedels mit Zuarbeiten oder zumindest Hinweisen diente.[11] Beide kannten sich zudem wahrscheinlich vom Verein für die Geschichte der Mark Brandenburg, dessen Mitglieder sie waren.

Zunächst aber noch ein Wort zu Friedrich Wilhelm August Bratring: Er wurde 1772 in Losse/Altmark geboren und war preußischer Staatsbeamter, u. a. in der königlichen Bibliothek und im Generaldirektorium. Er sammelte für seine historischen Studien (»Die Grafschaft Ruppin in historischer, statistischer und geographischer Hinsicht. Ein Beitrag zur Kunde der Mark Brandenburg«, 1799; »Statistisch-topographische Beschreibung der Mark Brandenburg« in 3 Bdn., 1804–09) unzählige Urkundenabschriften, die später jedoch in systematischer Form nie veröffentlicht, geschweige denn erschlossen wurden.[12] Sie liegen heute als Teil seines Nachlasses im Branden-

---

Bärbel (Hrsg.): Krise, Reformen – und Kultur. Preußen vor und nach der Katastrophe von 1806 (= FBPG, Beiheft XI). Berlin 2010, S. 249–298; überarbeitet wiederabgedruckt in: Kraus, Hans-Christof; Schaper, Uwe (Hrsg.): Land und Landeshistoriographie. Beiträge zur Geschichte der brandenburgisch-preußischen und deutschen Landesgeschichtsforschung (Klaus Neitmann zum 60. Geburtstag am 22. August 2014 zugeeignet). Berlin, Boston 2015, S. 1–58. – Ribbe, Wolfgang: Adolf Friedrich Riedel (1809–1872). Preußischer Staatsarchivar, Landeshistoriker und Staatswissenschaftler, in: Beck, Friedrich; Neitmann, Klaus (Hrsg.): Lebensbilder brandenburgischer Archivare und Historiker (= Brandenburgische historische Studien, Bd. XVI; Veröffentlichungen des Landesverbandes Brandenburg des Verbandes deutscher Archivarinnen und Archivare e. V., Bd. IV). Berlin 2013, S. 50–57. – Ferner Engel, Felix: Adolf Friedrich Riedel. Historiograph der brandenburgischen Geschichte oder Historiograph der Hohenzollern?, in: JBLG LXIV/2013, S. 59–84.

11 Die enge Beziehung beider zueinander ist dadurch belegt, dass Kampe Riedels Geschichte des Dominikanerklosters Neuruppin herausbrachte: Riedel, Adolf Friedrich: Geschichte der auf Befehl Seiner Majestät des Königs Friedrich Wilhelm III. wiederhergestellten Kloster-Kirche und des ehemaligen Dominicaner-Mönchs-Klosters zu Neu-Ruppin. Neuruppin um 1840, Ndr. Karwe 2000. – Das Titelblatt trägt die Ergänzung »Auf Veranlassung des Magistrates zu Neu-Ruppin herausgegeben von Dr. Kampe«.

12 Schultze, Johannes: Bratring, Friedrich Wilhelm August, in: NDB II/1955, S. 538f. URL: http://www.deutsche-biographie.de/ppn116409398.html (29.01.18) – Huch, Gaby; Ribbe Wolfgang: Regesten der Urkunden zur Geschichte von Berlin/Cölln im Mittelalter (1237 bis 1499). Mit Nachträgen für die Zeit von 1500 bis 1815 (= Berlin-Forschungen der Historischen Kommission zu Berlin, Bd. VII; Schriftenreihe des Landesarchivs Berlin, Bd. XIII). Berlin 2008, S. 22.

burgischen Landeshauptarchiv zu Potsdam (in Rep. 16). Aus diesem Nachlass – damals freilich noch an anderem Standort – hatte Riedel u. a. geschöpft.

Kampes Veröffentlichungen beschränkten sich fast ausschließlich auf Programme für das Neuruppiner sowie das Greifenberger Gymnasium, darunter vor allem auf antik-römische Stoffe. In seiner Neuruppiner Zeit brachte er allerdings den Aufsatz »Historische Untersuchungen über die Entwickelung des städtischen Regiments der Stadt Neu-Ruppin« (1840) heraus.[13] In ihm finden sich viele Passagen einer früheren, wesentlich umfangreicheren Arbeit wieder.

Erst von dem Neuruppiner Pfarrer Gustav Bittkau, der das Vorwort seiner »Ältere[n] Geschichte der Stadt Neu-Ruppin«[14] der Überlieferungsgeschichte der Quellen zur Stadt Neuruppin widmete, erfahren wir, dass Kampe um 1835 eine handschriftliche Historie der Grafen und der Stadt Neuruppin verfasste, die jedoch nie zur Druckreife gedieh.[15] Auf eine damals in der Kirchenbibliothek aufbewahrte Abschrift, deren Originalvorlage Kampe vor seinem Wechsel nach Greifenberg dem Neuruppiner Zimmerermeister Barsikow überlassen hatte,[16] stützte Bittkau seine chronologisch angelegte Geschichte, und zwar laut eigener Aussage weitestgehend in Form einer Überarbeitung.[17] Bittkau betonte, dass er bewusst den ersten Teil von Kampes Manuskript, der die Zeit der Arnsteiner (bis 1524) behandelt,

13 KAMPE, Johann Friedrich Christian: Historische Untersuchungen über die Entwickelung des städtischen Regiments der Stadt Neu-Ruppin. Neuruppin 1840.

14 BITTKAU, Gustav: Ältere Geschichte der Stadt Neuruppin. Auf Grund historischer Quellen, insbesondere eines Manuskripts des weiland Dr. Campe. Neuruppin 1887, Ndr. Karwe 2005.

15 Das Manuskript sowie eine gut 250 Seiten umfassende maschinenschriftliche Abschrift befinden sich im Kreisarchiv des Landkreises Ostprignitz-Ruppin zu Neuruppin unter der Signatur II/9.1/9 bzw. II/9.1/56. Eine handschriftliche Ergänzung zu Beginn des Manuskripts verrät, dass dieses 1892 vom Historischen Verein für die Grafschaft Ruppin aus dem Nachlass des Oberlehrers Haase erworben wurde. Einen sehr kurzen Auszug aus Kampes Manuskript bietet KRIELE, Ulrich: Alt Ruppin. Aus der Vergangenheit unserer Stadt. Karwe 2009, S. 31–35.

16 BITTKAU: Neuruppin, S. V. Ein Eintrag im Manuskript verrät zudem, dass dasselbe 1892 in einer öffentlichen Versteigerung durch den Oberlehrer Haase für den beträchtlichen Preis von 46 Mark für den »Historischen Verein für die Grafschaft Ruppin« erstanden und von einem seiner Mitglieder namens Begemann abgeschrieben und am Rand kommentiert wurde.

17 MEIER: Fontanestadt Neuruppin, S. 13, traf daher mit ihrer Einschätzung, Kampe habe die »Ältere Geschichte der Stadt Neuruppin« verfasst und Bittkau diese lediglich herausgegeben, nicht ganz den Kern der Überlieferungsgeschichte.

nicht in sein Buch übernommen habe. Der Grund dafür bestand darin, dass Kampe durch die beinahe endlose Anführung von Beispielen und Quellenbelegen »übergewissenhaft« gearbeitet hätte, dieser Abschnitt also für den »Nichtforscher« zu ermüdend sei. Den zweiten Teil von Kampes Geschichte hingegen, der die Geschichte Neuruppins vom 16. bis zum 19. Jahrhundert zum Gegenstand hat, übernahm Bittkau beinahe Wort für Wort. Trotzdem stellte er in Aussicht, die vorenthaltenen Passagen, die zudem die Geschichte der Ruppiner Städte und Dörfer nachzeichnen, zu einem späteren Zeitpunkt gesondert herauszubringen.[18] Dazu ist es aber nicht gekommen. Gerade Kampes minutiösen Ausführungen über die Geschichte der Grafen von Lindow-Ruppin und ihre Herrschaft sind aber bedeutsam, da sich nur äußerst wenige Quellen über diese grundlegende Epoche erhalten haben.

Ungeklärt ist bisher jedoch, auf welchen Quellenfundus sich wiederum Kampe stützen konnte. Der Neuruppiner Stadtbrand vernichtete schließlich am 26. August 1787 – etliche Jahre vor Kampes Wirken – das Ratsarchiv und mit ihm den reichhaltigen Urkunden- und Aktenbestand. Einen Hinweis auf die Antwort gab bereits Riedel, indem er einigen Einträgen die Quelle »Feldmanns Abschriften« zugrunde legte. Auch Bittkau verwies auf den Neuruppiner Arzt und Ratsherrn Bernhard Feldmann (1704–76), der in den Fünfzigerjahren des 18. Jahrhunderts ein zweiteiliges Manuskript (die sog. Miscellanea Historica), verfasste, das sich zum einen aus den bis 1700 ausgestellten Urkunden und Rechnungen und zum anderen aus den im Ratsarchiv aufgefundenen »Kirchenbüchern, anderen Manuskripten, Zetteln der Einwohner und gedruckten Büchern« speiste.[19] Dieses Manuskript ist die Urschrift der danach entstandenen Abhandlungen zur Neuruppiner Geschichte und auf Grund der zerstörten Originale in seinem Wert für die Geschichtswissenschaft kaum zu überschätzen. Feldmanns Arbeit hat sich unter glücklichen Umständen bis in unsere Zeit erhalten, da sie sich während des Neuruppiner Stadtbrandes in Berlin befand, und wird im Original und in Abschriften im Kreisar-

18 Bittkau: Neuruppin, S. VIf.

19 Ausführungen zu Leben und Werk Feldmanns bietet Meyer, Paul: Ungedruckte Chroniken aus und über Neuruppin, in: Ders. (Hrsg.): 700 Jahre Ruppin. Festschrift zur Siebenhundertjahrfeier der Stadt Neuruppin und des Kreises Ruppin. Neuruppin 1939, S. 106–119.

chiv Ostprignitz-Ruppin zu Neuruppin sowie in Form von Fotokopien im Brandenburgischen Landeshauptarchiv zu Potsdam verwahrt.[20]

Darüber hinaus nicht vergessen werden darf Martin Dieterich – ebenfalls von Geburt Altmärker –, der 1725 eine quellen- und literaturgestützte Geschichte der Grafen von Lindow-Ruppin herausbrachte, und dem wir dadurch ebenfalls die Kenntnis vieler Urkunden verdanken. Ein Teil seiner Vorfahren stammte aus Neuruppin und auch er kam 1690 mit knapp 10 Jahren in die Stadt, die er nach dem Tod seines Vaters 1697 jedoch zum Studium in Richtung Berlin verließ, um 1721 die Pfarrstelle an der St.-Nikolaikirche zu Frankfurt (Oder) anzunehmen. Dort verfasste Dieterich die Vielzahl seiner theologischen und historischen Schriften, unter ihnen eben die »erste Ruppiner Landesherrschaftsgeschichte«.[21] Auch auf seine Angaben stützten sich Bratring, Kampe und Riedel.

Kampes Verdienst bestand nun vor allem darin – und dieses Urteil vertrat bereits Bittkau –, Feldmanns ungeordneten Aufzeichnungen eine Struktur gegeben zu haben. Aus einer beinahe unzumutbaren Quellensammlung machte Kampe eine lesbare und in einmaliger Weise quellengestützte Geschichte des Landes Ruppin unter besonderer Berücksichtigung der Stadt Neuruppin.

Aber Kampe beließ es nicht bei einer Aneinanderreihung von Quellennachrichten, wie es Bittkaus Urteil vermuten lässt. Kampe schrieb eine, gemessen an der damaligen Zeit, ungewöhnlich ausgewogene und unparteiische Landesgeschichte, die in ihrem Umfang weit über die Arbeiten von Dieterich und Bratring hinausging. Dabei orientierte er sich zwar an letzterem, zog aber eigene Schlüsse.

20 Im Kreisarchiv erhalten in fünf verschiedenen hand- bzw. maschinenschriftlichen Abschriften unter den Signaturen II/9.1/1–5. Feldmanns Original befindet sich als Depositum z. Zt. in der Dauerausstellung zur Stadtgeschichte im Museum Neuruppin. Zudem gibt es eine im Druck erschienene und mit einem erhellenden Vorwort versehene Auswahl von Feldmanns Aufzeichnungen. – Feldmann, Bernhard: Miscellanea Historica der Stadt Neu Ruppin, ausgewählt und erläutert v. Ulrich Kriele. Karwe 2005.

21 Eine Beschreibung und Würdigung von Dieterichs Werk und Wirken bietet Gerd Heinrich im Kommentar zu Dieterich, Martin: Historische Nachrichten von denen Grafen zu Lindow und Ruppin. Aus bewehrten Urkunden und Geschichts-Schreibern gesammlet, und nebst einem Anhang von denen Inspectoribus und Predigern, welche in der Haupt-Stadt Neuen-Ruppin, seit der Reformation das Lehr-Amt geführet haben. Imgleichen einigen andern Gelehrten, welche aus selbiger Graffschaft bürtig gewesen, oder daselbst eine Zeitlang in Bedienung gestanden. Berlin 1725, Ndr. Karwe, Neustadt a. d. Aisch 1995, S. I–IX, hier S. III.

Dieses Buch hat das Ziel, Kampes grundlegende Ausführungen zur Ruppiner Geschichte, die Bittkau einst nachzureichen versprach, erstmals der Öffentlichkeit bekannt zu geben. Damit ist Kampe nicht nur länger eine Fußnote im CDB.

Um den Charakter der Schrift zu wahren, dem heutigen Leser trotzdem Erleichterung zu verschaffen, habe ich Kampes Manuskript sachte überarbeitet. Neben der Angleichung des Textes an die aktuelle Deutsche Rechtsschreibung (Thor → Tor), der damaligen Ortsnamen an die heutige gültige Schreibung (Neuenruppin → Neuruppin, Priegnitz → Prignitz), habe ich zudem die Schreibung der Personennamen vereinheitlicht (Busso, Burghard, Burchardt → Burchard) sowie Ordnungszahlen hinzugefügt. Im Fall des Arnsteiner Grafenhauses habe ich mich auf die von Gerd Heinrich eingeführte Ordnung gestützt, die in der Forschung heute allgemeine Anerkennung genießt.[22]

Daneben habe ich die Ausführungen in Kapitel eingeteilt, das fehlte in Kampes Manuskript noch weitgehend. Im Anhang findet der interessierte Leser zusätzlich die Quellennachweise der erwähnten Urkunden und Chroniken, die sich im engeren Sinn auf die Herrschaft Ruppin im Zeitraum von etwa 1200 bis 1524 beziehen. Außerdem wurden die Anmerkungen mit in einigen Fällen notwendigen Korrekturen und Richtigstellungen sowie mit weiteren Literaturhinweisen versehen. Dazu kommt eine Übersicht über 25 bisher ungedruckte Quellennachrichten, die sich aus Kampes Text rekonstruieren ließen.

Mein Dank gilt dem Kreisarchiv Ostprignitz-Ruppin zu Neuruppin und insbesondere seiner Leiterin Ute Raabe für die Bereitstellung der Manuskripte, Klaus-D. Becker für die Aufnahme dieses Buches in seine Verlagsreihe und Dr. Lutz Partenheimer für seine wertvollen Hinweise.

22 HEINRICH, Gerd: Die Grafen von Arnstein (= Mitteldeutsche Forschungen, Bd. XXI). Köln, Graz 1961.

Geschichte des Landes Ruppin und der Stadt Neuruppin

Johann Friedrich Christian Kampe

Einleitung

Ohne Zweifel ist das Studium der Geschichte, wenn es die fortschreitende Entwicklung des gesamten Menschengeschlechts, die Ausbildung und den Verfall weltberühmter Staaten, das individuelle, eigentümliche Leben ganzer Völker zu seinem Gegenstand hat, von einem viel höheren Interesse für Geist und Gemüt, als wenn es sich innerhalb des Umfangs einer nicht eben ausgedehnten Grafschaft oder innerhalb der Mauern einer kaum der nächsten Umgebung dem Namen nach bekannten Stadt beschränkt. Dessen ungeachtet aber dürfen wir nicht vergessen, dass, wie in der Natur das kleinste Insekt, das unbedeutendste Blatt das Ganze der Schöpfung in sich abspiegelt, so auch in der geschichtlichen Welt keine Stadt zu klein oder unbedeutend ist, um nicht durch den in ihr erkennbaren Lebensprozess die Aufmerksamkeit des Freundes der Geschichte zu verdienen.

Es ist noch kein Jahrhundert verflossen, unsere Väter erinnern sich der Zeit wohl, wo es für die Stadt eine ebenso große Schande schien, keine Chronik derselben zu besitzen, als für den einzelnen angesessenen Bürger, mit den Hauptepochen der städtischen Geschichte unbekannt zu sein, eine Zeit, in welcher sich in lebendiger Überlieferung vom Vater auf Sohn und Enkel Kunde von manchen Ereignissen erhielt, die jetzt größtenteils aus der Erinnerung verschwunden sind. Freilich standen, ehe unsere Stadt in Asche sank, noch viele Denkmäler aus früherer Zeit, Kirchen mit ihren Merkwürdigkeiten, das Rathaus mit seinem Reichtum von Urkunden aus ferner Vergangenheit, andere Gebäude, andere Gegenstände, an welche sich die Tradition leicht und gern anschloss, welche seitdem ohne Halt und Gewähr herumirrte und binnen wenigen Jahren ganz aus diesen unseren Mauern verschwunden sein wird. Damals hätte aus diesen Überlieferungen die Geschichte unserer Stadt mögen zu lebendiger Anschaulichkeit erhoben werden. Jetzt haben wir nur einen toten Körper vor uns, aus dem keine menschliche Kunst wahrhaftes Leben zu erwecken im Stande sein wird.

Nichtsdestoweniger übergibt der Verfasser dem Publikum diese Geschichte mit dem Wunsch und mit der Hoffnung, dass sie dazu beitragen möge, unter den Mitbewohnern dieser Stadt eine, wie es scheint, fast erstorbene Teilnahme an der früheren Geschichte von Neuruppin ins Leben zu rufen. Diese Gleichgültigkeit gegen die Vergangenheit liegt freilich zu tief in dem Geist der Zeit seit der großen französischen Revolution, als dass ein Einzelner durch ein an sich so unbedeutendes Buch hoffen dürfte, ihr auch nur mit einigem Erfolg entgegentreten zu können. Seitdem das alte städtische Leben untergegangen ist, sind es ganz andere Interessen, von denen die Seele des Bürgers bewegt wird. Über die zum Teil niedergerissenen Mauern und abgetragenen Wälle schweifen seine freigewordenen Blicke, oft auch seine Wünsche, weit über das Weichbild der Stadt, über die Grenzen des Vaterlandes hinaus, und von denen, die in die Fremde hinausziehen, kehren nur wenige in die Mauern der Vaterstadt zurück.

So war es ehedem nicht, da es überall in den Städten viel treffliche für ihre Zeit hochgebildete Männer gab, welche entweder nie oder doch nur auf kurze Zeit die Stadt ihrer Väter verlassen hatten, da es überall als der höchste Wunsch des jungen Mannes galt, an dem Ort seiner Geburt, womöglich in dem Geschäfts- und Wirkungskreis seiner Vorfahren die Tage seines Lebens hinzubringen, und die Grundsätze, das Herkommen, welches er selbst von seinen Vätern ererbt, auch auf seine Nachkommen fortzupflanzen, da eine Reise von wenigen Meilen oft nicht weniger Vorbereitung erforderte und Gefahren drohte als in unseren Tagen eine Reise über die Alpen oder den Atlantischen Ozean, da unzählige Bande die Wünsche des Bürgers an seine Vaterstadt knüpften und seine Tätigkeit darauf konzentrierten, höhere als städtische Berühmtheit, anderes Verdienst als um die Vaterstadt wurde wenig gesucht: Was kümmert uns, die die Vorsehung von allen Seiten her in diese Mauern zusammengeführt hat, deren Körper vielleicht in ganz anderer Erde ruhen wird, die Handbreit Erde, welche uns für die wenigen Jahre trägt, die Herberge, in der wir selten recht heimisch werden?

Den meisten, welche innerhalb derselben Mauern leben, sind die Jahrhunderte, welche hinter ihnen liegen, so ein vergrabenes und verrostetes Gut, und die Trümmer, welche aus ihnen hinüberragen, höchstens eines mitleidigen Blickes, nicht einer liebevollen Forschung wert. Es ist nicht unsere Absicht gewesen, diesem Geist entgegenzuwirken. Wir werden es dankbar anerkennen, sollte das vorliegende Buch vielleicht hier oder da diese Wirkung haben. Es ist diese Geschichte viel mehr das unwillkürliche Resultat der Forschungen, welche wir, in Besitz geringer Hilfsmittel, in Mußestunden den vergangenen Jahrhunderten gewidmet haben. Und das innige Vergnügen, welches uns diese Betrachtung der Vorzeit unserer Stadt gewährt hat, werden wir uns selbst dadurch nicht kümmern lassen, wenn etwa dieser oder jener den Gegenstand dieser Geschichte für unbedeutend und einer ernsten, mehrjährigen Beschäftigung unwert halten sollte.

Mehr aber als hinreichend belohnt wird sich der Verfasser glauben, wenn ein anderer, der historischen Forschung wohl kundig, mit Benutzung aller irgendwo erhaltenen Überlieferungen, aller die Geschichte unserer Grafschaft betreffenden Urkunden, aus eigener Anschauung der Örtlichkeiten, ein umfassenderes, gründlicheres Werk diesen unseren Beiträgen wollte folgen lassen.

1. Die Frühgeschichte des Landes Ruppin

1.1 Die ältesten Bewohner

In jener Zeit nun, in welcher der Waffenglanz der römischen Legionen zuerst einen freilich nur matten Schimmer über die Gaue unseres deutschen Vaterlandes verbreitete, wohnten in den weiten Flachländern zwischen Elbe und Weichsel die Sueben, nicht ein Volk wie Cherusker, Chatten, andere, sondern eine Menge von Stämmen, die untereinander durch Namen und Abstammung geschieden und abgeschlossen, vor den übrigen Germanen sich durch ihre Haartracht auszeichneten.

Als den ältesten und edelsten jener Stämme bezeichneten sich selbst die Semnonen, in deren Gauen jenes uralte, in geheimnisvolle Schauer gehüllte Bundesheiligtum aller Sueben lag, in welchem zu bestimmten alljährlich wiederkehrenden Zeiten das gemeinsame Bundesfest durch Menschenopfer gefeiert und von allen Seiten her durch heilige Gesandtschaften beschickt wurde. Wahrscheinlich war jenes Heiligtum dem Kriegsgott der Sueben, dem Wotan, geweiht. Über die Lage derselben sind wir ganz in Ungewissheit, doch darf man vermuten, dass es zwischen Elbe und Oder, also im Herzen unserer Monarchie, lag. Dort nämlich sind aller Wahrscheinlichkeit nach die weithin ausgedehnten Wohnsitze der Semnonen zu suchen, denen gegenüber am westlichen Ufer des Elbstroms, also in der heutigen Altmark und dem Magdeburgischen, zu des Tacitus Zeit die ihnen stammverwandten Langobarden saßen. So tragen wir denn kein Bedenken, jene Semnonen als die frühesten uns bekannten Bewohner der Gegenden anzusehen, aus denen sich später die Grafschaft Ruppin bildete. Weitere Kunde über Sitte, Religion, Wohnplätze der Semnonen fehlt uns durchaus.

Bis an die Elbe, wahrscheinlich in der Nachbarschaft von Tangermünde, gelang es dem Drusus, dem trefflichen Stiefsohn des Kaisers Augustus, vorzudringen. Galägia, an der Stelle des jetzigen Gardelegens, ist den Geografen jener Zeit bekannt. Auf Drusus bezog man vor 200 Jahren in der Altmark die damals in dem Mund der altmärkischen Bauern lebende Redensart: »Dat die de Droos hoal.« Das diesseitige Ufer des Stroms hat wenigstens hier kein römischer Fuß betreten.

1.2 Die sagenhafte Einwanderung der Römer

Wenn gleichwohl der Name Ruppin von unseren Vorfahren auf einen Römer Namens Rufinus zurückgeführt wurde, welcher in unserer Nähe eine römische Kolonie begründet und derselben seinen Namen beigelegt haben soll, so gehört dieses Märchen in eine Zeit, in welcher die Gelehrten bemüht waren, mit aller Gewalt die Entstehung und den Ursprung ihrer Städte an römische Namen zu knüpfen, wie die Griechen und Römer die ihnen verborgenen ersten Anfänge ihrer Städte auf die Götter selber oder deren Söhne zurückzuführen strebten. Sollten doch die ältesten Bewohner der Altmark die Nachkommen von einer Abteilung aus dem Heer des großen Alexander sein, welche, durch irgendwas für Umstände von der Flotte des großen Königs getrennt, von Wind und Meer an die Mündung der Elbe geführt wurde.

Merkwürdig in der Tat ist eine Nachricht von einer Ausgrabung in der Nähe von Rheinsberg, durch welche der Aufenthalt des angeblich von Romulus getöteten Römers an diesem Ort mit ziemlicher Gewissheit erwiesen sein würde. Am Anfang des vorigen Jahrhunderts machte Magister Christoph Pylius, Rektor zu Anklam, eine kleine Schrift bekannt, welche von einem unbekannten Verfasser ohne Angabe des Jahres oder Ortes der Abfassung erschienen und an den Herrn Justus von Bredow, damaligen Besitzer von Rheinsberg, gerichtet war. Dieser Nachricht zufolge hatte man bei einer Nachgrabung auf einer bergartig aus dem See hervorragenden, ehedem ohne Zweifel durch eine Brücke mit dem festen Land zusammenhängenden Insel, welche bei den Bewohnern der Stadt den Namen »Remus-Burgwall« führte, Leichname und Knochen von einer außerordentlichen, das Staunen der Grabenden erregenden Größe und zwei Steine mit Inschriften gefunden, welche in lateinischer Sprache abgefasst und mit großen lateinischen Anfangsbuchstaben geschrieben waren. Auf dem einen Stein las man die Worte: *[...] Cornel [...] doc zomen 0 ann*

[...] XXV animae incomparabil Y navi ann. perpetus coniugi kariss, also ein Grabstein, auf dem anderen folgende durch Lücken unterbrochene Worte: *[...] Raemos Fraa [...] fielefed an fcid [...] phaeros recnod [...] urb. raeman cancitatis [...] nn [...] XXIII eidios [...] treicenteis [...] arx [...] her iovc ymod [...] olcent.* Es ist ziemlich einleuchtend, dass nach dieser Inschrift Remus müsste seinem Bruder entkommen sein und hier mitten unter unbekannten Völkern in sicherer Verborgenheit sein Leben beschlossen haben, hier, wo, wie der Verfasser jenes Büchelchens meinte, ihn die Anmut der Gegend mit ihren Wäldern, Weiden, Bergen, Tälern, Seen fesselte und von der weiten und gefahrvollen Flucht zu ruhen einlud.

Auch wenn es nicht aus anderweitigen historischen Untersuchungen gewiss wäre, dass die Sagen von Romulus und Remus nur mythischen Gehalt, und dass man gegründete Ursache hat, in die Existenz des einen wie des anderen bedeutenden Zweifel zu setzen, so würde sich doch aus der ganzen Gestalt und Form der Inschriften und aus der Berücksichtigung aller betreffenden Umstände zur Genüge ergeben, dass die ganze Annahme ein Gewebe von Ungereimtheiten und die angeblichen Grabsteine weiter nichts als ein grober Betrug sind, dergleichen auch an anderen Orten vielfach begangen werden, um das bezweifelte Altertum eines Ortes vor unbescheidenen Zweiflern ganz und für immer sicherzustellen. Es verlohnte sich in der Tat wohl zu wissen, wer der Urheber derartiger Inschriften war, die mehr als einen gläubigen Verehrer der römischen Geschichte und des Livius insbesondere in arge Verlegenheit setzten.

1.3 Die Slawen

Als aber besonders seit den Zeiten des großen Konstantin die Grenzwehren des römischen Reichs auf allen Punkten von den germanischen Völkerstämmen bestürmt und durchbrochen, und die zum Teil seit Jahrhunderten romanisierten Provinzen des Reichs, ja Italien selbst und die ewige Weltstadt Rom, von jener gewaltigen Völkerströmung überschwemmt wurden, da schienen auch die Semnonen nicht hinter den ihnen stammverwandten Vandalen und Langobarden zurückgeblieben zu sein. In die nun von Bewohnern entblößten Länder des östlichen Deutschlands zog über die nicht ferner durch suebischen Heerbann geschützten Grenzen, gleichfalls durch andere Horden gedrängt, ein Volk ein, welches von den Germanen in jeder Hinsicht, an körperlicher Gestaltung, an Sitte, an Religion, in Beziehung auf das politische Leben durchaus verschieden war, und daher jenen stets fremd und feind geblieben ist.

Dies Vordringen der Slawen – so nannte sich jenes Volk als das glorreiche – erfolgte seit der Mitte des 6. Jahrhunderts. Wir wissen nicht, ob noch Semnonen in dem Land ihrer Väter zurückgeblieben waren oder nicht, ob in dem letzteren Fall jene letzten Reste germanischer Bevölkerung im Osten der Elbe der Übermacht weichen, ihre bisherigen Wohnsitze räumten, und über den Strom zu ihren germanischen Stammverwandten zogen, oder ob sie es vorzogen, daheim zurückzubleiben und sich den Siegern zu unterwerfen. Elbe und Saale waren im Allgemeinen die Grenzen, welche Slawen und Deutsche voneinander schieden. Gleichwohl scheinen gleich damals einzelne Haufen von Slawen diese Ströme überschritten, und namentlich in der jetzigen Altmark und im Lüneburgischen, wo noch heutigen Tages eine Gegend den Namen des Wendlandes trägt, sich niedergelassen zu haben. Hier wohnten sie in eigenen Dörfern mitten unter den Sachsen, welche von Norden herab in die von den Langobarden geräumten Gegenden eingezogen waren.

Am Gestade der Ostsee wohnten die Pomoranen (*po morse*, am Meer), an der unteren Elbe die Polaben (*po labe*, an der Elbe), nördlich von diesen die Wagrier (*wgraju*, Grenzbewohner), von diesen östlich die Obotriten und an der Warnow die Warnen, in den wasserreichen Niederungen zwischen Elbe und Oder, auf beiden Seiten der Havel und der Spree, waren die Wohnsitze der Lutizen, welche von dem Ort ihrer Ansiedelung hier Heveller, dort Müritzer, dort Ukrer, genannt wurden, übrigens aber politisch in die vier Gaue der Zirzipanen, Kessiner, Tollenser und Redarier zerfielen. Die ersteren erschienen zwischen der Peene und der Ostsee, die Kessiner im Land Rostock, südlich von jenen wohnten die Tollenser, die Redarier zu beiden Seiten der Havel, wahrscheinlich also auch in den gegenwärtig zum ruppinischen Kreis gehörigen Ländern.

In dem Gebiet der Redarier, des mächtigsten jener vier lutizischen Gaue, lag denn auch jenes Rethra mit dem Tempel des Radegast, wahrscheinlich an derselben Stelle, an welcher vor Zeiten die Semnonen das Bundesheiligtum aller Sueben unter ihrer Obhut gehabt hatten. Es war bei den Griechen und Römern, nicht minder bei den Christen die Sitte, ihre Tempel gerade an der Stelle aufzuführen, an welcher die nun mit dem Volk zugleich besiegte Gottheit ihr Heiligtum gehabt hatte, um dadurch zugleich mit anzudeuten, dass nun, da die neue Gottheit der Sieger die Stelle der alten einnahm, an eine Wiederherstellung der alten Verhältnisse nicht zu denken sei. So wurde später in Brandenburg, wo Triglaff gestanden hatte, das Kreuz des Erlösers aufgerichtet, so in Wittstock nicht unwahrscheinlich der Tempel des dreieinigen Gottes gebaut, wo unter uralten Eichen den slawischen Göttern die Opfer geblutet hatten.

In Rethra stand Radegast, unbekleidet, mit dem doppelten Antlitz eines Löwen und eines Menschen, auf der Brust das Haupt eines Stiers, der Schwan auf seinem Haupt, in der Hand den Speer, umgeben von einer Schaar kleiner gleichfalls mit Helm und Panzer geharnischter Götter. Hier in des Kriegsgottes Tempel wurden die Fahnen aufbewahrt. Durch blutige Opfer, nicht allein von Schafen und Stieren, sondern auch von Menschen, besonders von gefangenen Deutschen, wurde der Zorn des Gottes versöhnt, sein Beistand im Krieg gewonnen. Eine Priesterschaft, reich, mächtig, stolz und streng, herrschte im Namen des Gottes, der seinen Willen durch das Wiehern eines heiligen Rosses kundgab, über die Redarier und die übrigen lutizischen Gaue, deren König und Herr allein Radegast sein sollte. Anstatt der Semnonen würden wir demnach nun mit großer Wahrscheinlichkeit die Lutizen und zwar die Redarier als die Bewohner unserer Grafschaft anzusehen haben, wenn wir auch weit entfernt sind, durch die Zusammenstellung der Namen Radegast, Radensleben, für dieselbe einen gewiss unverdienten Ruhm in Anspruch zu nehmen.

Ohne Zweifel waren die Lutizen, wie man schon aus den vieljährigen blutigen Kämpfen zwischen Slawen und Sachsen zu schließen befugt ist, ein sehr zahlreiches und mächtiges Volk, und die von ihnen besetzten Landstriche gewiss, wenn auch nicht so bevölkert wie jetzt, doch keineswegs arm an Dörfern. Eigentliche Städte lassen sich im nördlichen Deutschland wohl nur wenige als von Slawen besetzt nachweisen. Mag sich auf der Insel Wollin das durch Handel blühende Vineta zu besonderer Größe erhoben, mögen sich um die vielbesuchten Tempelstätten zu Arkona und Rethra allmählich volksreichere Ortschaften gebildet haben. Städtisches Leben lag den Slawen ebenso fern wie den Deutschen. Desto größer war die Zahl der Dörfer, deren Lage ohne Zweifel in Allgemeinen von den Slawen wie von den Germanen so gewählt wurde, dass sie im Augenblick plötzlicher Gefahr Schutz und Sicherheit darbot. In der Regel finden wir daher die alten Dörfer so angelegt, dass sie auf der einen Seite an fruchtbares Ackerland, auf der anderen an Sumpf und Wald (Hagen) stießen, wohin im Fall eines feindlichen Überfalls Weiber und Kinder mit dem Vieh hinausflüchten konnten, indes die Männer den Andrang der Feinde wehrten. Erdwälle mochten hier und da die Befestigung vollenden.

Ob aus der Slawenzeit noch Namen von Dörfern bis zu uns herabgekommen sind, das lässt sich nicht wohl mit unbezweifelter Gewissheit angeben. Doch scheinen aus dem Umkreis unserer Stadt Namen wie Dabergotz, Zermützel, Mutz, Segeletz, Dreetz, – ingleichen viele auf »-in« ausgehende, als Metzelthin (Musiltin), Kerzlin, Kränzlin, Bechlin, Rägelin, Zechlin, Ruppin, Stöffin, – ferner viele auf »-itz«, als Zernitz, Plänitz, Köritz, Kyritz, Tramnitz, Darritz, Wallitz, Köpernitz, Vielitz, Bückwitz, – endlich auf »-ow« oder »-au«, als Barsikow, Küdow, Buskow, Wustrau, Treskow, Gnewikow, Wulkow, Wuthenow, Lögow, Zernikow, Globsow, Dagow, Dallgow, Molchow, Linow, Fristow, Buberow, Bütow, Paalzow, Dessow, Walchow, slawischen Ursprung zu verraten, wenn wir gleich gern zugestehen, dass auch auf dem linken Elbufer Orte genug mit diesen slawischen Endungen noch heutigen Tages gefunden werden.

Vorzüglich gern ließen sich die Slawen an den Ufern der Seen nieder, an denen die östlich von der Elbe liegenden Länder keinen Mangel leiden. An dem gemächlichen Fischerleben fand der Slawe viel mehr Behagen als an der mühsamen und nicht immer sicher belohnten Feldarbeit. So entstanden östlich der Elbe eine sehr große Menge von Fischerdörfern oder Kietzen, die auch späterhin noch, als längst die Mark Brandenburg in den glorreichen Zeiten der ballenstedtischen Herrschaft germanisiert war, ausschließlich von Slawen bewohnt wurden. Aus drei solcher Kietze, dem großen, dem kleinen und dem Jederitzer Kietz, soll Rathenow zusammengezogen sein, in dessen Nähe noch jetzt das Kietzer-Dorf Mögelin liegt. Einen Kietz hatten auch Brandenburg, Potsdam, Spandau, Köpenick, Wriezen, Küstrin, Landsberg an der Warthe und viel andere Orte. In der ganzen Altmark gab es davon nur zwei, beide in der Nachbarschaft von Tangermünde, Schelldorf und Kalbu, beide gänzlich von Wenden bewohnt, welche dort zur Fällung des Holzes für den markgräflichen Hofhalt auf der Burg zu Tangermünde, hier zur Herbeischaffung des geschlagenen Holzes nach Tangermünde und zum Hinübersetzen des Markgrafen und seiner Familie, seines Gefolges, über den Strom verpflichtet waren.

Innerhalb unserer Grafschaft werden nur zwei Fischerdörfer, der Kietz von Alt Ruppin und Altfriesack, erwähnt, beide ohne Zweifel schon in der slawischen Zeit existierend. Der Kietz Ruppin war, wie fast alle Kietze ein nur von Slawen bewohntes Fischerdorf, welches in der Zeit deutscher Herrschaft allem Anschein nach von Bischofs-Zehnten und Bede frei, nur zu einem geringen Zins und zur Versorgung der Burg mit Fischen sowie zu einigen anderen Diensten bei Feldarbeit verpflichtet war, besonders zur Zeit der Heu- und Kornernte. Noch später hatte dieser Kietz sein eigenes Lehnschulzengericht wie jeder der drei Kietze von Rathenow, mit denen der Magistrat dieser Stadt noch bis auf unsere Tage fortdauernd beliehen wurde. Ebenso hatten die Bewohner des Fischerdorfes zu Altfriesack, zwischen dem Bütz- und Rhinsee gehalten, die gräfliche Tafel zu Alt Ruppin mit den sogenannten Herrenfischen zu versehen, und am Gründonnerstag zur Speisung der Armen Fische auf das Schloss zu liefern, der Lehnschulze aber hatte, mit etwa 1 ½ Wispeln Aussaat Acker und etwas größerer Fischereigerechtigkeit, die etwa auf der Jagd befindlichen Hofleute zu speisen.

In diesen ihren neuen Wohnsitzen nun mochten die Lutizen während eines Zeitraumes von etwa zwei Jahrhunderten einer glücklichen und ungestörten Ruhe genossen haben, in Frieden und Freundschaft mit den ihnen gegenüber sesshaften Sachsen, als Karl der Große im

Krieg wider die Sachsen auch die Elbe überschritt, um die Lutizen für den an diese geleisteten Beistand zu züchtigen. Von Wolfenbüttel aus zog er mit einem Heer, zu welchem auch Sachsen, Friesen, ja sogar slawische Hilfsvölker von den Obodriten stießen, im Jahr 789 über Schöningen durch die Altmark an die Elbe, ließ, wahrscheinlich in der Nähe Werbens, zwei Brücken über den Strom schlagen, und durchzog nun siegreich plündernd das Land der Lutizen, weniger in der Absicht, hier eine dauernde Herrschaft zu begründen, als um dem Feind die Gewalt seines Armes und die Schwere seines Zorns und seiner Rache fühlen zu lassen. Wahrscheinlich berührte König Karl auf diesem Zug auch unsere Grafschaft. Übrigens hießen um diese Zeit die Lutizen wenigstens bei den fränkischen Analisten »Wilzen«, sei es, dass die Deutschen sie mit diesem Namen als »Wilde« bezeichneten, sei es – und das ist bei Weitem das Wahrscheinlichere – der Teil der Lutizen, welcher dem gewöhnlichen Übergangspunkt über die Elbe zunächst wohnte, und welchem unter anderem Wilsnack seinen Namen verdankt, Wilzen genannt wurde, worauf dann dieser Name des einzelnen Teils, wie so unzählige Male in alter und neuer Geschichte, dem gesamten Volk der Lutizen den Namen verlieh. Wir unseres Teils zweifeln daher sehr, ob jemals die Bewohner der späteren Herrschaft Ruppin den Namen Wilzen getragen haben.

Mögen nun die Wilzen auch immerhin des großen und furchtbaren Frankenkönigs Übermacht während seines Lebens durch Zahlung von Tribut anerkannt haben, so löste sich doch dies Verhältnis, als unter seinem Sohn, dem frommen Ludwig, die karolingische Macht in Unkraft zu verfallen begann. Ja Wilzen und Obodriten vergaßen den alten Hass wider einander so sehr, dass sie im Jahr 838 gemeinsam verwüstend in Sachsen einbrachen. Zwar wurde dieser, wie alle folgenden Einfälle, mit Erfolg zurückgeschlagen und durch ähnliche Verheerungen auf dem rechten Elbufer gerächt, eine wirkliche Abhängigkeit der Slawen von den Sachsen oder dem deutschen Königtum überhaupt, die sich nur an den Namen des großen Karl geknüpft hatte, waren die Nachfolger Ludwigs durchaus nicht vermögend wieder herzustellen. Inzwischen erzeugte sich infolge jener unaufhörlichen Feindseligkeiten zwischen Slawen und Sachsen die bitterste Feindschaft und ein unaustilgbarer Hass, der erst durch die Bekehrung jener zur Religion

Jesu gemildert und endlich durch die vorzügliche Weisheit des ballenstedtischen Fürstenhauses durchaus getilgt wurde.

Die Namen der Männer sind vergessen, welche hier gegeneinander standen im harten Kampf, die Schläge verklungen, welche hier von beiden Seiten mit guten scharfen Waffen getan wurden. Die Dörfer, welche oftmals als feurige Zeichen der Todfeindschaft durch die Nacht hin aufgelodert, sind wieder aufgebaut. Aber es muss eine Zeit schwerer Not gewesen sein, eine Zeit, die selbst da noch nicht endete, als König Heinrich der Vogelsteller, Ottos des Erlauchten Sohn, vor seiner Berufung zu Zepter und Krone selber der Sachsen Herzog, 926 mit Heeresmacht über die Elbe bis Brandenburg vordrang, bei strengem Winterfrost über das Eis der Havel sich den Wällen dieser Hauptfeste der Slawen näherte und dieselbe mit stürzender Hand einnahm. Denn so wenig war der Mut der Lutizen gebeugt und ihre Kraft gebrochen, dass sie schon 929 die Elbe bei Werben überschritten und die sächsische Stadt Walsleben erstürmten und in einen Aschenhaufen verwandelten. Es ist nicht zu bezweifeln, dass diese Stadt an der Stelle stand, wo noch jetzt zwischen Werben, Osterburg und Arneburg eines der größten Dörfer der Altmark den Namen Walsleben führt. Noch 1462, wahrscheinlich bis auf den heutigen Tag, heißt ein Teil der Feldmark dieses Dorfes »der Burgwall«.

Jedenfalls muss das Walsleben, welches 929 eingeäschert wurde, westlich von der Elbe gelegen haben. Wir würden in unserer Geschichte dieses Ereignisses kaum gedacht haben, wenn nicht Ursinus in seiner Übersetzung des Thietmar von Merseburg und auch Bratring hierbei an das in unserer Grafschaft an der Temnitz belegene Dorf Walsleben gedacht hätten. Aber bedenken wir, dass es nicht bloß zweifelhaft ist, ob König Heinrich den zum Land Ruppin gehörigen Landen nahegekommen sei, sondern selbst sehr unwahrscheinlich. Wie aber hätte er, der kriegskundige Fürst, zu einer Zeit, da die wichtige Elbgrenze noch keineswegs genügend gesichert war, daran denken sollen, mitten im Feindesland, wo die Natur wenigstens keine besondere Schutzwehr darbot, eine Grenzfeste anzulegen? Binnen zwei oder drei Jahren hätte endlich ein so vorgeschobener Grenzposten unmöglich können ein so bedeutender Ort werden, wie Walsleben im Jahr 929, wo es in Flammen aufging, notwendig sein musste. Die

Entstehung unseres Dorfes Walsleben kann unmöglich einer früheren Zeit angehören, als derjenigen, in welcher das ganze umliegende Land germanisiert wurde, und zwischen oder an der Stelle früherer slawischer Dörfer eine große Zahl neuer sächsischer entstand, deren Namen sich noch zum großen Teil in der Altmark wiederfinden. Hier wie dort gibt es ein Dannenfeld, Baumgarten, Kraatz, Grieben, Meseberg, Gartow, Garz, Bückwitz, Neuendorf, Schönfeld, Dessow, und außerhalb der Grenzen unserer Grafschaft entsprechen von den benachbarten Dörfern Kerkow, Holzhausen, Buchholz, Briest, Baben, Osterne, Badingen, Tornow und viele andere ebenso vielen noch jetzt in der Altmark befindlichen Dörfern. In diese Zahl nun gehört auch Walsleben an der Temnitz, welches vielleicht seine ersten sächsischen Bewohner wie seinen Namen von jenem altmärkischen Ort empfangen hat.

In Folge dieses so feindseligen und verderblichen Überfalls der Slawen griff Bernhard, der Befehlshaber des Königs, an dieser stets gefährdeten Grenze schon im folgenden Jahr 930 die slawische Feste Lunsin, das heutige Lenzen an der Elbe, an, schlug ein zum Entsatz herbeieilendes wendisches Heer auf das Haupt, und warf es in die Elbe, die Widukind von Corvey hier mit dem offenen Meer verwechselte. Dann eroberte er die nach wendischer Art mit Erdwällen und Gräben wohl verwahrte Stadt im Sturm. Den durch diesen doppelten Verlust schwer gedemütigten Wenden blieb, so scheint es, nichts übrig, als des Königs Gnade anzuflehen. Wenn dieser 934 schon die Ukrern zur Anerkennung seiner Oberhoheit bringen konnte, so müssen umso mehr die diesseits der Uckermark gelegenen Lande, mithin auch unsere Grafschaft, sich in derselben Abhängigkeit befunden haben. Da indessen, so lange das Heidentum sich dem Christentum gegenüber behauptete, nie ein ruhiger Besitz dieser Lande zu erwarten war, so gründete Heinrichs Sohn und Nachfolger Otto der Große zur Bekehrung der heidnischen Slawen in deren Land 946 das Bistum zu Havelberg und drei Jahre nachher das zu Brandenburg, nachdem schon Heinrich I. im Jahr 931 im Mecklenburgischen das Bistum Oldenburg, welches später nach Lübeck verlegt wurde, gegründet hatte. In der Stiftungsurkunde des Bistums Havelberg, welche am 10. Mai 946 zu Magdeburg in Gegenwart des päpstlichen Legaten Marinus, des Erzbischofs Friedrich von Magdeburg und anderer Bischöfe, ferner Brunos, Ottos Bruders, und des Markgrafen Gero vollzogen wurde, wird unter den an das neue Stift geschenkten Orten auch ein Dorf *Rabbuni* genannt, von welchem einige glaubhaft meinen bzw. geglaubt haben, es müsse Alt Ruppin darunter verstanden werden – fälschlich. Offenbar lag dieses Rabbuni in dem Gau Liezizi, welcher den von der Elbe und der Havel kurz vor ihrer Vereinigung gebildeten Winkel begriff, und gehörte gleich den übrigen in dem Dokument genannten Dörfern aus dieser Provinz, gleich *Principini, Rozmoc, Cotini, Virrätz, Niekurini, Milkuni, Malizi, Podesal* und *Ludini,* mit zu dem Schloss Marienburg, dem heutigen Kabelitz, welches gleichfalls dem Bistum überwiesen wurde. Die Namensähnlichkeit wird uns also nicht verleiten dürfen, hier eine Erwähnung Ruppins zu finden.

Aber die Zeit war noch nicht erschienen, in welcher die Lehre des Weltheilands hätte in den noch rohen Gemütern der Slawen Wurzel schlagen und fröhlich gedeihen können. Der Hass zwischen Sachsen und Lutizen war zu heftig und wurde durch die heidnische Priesterschaft immer aufs Neue angefacht, der Verlust der alten Götter drohte zugleich den der politischen Freiheit. Das Christentum heischte von ihnen neue bis dahin unbekannte Lasten, unter denen vorzüglich die Ablieferung des Zehnten an den Bischof und die von ihm bestellten Geistlichen sowohl von Korn als vom Schlachtvieh drückend und gehässig war. Die Art und Weise, wie ihnen der neue Glaube aufgedrungen werden sollte, musste ihnen denselben noch gehässiger machen. Zwar so lange Geros mächtiger Arm – ihn war auch in jenen beiden Stiftssprengeln durch König Otto I. der Heerbefehl anvertraut – über die Slawen gebot, wurde jeder Aufstand der von dem Markgrafen nicht selten mit schonungslosem Übermut und schändlicher Treulosigkeit behandelten Lutizen leicht unterdrückt, aber die Herzen der Niedergehaltenen blieben der Religion des Gekreuzigten verschlossen. Nach dem Verlust seines einzigen hoffnungsvollen und blühenden Sohnes zog sich Gero aus dem geräuschvollen Leben in des Klosters Stille zurück.

Die Beschützung der Nordmark und die Herrschaft über die Slawen aber wurde dem Dietrich, einem Waffenbruder des von seinen tatenreichen Schauplätzen abgetretenen Markgrafen, übergeben, einem

Mann, dessen Unbesonnenheit und Hochmut den lange verhaltenen Grimm der Besiegten endlich zum Ausbruch brachte. Mistiwoj, der Obodritenfürst, war von Dietrich ein slawischer Hund geheißen worden, der die Hand einer edlen sächsischen Jungfrau nicht verdiene. In Rethra, dem Heiligtum des Radegast, sammelte der tief Gekränkte die Fürsten der Lutizen und entflammte alle zur Rache. Im Jahr 983 loderte überall die allgemeine Empörung gegen die sächsischen Zwingherren auf. Havelberg wurde am 29. Juni plötzlich überfallen, die Besatzung erschlagen, die bischöfliche Kirche zerstört, in allen Slawenlanden die letzte Spur des Christentums ausgetilgt. Dietrich, der Urheber all dieses Unheils, wurde, obgleich er den sogar über die Elbe in die Nordmark eingebrochenen Slawen bei Tangermünde eine große Niederlage beigebracht hatte, noch in demselben Jahr seines Amtes entsetzt, und endete, wie Adam von Bremen sagt, seiner Ehre und seiner Güter beraubt, sein Leben wie er es verdiente, durch einen bösen Tod.

In diesem Aufstand wie in die nunmehr ihm folgenden erbitterten Kämpfe herüber und hinüber über den Elbstrom müssen auch die Bewohner unseres Landes mit verwickelt gewesen sein. Es ist sehr glaublich, dass sie im folgenden Jahrhundert gleichfalls einen Teil jenes großen Slawenreichs bildeten, welches Gottschalk, der Enkel jenes Obodritenfürsten, seit dem Jahr 1047 begründet hatte, und welches außer den Obotriten noch die Wagrier, Polaben, Femerer, Linonen, Kessiner, Zirzipanen, Tollenser, Redarier, Stodoranen (so hießen die Heveller um Brandenburg), Ukrer, Rugier in sich begriff.

Gottschalk war in dem christlichen Glauben von den Benediktinern zu Lüneburg unterwiesen worden und zeigte sich auch während seiner Herrschaft als einen eifrigen Verehrer und Beförderer der Lehre Jesu. Das Bistum Oldenburg wurde erneuert, zu Mecklenburg und Ratzeburg zwei neue Bistümer errichtet, über ein Drittel seiner Untertanen zur Taufe gezwungen. Da fiel er selber am 7. Juni 1066 durch Meuchelmord. Sein Tod war das Zeichen zur allgemeinen Erhebung aller slawischen Stämme in Norddeutschland gegen die neue Lehre. Zu Lenzen blutete ein christlicher Priester auf dem Altar, der nun wieder den alten Göttern geweiht wurde. Der Kopf des Bischofs Johann von Mecklenburg ward zu den Füßen des Radegast niedergelegt, überall das Christentum unter unerhörtem Gräueln ausgerottet. Die Herrschaft, welche Gottschalks Persönlichkeit erworben und behauptet hatte, löste sich wieder auf.

Unseres Landes aber geschah bei allen diesen Verwirrungen durchaus keine Erwähnung, erstens, weil es von dem eigentlichen Kriegsschauplatz zu entfernt lag, zweitens, weil es den Sachsen durchaus keinen besonderen Haltpunkt zur Behauptung der bisherigen Eroberungen darbot, drittens, endlich ganz besonders, weil es wahrscheinlich weder einen Gau für sich ausmachte noch einem einzigen slawischen Edlen zugehörte und daher auch seiner gar nicht als eines Ganzen gedacht werden konnte.

Der Untergang jener selbstständigen slawischen Fürstentümer und des heidnischen Glaubens war entschieden, als König Lothar 1134 zu Halberstadt die Mark *Soltwedel* an den Grafen Albrecht von Ballenstedt verlieh. Pribislaw, der letzte Fürst der Heveller, welcher das Christentum und in der Taufe den Namen Heinrich angenommen hatte, wünschte, da er selber ohne Leibeserben war, bei seinem Tod die von ihm besessenen Lande lieber einem christlichen Fürsten aus sächsischem Geblüt, als seinen eigenen heidnischen Verwandten zu hinterlassen. Heinrich starb 1142 und Albrecht nahm ohne weiteres in seinem und seines Sohnes Otto Namen von der ihm durch diesen Tod zugefallenen Erbschaft, insbesondere aber von der wichtigen Feste Brandenburg, Besitz.

Zwar verursachte 14 Jahre nachher Jazko, Heinrichs Schwestersohn, noch einmal, die Sachsen über die Elbe zurückzuwerfen. Durch Verrat kam selbst Brandenburg in seine Hände. Aber die Zeit der Germanisierung der slawischen Provinzen war gekommen. Jazko musste seine Eroberungen ebenso schnell wieder räumen als er sie gemacht hatte. Schon 1157 zog der Markgraf abermals in Brandenburg, seine neue Hauptstadt, von der er sich schon früher »Markgraf von Brandenburg« genannt hatte, ein, und da, wo ehedem der dreiköpfige Triglaff gestanden, verkündete nunmehr für alle Ewigkeit das Kreuz des Erlösers den Triumpf des Christentums. Inzwischen war es dem tapferen, weisen und gemäßigten Markgrafen seit dem Jahr 1167 auch gelungen, die Prignitz, zu welcher besonders die drei Gaue Nieletizi, Dassia, und Linayga gehörten, seinem Gebot zu unterwerfen. In dem ersten der genannten Gaue lag Havelberg selber und die benachbarte Stadt *Nizem* (Nitzow). Der Linayga-Gau breitete sich um Schloss und Stadt Putlitz (*Pochlustini*, im Jahr 946) aus. Der Hauptort des dritten Gaues war *Wizoka* oder *Wizaka*, das heutige Wittstock.

Zu diesem letzteren Gau gehörte wahrscheinlich der westliche Teil unserer Grafschaft. Unter so veränderten Umständen konnten auch die Bischöfe von Havelberg und Brandenburg nach einem Exil von mehr als 150 Jahren wieder in ihre so lange verwaisten Bischofssitze einziehen. Mit Ausnahme der Dörfer Neukammer, Grieben, Bergholz, Linde, Großmutz, Kraatz, Gerbendorf, Häsen, vielleicht auch Rüthnick, welche noch 1459 als zum Bistum Brandenburg gehörig aufgeführt wurden, gehörte die ganze spätere Grafschaft Ruppin zu dem kirchlichen Sprengel von Havelberg.

Um die Mitte des 12. Jahrhunderts war aber Anselm, der Bruder Albrechts des Bären, derselbe, welcher 1144 Kirche und Kloster zu Jerichow gestiftet hatte, und den Kanonikern seines neu eingerichteten Stifts die Regel des Prämonstratenserordens gab, Bischof zu Havelberg, von 1126 bis 1154. Ihm bestätige König Konrad III. 1150 alle Schenkungen Ottos des Großen an dieses Stift, sowie das Recht, in den Gauen Zamzizi, Liezizi, Sieletizi, Linayga, Dassia und Murizi (um den Müritz-See) den Zehnten zu erheben, und zur Bevölkerung der ganz verödeten Stiftsgüter, woher er irgend wolle, Ansiedler herbeizuziehen, über die kein Herzog, kein Markgraf, kein Graf sich Rechte anmaßen ober Abgaben verhängen, ja von denen nicht einmal die allgemeine Landesbede sollte erhoben werden. Um die Mitte des 12. Jahrhunderts werden demnach auch diejenigen Länder, auf welche sich unsere Geschichte unmittelbar bezieht, in die Gewalt des Markgrafen gekommen sein. Besondere Erwähnung haben sie in der allgemeinen Geschichte jener Zeit auch jetzt noch nicht gefunden.

2. Die Grafen von Arnstein als Herren des Landes Ruppin

2.1 Die Anfänge des Arnsteiner Grafenhauses

Unter den edlen Sachsen nun, welche den Markgrafen Albrecht den Bären in seine neu erworbenen Besitzungen auf dem rechten Ufer der Elbe hinüber begleitet hatten, war gewiss das Geschlecht derer von Arnstein eines der erlauchtesten und mächtigsten.

Noch heutigen Tages erheben sich am südöstlichen Abhang des Harzes zwischen Harkerode und Sylda, nur wenige Stunden von dem Städtchen Ballenstedt entfernt, in luftiger Höhe die Trümmer einer stolzen Feste. Von der Höhe der Mauern, zu der man auf einer wohl erhaltenen steinernen Wendeltreppe aufsteigt, schweift der fessellose Blick über eine unermesslich weite, reizende Landschaft hin. Es war dies einst die Burg des alten und edlen Geschlechts derer von Arnstein, welche von diesem erhabenen und sicheren Sitz ihrer Herrschaft weit über die benachbarten Orte geboten. Die Wappen der Markgrafen von Brandenburg, der Herzöge von Kleve, der Grafen von Henneberg und derer von Reinstein, noch jetzt an den verfallenen Mauern sichtbar, bezeugen den Glanz und die Hoheit ihrer früheren Bewohner. Noch jetzt gewähren die Trümmer, wie einst der Arm ihrer Erbauer, den niedrigen Hütten von armen Landleuten ihren Schutz.

Als der letzte Spross derer von Arnstein, welcher im Besitz der Stammgüter geblieben war, im Jahr 1268 in Italien, wohin er mit dem edlen Konradin gezogen, das Leben verloren hatte, fiel das Schloss Arnstein mit Zubehör erst an die Grafen von Falkenstein, dann an die von Reinstein, hierauf an die von Mansfeld, nach dem Aussterben des gräflich mansfeldischen Hauses an Sachsen und endlich an Preußen. Zuerst litt die Burg gar sehr in dem Bauernkrieg 1524, wurde jedoch 1530 durch Hoyer von Mansfeld und dann nach abermaliger Zerstörung im Dreißigjährigen Krieg 1634 auf der Gräfin Maria Befehl wieder hergestellt. Seitdem ist sie in Vergessenheit gesunken und allmählich in Trümmer zerfallen.

Gerade zwei Jahrhunderte vorher, ehe Graf Albrecht von Ballenstedt mit der Mark *Soltwedel* beliehen wurde, schon 934, zeichnete sich ein Graf Heinrich von Arnstein in dem Turnier aus, welches

König Heinrich der Finkler zur Verherrlichung seines großen Sieges über die Magyaren bei Merseburg in Magdeburg halten ließ. Ja schon im 9. Jahrhundert soll Richildis Gräfin von Arnstein an Reinhard von Alvensleben vermählt gewesen sein, welcher ein Sohn Burchards und ein Enkel jenes Alvo oder Albin, Karls des Großen Zeitgenossen, war. Richildis und Reinhards Sohn Richard soll 876 oder 880 im Krieg gegen die Normannen sein Leben eingebüßt haben. Im Jahr 1064 nannte Graf Walther von Barby den Grafen Walther von Arnstein seines Vettern Sohn, woraus, verbunden mit der Ähnlichkeit der beiden gräflichen Wappen, Meibom, Leutinger und andere auf eine nahe Verwandtschaft der Grafen von Barby mit denen von Arnstein geschlossen haben. Es gehörten aber jenen erstens die Herrschaft Rosenberg, eine halbe Meile etwa von Barby entfernt, welche die Grafen vom Erzstift Magdeburg zu Lehen hatten, und von der sie zwei silberne mit Gold gezierte Rosen in ihrem Wappen führten, ferner die Herrschaft Mühlingen, auf welche sich der rote mit Silber geschmückte Adler bezog, und endlich die Grafschaft Barby, welche in dem Wappen durch zwei rückwärts gegeneinander gesetzte goldene, nach anderen gelbliche Barben, angedeutet wurde. Die Familie, in deren Händen jene Besitzungen waren, nannte sich bald Grafen zu Barby und Mühlingen, bald Grafen zu Mühlingen und Herren zu Barby. Vergleicht man hiermit, dass sich noch 1256 Graf Günther mit dem Privileg, welches er seiner Stadt Neuruppin gab, Günther von Arnstein, Graf zu Mühlingen nannte[2], und berücksichtigt man ferner, dass in beiden gräflichen Häusern dieselben Vornamen üblich waren, so wird man nicht wohl an ihrer Blutsverwandtschaft zu zweifeln im Stande sein.

Um die Mitte des 12. Jahrhunderts aber wird häufig eines Grafen Walther von Arnstein gedacht, eines Zeit- und wohl auch Altersgenossen des Grafen Albrecht von Ballenstedt. So erschien er uns in den Jahren 1135, 1147, 1156 und 1161 als Zeuge in erzbischöflich magdeburgischen Schreiben. 1142 und 1156 unterzeichnete er Urkunden des Markgrafen Konrad von Meißen, 1159 war er bei dem Abt des Benediktinerklosters zu Ballenstedt, 1166 bei Kaiser Friedrich dem Rotbart zu Ilm, 1155 mit Albrecht und Konrad, seinen Vatersbrudersöhnen, bei Markgraf Albrecht dem Bären zu Aschersleben, da dieser dem Orden der Johanniterritter die Kirche zu Werben schenkte, 1160 im Gefolge desselben Mannes. Wie nahe diesem Walther, den wir in unserer Geschichte als den Ersten bezeichnen wollen, jener Gebhard verwandt gewesen, der 1162 unter den Domherren von Magdeburg genannt wird, und ob es vielleicht derselbe gewesen, von dem es heißt, dass er sich 1160 und 1186 auf den Kriegszügen des großen Kaisers in Italien ausgezeichnet habe, müssen wir freilich dahingestellt sein lassen[3].

Vielleicht ein Sohn jenes Walthers II. war Walther III. von Arnstein, der in den Jahren 1176, 1180, 1184, 1192 beim Erzbischof von Magdeburg erwähnt wurde, 1194 zu Magdeburg eine Urkunde an die Kirche Unserer Lieben Frauen ausfertigen ließ, 1173 eine Verhandlung des Grafen Dietrich zu Werben mit dem Kloster Leitzkau, 1187 Urkunden des Markgrafen Otto II. und des Bischofs Balderam von Brandenburg mitunterzeichnete, und sich 1192 zu Stendal bei dem Grafen Heinrich von Gardelegen, dem frommen Bruder des Markgrafen, aufhielt. Ihn setzte der Erzbischof von Magdeburg 1196 zum Landrichter über seine im Osten der Elbe gelegenen Güter ein, und noch 1199 war er unter den Baronen der Kirche zu Quedlinburg, von welcher er also wahrscheinlich schon damals Güter zu Lehen hatte. Wahrscheinlich auf diesen Grafen Walther III. bezieht sich die Angabe, dass ein Graf von Arnstein dieses Namens mit Gertrud, einer Enkelin des oben erwähnten Markgrafen Konrad von Meißen, vermählt gewesen. Konrad nämlich hatte sechs Töchter, von denen die fünfte, Adele, zuerst mit einem König Sven von Dänemark, dann aber mit dem Grafen Albrecht, dem Sohn des Markgrafen Albrechts des Bären, verheiratet war, und eine einzige Tochter Gertrud, die Gemahlin Walthers II. von Arnstein, hinterließ.[4]

2.2 Die Übernahme der Herrschaft Ruppin

Auf diese Verschwägerung mit der markgräflichen Familie gründet sich nun die Ansicht, dass die Grafschaft Lindau und die Herrschaft Ruppin als Mitgift der brandenburgischen Fürstentochter an die Familie derer von Arnstein gekommen seien. Ohne Zweifel würde sich diese Vererbung höchstens so erklären lassen, wenn Graf Albrecht, der fünfte Sohn des Markgrafen Albrecht des Bären, etwa nach seines Vaters Tod diese Grafschaft erhalten, und hiernächst dieselbe an seine Tochter und deren Gemahl vererbt hätte. Aber sehr wahrscheinlich starb Albrecht schon früher als sein Vater, da von ihm bei der Verteilung der väterlichen Lande ganz und gar nicht die Rede ist, ob wir gleich von seinem Bruder Hermann, Albrechts viertem Sohn, wissen, dass er mit der Grafschaft Orlamünde, von Dietrich, dem sechsten Bruder, dass er mit der Grafschaft Werben, von Bernhard, dem jüngsten unter des Markgrafen Albrecht Söhnen, dass er mit den Stammgütern des ballenstedtischen Hauses abgefunden wurde. Zu dieser irrtümlichen Ansicht hat wohl das besonders die Veranlassung gegeben, dass man sich die Herrschaft Ruppin gleich bei ihrer ersten Verleihung mit dem späteren ausgedehnten Umfang gedacht hat. Höchstens könnte man doch behaupten, dass die nahe Verwandtschaft die regierenden Markgrafen von Brandenburg dahin gebracht habe, unseren Grafen Walther III. die gedachten Lande als Lehen zu übergeben. Noch verkehrter und in einer Zeit, die von historischer Forschung keine Ahnung hatte, rein aus der Luft gegriffen ist die Meinung, es möchte vielleicht die Grafschaft Ruppin vor Zeiten die Besitzung irgendeines slawischen Edlen gewesen und aus dessen Händen auf irgendeine Weise in den Besitz der Grafen von Arnstein übergegangen sein.

Es lässt sich nicht leugnen, dass wir im 12. Jahrhundert nirgends auch nur eine leise Andeutung finden, aus der man schließen könnte, dass die Edlen von Arnstein schon damals im Besitz der Länder gewesen, mit deren Betrachtung sich unsere Geschichte beschäftigt. Auch werden Graf Walther II. und Walther III., ja selbst deren nächste Nachfolger nie weder von Lindau noch von Ruppin genannt. Gleichwohl wird man daraus durchaus noch nicht folgern dürfen, es seien diese Besitzungen erst im folgenden Jahrhundert an die von Arnstein gelangt. Als Grafen von Arnstein waren sie von dem ältesten Reichsadel und den Markgrafen ebenbürtig, als Grafen von Lindau und Herren von Ruppin deren Lehnsvasallen und Untertanen. Erst da legten sie den Namen Grafen von Arnstein nieder, als diese ihre Stammgüter gegen das Ende des 13. Jahrhunderts an eine andere Familie übergegangen waren.

Da unserer sichersten Überzeugung nach nur darüber ein Zweifel obwalten könnte, ob Walther II. oder erst sein gleichnamiger Sohn mit der Herrschaft Ruppin belehnt worden sei, so fragt es sich, ob die größere Wahrscheinlichkeit für diesen oder für jenen spreche. Walther II. war in des Markgrafen Albrecht Nachbarschaft geboren und erzogen, die Gebiete der Grafen von Arnstein und deren von Ballenstedt stießen aneinander. Leicht mochte Graf Walther II. seinem Waffenbruder und Jugendfreund wider die Slawen über den Elbstrom zum Kampf folgen, leicht dieser dem erprobten, befreundeten Kampfgefährten in der Reihe der östlichen Grenzburgen der Mark, welche sich von Wittstock über Alt Ruppin, Kremmen, Spandau, Potsdam, Saarmund bis nach Brietzen zog, die von Alt Ruppin, keineswegs eine der unwichtigsten, zur Bewahrung anvertrauen. Zur Zeit des dritten Walther war die gefährdete Ostgrenze unserer Mark schon viel weiter nach Osten gerückt, das Haus derer von Arnstein den regierenden Markgrafen schon mehr entfremdet. Und was Walthers Vermählung mit Gertrud betrifft, so sollte man meinen, der Schluss wäre ebenso leicht, dass man ihm als einem mächtigen Lehnsmann, dessen Treue man sich stets versichert halten musste, die Hand der Fürstentochter anvertraute, als der, dass man ihm zuvor die Gemahlin gegeben und ihn dann ihretwegen mit Besitzungen ausgestattet hatte. Wir unseres Teils können demnach nicht daran zweifeln, dass Graf Walther II. etwa um das Jahr 1150 mit der Burg von Ruppin und der benachbarten Landschaft beliehen worden sei.

Graf Walther III. von Arnstein hinterließ aller Wahrscheinlichkeit nach vier Söhne, Albrecht, Walther IV., Gebhard und Wichmann. Der erste dieser Brüder war schon 1200 in einer Urkunde des Markgrafen Otto II. von Brandenburg, welche zu Goslar ausgestellt wurde, Zeuge, 1207 beim Erzbischof Albrecht von Magdeburg zu Giebichenstein, 1209 zu Bismarck in der Altmark beim Markgrafen Albrecht II., 1212 bei Errichtung eines Bündnisses zwischen Kaiser Otto IV. aus dem Haus der Welfen und Dietrich, Markgraf von Meißen, zu Frankfurt am Main, 1215 bei demselben Kaiser in seiner Stadt Braunschweig. In dem folgenden Jahr treffen wir ihn zu Pritzerbe beim Bischof von Brandenburg, 1223 beim Grafen Heinrich zu Aschersleben und zu Löben bei dem Grafen von Brehna. Drei Jahre später ging er nach

Italien, nach Rimini, zu Kaiser Friedrich II. dem Hohenstaufen. Dann sehen wir ihn 1229 wieder beim Erzbischof von Magdeburg, dann unter des Markgrafen Mannen 1231 in der Gegend von Oderberg, 1233 in Werben, noch in dem nämlichen Jahr bei dem Grafen Baderich von Dornburg, und nachdem er in Angelegenheiten Herzog Ottos des Kindes von Braunschweig noch einmal nach Italien gegangen und die Vermittlung des großen Kaisers für das schwer geprüfte unglückliche Geschlecht Heinrichs des Löwen erwirkt, noch einmal 1235 im Geleit der Markgrafen Johann und Otto zu Gardelegen. Seitdem wurde Graf Albrecht nicht weiter erwähnt, sei es, dass ihn der Tod hinwegnahm, sei es, dass er sich aus dem Geräusch seines viel bewegten Lebens in die Stille und Ruhe der Burg seiner Väter zurücksehnte. War Albrecht, woran wir nicht zweifeln, der älteste von Walthers Söhnen, so fiel ihm das Stammschloss zu. Erklärt sich vielleicht daraus die große Anhänglichkeit, welche er dem Haus der Welfen bis zu ihrer endlichen Aussöhnung mit den Ghibellinen im Jahr 1235 bewies?

Neben Albrecht wurde in den Jahren 1223 und 1231 Walther IV. von Arnstein erwähnt, ohne jenen Bruder ist Walther 1232 an dem Hoflager der Markgrafen. Im Jahr 1214 wurde ein Graf Walther von Arnstein unter den Domherren von Halberstadt aufgeführt. Wir wagen es weder zu leugnen, noch zu behaupten, dass er mit jenem Sohn des Grafen Walther III. ein und dieselbe Person war.

Wichtiger für unsere Geschichte ist uns ein dritter Bruder, Graf Gebhard von Arnstein, welcher neben seinem Bruder Albrecht 1215, 1216, 1229 und 1234 genannt wurde. Im Jahr 1211 erhielt er die Schutzvogtei des Klosters Leitzkau[5], welche zuerst Markgraf Albrecht der Bär und dessen ältester Sohn, Markgraf Otto I. geführt hatten, welche der letztere dann aber an Everus von Lindau überlassen hatte. Als Richard von Lindau, der Sohn jenes Everus, wahrscheinlich ohne männliche Deszendenten gestorben war, da ging die Vogtei des genannten Klosters an unseren Gebhard über.

So oft wir diese Nachricht näher ins Auge gefasst haben, hat sich uns eine Vermutung aufgedrängt, die uns zu wahrscheinlich ist, als dass wir sie hier zurückhalten könnten. Graf Gebhard von Arnstein war nämlich mit der Witwe des Grafen Otto von Grieben vermählt und durch diese Verbindung zum Besitz der Grafschaft Grieben gelangt, welche sich an dem linken Elbufer von Tangermünde bis an die Ohre hin erstreckte, und demnach einen sehr bedeutenden Teil der Altmark in sich begriff. Als Gemahl von Ottos Witwe erhob Gebhard auch auf die Schutzvogtei des Klosters Hillersleben bei Haldensleben Ansprüche, stand jedoch, durch geistliche Strafmittel genötigt, bald von seinen Bedrückungen ab, ja verkaufte selbst die Grafschaft Grieben an den Markgrafen Albrecht II. Wie aber, fragen wir, entschädigte der Markgraf Gebhard, da er doch gewiss bei der fortdauernden Geldverlegenheit der ballenstedtischen Markgrafen kaum imstande war, über bedeutende Summen Geldes zu gebieten? Da gerade um diese Zeit starb Richard von Lindau unbeerbt, und die Grafschaft mit allem Zubehör fiel zu des Markgrafen Händen zurück. Sollte nicht vielleicht gerade damals zum Ersatz für Grieben Graf Gebhard von Arnstein mit der erledigten Grafschaft von dem Markgrafen beliehen worden sein, sodass er nunmehr die Herrschaft von Lindow, welche ihm von Seiten seines Vaters zugefallen war, mit der von Lindau vereinigte? Wenigstens haben wir gar keinen Grund anzunehmen, dass Lindau zugleich mit der Herrschaft Ruppin an die Grafen von Arnstein gekommen sei. Zu den früheren Grafen von Lindau aus nicht arnsteinischem Geschlecht gehörte ohne Zweifel auch jener Graf Werner von Lindau, welcher 1158 eine Urkunde des Grafen Ulrich von Lüchow als Zeuge mitunterzeichnete. Es umfasste aber die Grafschaft Lindau später außer dem Hauptort Lindau noch die Dörfer Deetz, Reuden, Badewitz, Kerchau, Kuhberge, Strinum, Buhlendorf, Netzen, Nedlitz und Sorge.

2.3 Wichmann von Arnstein

Graf Gebhard von Arnstein, der, wie eben bemerkt, zu seinem Teil die Herrschaft Ruppin aus den väterlichen Besitzungen erhalten hatte, starb im Jahr 1256 angeblich 89 Jahre alt, und wurde in der Familiengruft in dem durch seinen Bruder Wichmann gestifteten Kloster zu Neuruppin beigesetzt.

Wir müssen bei dieser Gelegenheit eine für die Chronologie und Genealogie der Grafen von Lindow außerordentlich wichtige, ja schlechthin unentbehrliche Urkunde erwähnen, jene Grabinschrift, welche sich in unserer Klosterkirche befindet.[6] In sehr leserlichen Schriftzügen, welche wenigstens aus der Mitte des 16. Jahrhunderts herrühren, stehen über einer Seitentür, dem Eingang zu dem östlichen Kreuzgang, in welchem die Ruhestätte der Grafen war, die Namen aller derjenigen Glieder der gräflichen Familie, welche hier beigesetzt waren, von Gebhard an bis auf Wichmann und Anna von Stolberg herab. Offenbar ist diese Schrift nach dem Aussterben des Hauses derer von Arnstein, vor der Aufhebung des Klosters, von den Mönchen nach den in der Gruft befindlichen Grabsteinen angefertigt worden, und verdient also, mit geringen Ausnahmen, unbedingtes Vertrauen.

Die Zeit, welche schon vor 40 Jahren, als die Klosterkirche noch zum Gottesdienst benutzt wurde, ihre zerstörende Kraft auch an diesem hochwichtigen Dokument zu zeigen begonnen hatte, hat durch Zugluft, Regen und Unwetter einen bedeutenden Teil der Schrift verlöscht, an vielen Stellen den Kalk auf welchem sie geschrieben war, von der Mauer gelöst und herabgeworfen. Sie beginnt mit folgenden Versen:

Hierunner is der edlen Herrn van Lindow Grafft,
Van Olders hefft se gewerket Gades Krafft,
Dorch oren Veddern Broder Wichmann,
Want hy oller erst huff det Kloster an,
Greve Ghevard de uns de Stede hefft gegeven
Van sinet und alle syns Geschlechte wegen,
De is de erste, de syn Graff hie hefft ghekaren,
Gott geve dat ever aller Sylen nimmer werden verlaren.

Das Kloster nun, in welchem sich diese hochwichtige Urkunde befindet, war durch den vierten Sohn Graf Walthers III. von Arnstein gestiftet worden. Es ist dies derselbe, von dem sein Vater schon in den letzten Jahren des 12. Jahrhunderts schrieb, dass er ihn, um Gott in dem Gewände der Religion zu dienen, in der Kirche Unserer Lieben Frauen zu Magdeburg dargebracht habe. Schon 1207 treffen wir Wichmann als Kanonikus, 1215 als Propst bei dem Prämonstratenserkloster Unserer Lieben Frauen in Magdeburg, 1219 sehen wir ihn in Erfurt. Als aber der Orden des heiligen Dominikus auch im nördlichen Deutschland Anhänger zu finden begann, und in Magdeburg ein Kloster nach der Regel desselben eingerichtet wurde, da trat auch Wichmann in denselben ein und wurde ein Mitglied des Dominikanerklosters jener Stadt. Dann kehrte er von Magdeburg in die Länder seines Bruders Gebhard zurück und wurde zu Neuruppin der Stifter eines Klosters der Predigermönche, dem er selbst bis an seinen Tod als Prior vorstand. Nach einem durch viele Wunder verherrlichten Leben starb er im Jahr 1256, nicht, wie man nach Cornerus schließen müsste, erst 1270 oder gar noch später.

Noch jetzt steht in unserer Klosterkirche, wenn man aus dem Schiff der Kirche in den Hohen Chor eintritt, zur rechten Hand in einer Nische die Bildsäule eines Dominikaners im vollen klösterlichen Schmuck, aus Stein gehauen, mit milden, freundlichen Gesichtszügen, aus denen man ohne weiteres schon würde sehen können, dass es nicht, wie einige vermutet haben, der Stifter des Ordens, der heilige Dominikus selber, sein kann. Es ist das Bild Wichmanns, des Begründers sowohl der Kirche als des daran stoßenden Klosters, wie die ehedem darüber stehenden Worte: *Frater Wichmannus, fundator hujus ecclesiae, anno p. C. n. MCCLVI*, ausdrücklich besagten.[7] Wenn es wahr ist, wie ich in mehreren Angaben gefunden, dass *obiit* dabei stand, so würden wir aller Schwierigkeit überhoben sein. Da aber nach anderen dies Wort nicht hinzugefügt gewesen, da ferner nach Cornerus Wichmann noch über das Jahr 1270 hinaus müsste gelebt haben, so ist der Schluss sehr verzeihlich, man habe nur das Jahr der Stiftung des Klosters bezeichnen wollen. Allein hatte Wichmann im Jahr 1194, wo er sich schon im Kloster befand, auch nur ein Alter von 15 Jahren, so wäre er 1256 schon 77 Jahre alt gewesen, demnach unbedenklich geeigneter, sich zur Pilgerschaft in die Ewigkeit als zur Gründung eines Klosters anzuschicken. Von Brüdern wissen wir oft, dass sie ein Kloster gestiftet und der eine von ihnen demselben dann als Abt oder Prior oder Propst vorgestanden habe und so gewissermaßen für seinen Anteil am väterlichen Gut entschädigt wurde. Wie aber hätte Graf Gebhard erst spät am Abend seines Lebens, als ein Greis von nahe an 80 Jahren, daran denken sollen, seinen gleich ihm an der Schwelle des Grabes stehenden Bruder, einen weder zur Einrichtung noch zur Leitung eines Klosters recht tüchtigen Greis, so schadlos zu halten? Dass aber das Kloster noch bei Lebzeiten des Grafen Gebhard gestiftet war, erhellt teils daraus, dass er hier sein Begräbnis gefunden, teils aus den ausdrücklichen Worten der Grabschrift, Graf Gebhard habe die Stelle dazu gegeben. Wir können demnach durchaus nicht daran zweifeln, dass das Jahr 1256 wirklich das Todesjahr des Grafen Wichmann gewesen, sodass das Kloster etwa vor 600 Jahren müsste gestiftet sein. In einem gröblichen Irrtum ließ der wohlweise Magistrat unserer Stadt 1714, da die Statue neu angestrichen wurde, folgende Worte darüber setzen:

Wichmannus cinctum sacra quem cernis abolla
Ultimus e coetu et stirpe fuit Comitum.
Denatus Palaeo-Ruppini 1524 Dominica Oculi.

Eine Verwechslung unseres Wichmann mit dem letzten Grafen von Ruppin. Daher wurde 1756 die Inschrift wieder fort genommen, und dafür auf eine noch jetzt über der Statue befindliche Tafel folgende längst unleserlich gewordenen Worte gesetzt:

Coenobii Neo-Ruppini fundator et auctor
Wichmannus Comes est, vir pietate gravis,
Effigiem videas et contempleris honestos
In vultu mores ac monachale decus.
Ad mandatum magistratus renovatum 1756.

Von seinen Wundern möge eines, welches uns Cornerus mitteilt, hier seinen Platz finden. Als Wichmann in Geschäften seines Klosters einst auf dem jenseitigen Ufer des Sees gewesen und auf der Rückkehr begriffen war, scholl zu ihm das Glöckchen herüber, welches die Brüder zur Tafel lud. Von Hunger und Anstrengung erschöpft und unfähig, den weiten Umweg über Alt Ruppin zurückzulegen, sprach der Greis zu seinem jüngeren Begleiter: »Mein Sohn, folge mir gläubig«, befahl sich mit dem Zeichen des Kreuzes dem Schutz des Allerhöchsten, und schritt nun getrost über die Wasserfläche, gleich als wäre es trockenes Land, dem Kloster zu, wo er noch zeitig genug eintraf, um seine Brüder selbst in den Speisesaal zu führen. Sein weniger glaubensfester Begleiter traf erst eine gute Stunde nach ihm ein, und verkündete allen die Wundermähr.

2.4 Dorfgründungen

Jetzt, da wir mit dem Grafen Gebhard auf vollkommen historisch sicheren Grund und Boden gelangt sind, haben wir zunächst das Verhältnis klar ins Auge zu fassen, in welchem die Grafen von Lindow und Herren von Ruppin zu dem Landesherrn, das heißt, zu dem Haus der Markgrafen, standen. Als Markgraf Albrecht der Bär kurz vor und nach dem Jahr 1150 endlich zum sicheren Besitz der Lande östlich vom Elbstrom gelangt war, dachte er gewiss nicht im Entferntesten daran, die früheren wendischen Bewohner derselben überall mit Gewalt aus ihren Wohnsitzen, ihrem Eigentum, zu verdrängen. Freilich hatte er wohl gegründete Ursache, diejenigen, welche sich 1156 dem wendischen Fürsten Jazko angeschlossen hatten, ganz zu vertreiben.[8]

Aber es würde ein sehr großer Irrtum sein, wollten wir glauben, dass diese hier als Strafe angewendeten Maßregeln eine allgemeine Geltung gehabt haben. Waren doch viele von diesen transalbinischen Besitzungen durch Vertrag dem Markgrafen zugefallen. Hartnäckige Anhänglichkeit an den alten Glauben mochte hier und da einzelne Slawen es vorziehen lassen, in der Fremde bei ihren Glaubensverwandten Schutz und Sicherheit zu finden, als vor dem Kreuz das Knie zu beugen. Die Mehrheit von den unterworfenen Heiden blieb gewiss in dem Land der Väter, um, wie sonst unter ihrer Fürsten, so jetzt unter des Markgrafen Schutz den Acker zu bestellen. Mag nun die Zahl der nach so viel blutigen Kämpfen noch übrigen Lutizen so groß oder so gering gewesen sein, als sie wolle, so viel wenigstens steht fest, dass Markgraf Albrecht, dieser ebenso weise und einsichtsvolle als fromme und tapfere Fürst von dem Gedanken weit entfernt gewesen ist, durch Verjagung der Slawen die Länder gänzlich zu veröden, welche er gleich nachher so sorgfältig durch Ansiedler aus allen Gegenden Deutschlands, selbst vom Rhein her und aus Holland, wieder zu bevölkern suchte. Gab es doch seit Jahrhunderten auf dem westlichen Ufer der Elbe in der Altmark eine Menge slawischer Dörfer vereinzelt mitten unter Sachsen, ohne dass die Grafen der Nordmark je Veranlassung gehabt hätten, an der Treue und Ergebenheit ihrer Bewohner zu zweifeln oder sie gar an Sachsen auszutun.

Noch jetzt existieren daselbst ein Wendisch-Apenburg, ein Wendisch-Boddenstedt, ein Wendisch-Bronen, ein Wendisch-Horst, ein Wendisch-Langenbeck. Andere haben den Zusatz »Wendisch« erst in den letzten Jahrhunderten verloren, z.B. Wendisch-Bierstedt, Wendisch-Chüden, Wendisch-Gifhorn, Wendisch-Gravenstädt, Wendisch-Wanzer bei Aulosen und Wendisch-Wustrow bei Apenburg, natürlich eben nur deshalb so bezeichnet, um sie von anderen in der Nachbarschaft liegenden sächsischen Dörfern zu unterscheiden. Ebenso war das Dorf Mohrungen bei Stendal (jetzt Möringen) Zienau und Jävenitz bei Gardelegen, Schelldorf und Kolbu bei Tangermünde, die beiden letzteren zwar erst später erstanden, und viele andere, leicht an Namen und Bauart erkennbar, nur von Wenden bewohnt. In Stendal existiert neben zwei Judenstraßen noch jetzt eine Wendenstraße, die zu einem seit ich weiß nicht wie vielen Jahren vermauerten Wendentor führte.

Wie wäre es denkbar, dass der edle und weise Albrecht diesseits der Elbe anderen Grundsätzen hätte sein Ohr leihen sollen? In der Tat werden uns nicht allein die Herren von Friesack als hochedle Slawen genannt, sondern wir finden auch slawische Gemeinfreie im Besitz von Lehnschulzenämtern, welche sonst nur Männern von ausgezeichneter Freiheit verliehen zu werden pflegten. Ohne Zweifel wurden die früheren slawischen Bewohner des Landes den vom jenseitigen Elbufer herübergezogenen Sachsen an Rechten und Lasten ganz gleichgestellt. Von einer Leibeigenschaft, in welche der Markgraf die unglücklichen Besiegten herabgedrückt, zeigt sich innerhalb der Grenzen durchaus keine Spur. Die den Slawen obliegenden Lasten betrafen auch keineswegs ihre Person als Slawen, sondern ihre Besitzungen, und waren deshalb um nichts größer, weil sie auf Slawen ruhten. Weil aber die noch übrigen Slawen keineswegs eine dem Umfang der Mark Brandenburg angemessene Bevölkerung bildeten, und weil es überdies angemessen erschien, sich durch Übersiedlung von Deutschen, insonderheit Sachsen, der Treue jener noch mehr zu versichern, so sog der erste Markgraf aus ballenstedtischem Geschlecht eine Menge von Kolonisten in die menschenarmen Gegenden hinüber, und wies ihnen von dem herrenlos und unbebaut liegenden Grund und Boden zur Begründung neuer Dörfer und Städte große Landstrecken an. Die deutsche Rede wurde mit deutscher Sitte hierdurch so überwiegend, dass die ganze Mark als durchaus germanisiert betrachtet werden konnte, und Slawen und Sachsen binnen einem Jahrhundert zu einem einzigen Volk verwuchsen, dagegen in der Altmark noch in der ersten Hälfte des vorigen Jahrhunderts wenigstens an einem Ort wendisch gepredigt wurde.

So sind denn bald nach dem Jahr 1150 alle Dörfer auch unserer Grafschaft sowohl die altslawischen als auch die neu von sächsischen Kolonisten angelegten rein als Deutsche anzusehen. Sächsischen Ursprung verraten in derselben die Namen Banzendorf, Basdorf, Frankendorf, Germendorf, Heinrichsdorf, Kelkendorf, Lüdersdorf, Neuendorf, Rägelsdorf, Rauschendorf, Schulzendorf, Sieversdorf, ferner Blankenberg, Braunsberg. Dierberg, Hindenberg, Gottberg, Herzberg, Lichtenberg, Meseberg, Rheinsberg, Schönberg, Sonnenberg, Wildberg, ingleichen Walsleben, Radensleben, ebenso Werder, Rohrlack, Garz, Langen, Lüchfeld, Seebeck, Glambeck, Storbeck, Strubensee, Schönermark, Brunn und andere, Namen, von denen sich, wie wir schon oben angedeutet haben, mehrere auch in der Altmark, einige auch bei der Grafschaft Lindau nachweisen lassen, in deren Nähe es noch jetzt ein Garz, Menz, Quast, Zernitz, Rodeleben – so heißt in alten Urkunden auch das heutige Radensleben – sich finden.

Gleichwohl würde es vorschnell sein, daraus zu schließen, dass diese Dörfer hier von Grund aus neu angelegt wären. Nicht selten haben Dörfer, wie wir oben bei Kabelitz und Marienburg gesehen haben, ihren alten Namen mit einem vertauscht und dann wieder diesen in jenen umgeändert. Ob überdies auch vom Rhein her Ansiedler innerhalb der Grenzen unserer Grafschaft sich niedergelassen haben, wie einige Historiker vermutet haben, haben wir weder zu leugnen noch zu bestätigen Lust. Es ist einzig und allein der Name »Rhin«, welcher hierzu die Veranlassung gegeben. Ohne das Hinzutreten von inneren

Gründen, etwa einer Ähnlichkeit der Gerichtsverfassung oder eines besonders blühenden Anbaues dieser Gegenden am Rhinflüsschen, muss uns eine Annahme jener Art immer als zu gewagt erscheinen.

2.5 Eigentum und Abgaben

Alle diese Bewohner der Mark nun standen ursprünglich unter dem unmittelbaren Gebot des Markgrafen, sein war, soweit nicht anderweitig zu Gunsten eines Hochstifts oder eines Einzelnen darüber verfügt war, das Grundeigentum an allen seinen neuen Erwerbungen. Slawen und Sachsen hatten nur insofern ein Recht an dem Acker, den sie ackerten und ernteten, als ihnen der Landesherr als der wirkliche Eigentümer dieses Recht zugestanden hatte. Wahrhaftes Eigentum war von jeder Abgabe durchaus frei, und die Vorstellung, dass freie Männer von demselben etwa zu den gemeinsamen Bedürfnissen des Staates Steuern zahlen müssten, lag, wie die Idee des Staates überhaupt, jener Zeit ganz fern.

Der Zins, welchen die Slawen wie die Sachsen von dem Nießbrauch ihres Ackers zahlten, war demnach eigentlich nur eine Anerkennung dessen, dass das Feld, welches sie bestellten, nicht ihnen, sondern einem anderen als Eigentum angehörte und floss in die Kasse des Landesherrn, nicht etwa, damit dieser die Lasten des Staates davon bestritt, sondern damit er ihnen auch fernerhin die Benutzung der eingeräumten Grundstücke gestattete. Der Landesherr war eben daher seinen Bürgern und Bauern nicht die geringste Rechenschaft schuldig, wie er diese Abgaben verwendete, ob er sie ganz erließ, ob er sie an andere, etwa an getreue Diener abtrat. So wenig als der Herr eines Hauses seinen Mietern Rechnung oblegen wird, was er mit den von ihnen gezahlten Mietgeldern angefangen.

Das Eigentumsrecht also, welches der Bauer an seinen Hufen, seinem Haus hatte, war immer nur ein beschränktes, und jeder Verkauf, jede Vererbung nur eine Übertragung des Rechts des Nießbrauchs auf einen anderen, wogegen der eigentliche Besitzer nichts weiter einzuwenden hatte, wofern nur sein ursprüngliches durch keine Jahrhunderte verjährbares Recht durch regelmäßige Zinszahlung fort und fort anerkannt wurde. Wir unseres Teils sind gewiss weit entfernt, durch diese unsere Ansicht willkürlichen und gewalttätigen Eingriffen in das Eigentum der Untertanen das Wort reden zu wollen, glauben aber, dass die gänzlich und geradezu umgekehrte Ansicht dieser Verhältisse, welche seit längerer Zeit immer herrschender zu werden scheint, und auf dem Grund eines leichtsinnigen und seichten Geschwätzes beruht, nicht entschieden genug zurückgewiesen, nicht ernst genug bekämpft werden kann.

Wie dem Landesherrn der Zins, so gebührte ursprünglich der Geistlichkeit der Zehnte von dem Ertrag des Feldes sowie von dem Schlachtvieh, also in dem größten Teil unserer Grafschaft dem Bistum Havelberg und den davon abhängenden Geistlichen, wie es demselben schon in der Stiftungsurkunde vom Jahr 946 durch König Otto den Großen zugesichert worden war. Indem wir hier die weitere Erörterung des Zehnten für eine andere Stelle aufsparen, bemerken wir nur, dass sowohl der Bischof von Havelberg als der von Brandenburg durch die Verhältnisse genötigt wurde, diesem Recht der Erhebung des Zehnten zu Gunsten der Markgrafen ganz zu entsagen, wobei nur der dritte Teil dieses Zehnten für die Pfarrer aufbewahrt wurde, was namentlich in der Prignitz und, wenn ich nicht irre, auch überall in der Grafschaft Ruppin sich bis auf den heutigen Tag erhalten hat.

Ebenso wie zur Zahlung des Zinses waren die Bewohner insonderheit des platten Landes dem Landesherrn bei Kriegszeiten, bei Reisen durch das Land, bei Ausbesserung von Brücken, Heerstraßen und Schlössern, die zum Schutz und Nutzen des offenen Landes dienten, zu Fuhren oder Handdiensten verpflichtet. Gewiss waren diese Hofdienste, diesen Namen führten sie, in einer Zeit nicht unbedeutend, in welcher es als eine vorzügliche Eigenschaft des regierenden Fürsten angesehen wurde, wenn er, natürlich nie ohne ein bedeutendes Gefolge, das Land durchstrich, daher auch die Markgrafen aus dem ballenstedtischen und wittelsbachischen Haus nie eine eigentliche Residenz gehabt haben.

Dem Landesherrn gehörten ferner die Zölle bei den Übergängen über die Flüsse, auf den Landstraßen, an den Toren der Städte. Nicht minder wichtig war für sie das Münzrecht, so bedeutend, dass die

Münze von Stendal, freilich wohl die ansehnlichste in der ganzen Mark, einen jährlichen reinen Ertrag von 570 Mark Silbers gab, und die Landstände des stendalischen Münzkreises Otto dem Finnen[9] 1365 die landesherrlichen Münzgerechtsame für eine Summe von 5.700 Mark Silbers abkauften. So bedeutend hätte freilich der Gewinn selbst bei der Annahme eines sehr hohen Prägeschatzes nicht ausfallen können, wäre nicht die für den Verkehr so höchst nachteilige Einrichtung des Münzjahres gewesen. Das laufende Geld nämlich blieb in seinem vollen Nennwert nur ein einziges Jahr gültig. Das Ende des alten Münzjahres war acht Tage vor Jakobi.[10] Dann musste die alte Münze auf dem Münzamt gegen eine neue umgetauscht werden, sodass man für 16 alte Pfennige nur 12 neue erhielt, welche ihrerseits gleichfalls nur ein Jahr ihre volle Gültigkeit behielten. Nach Jakobi wurde nur die neue Münze zu ihrem Nennwert, die alte nur zu demjenigen angenommen, den die Münzmeister zahlten.

Wir erwähnen unter diesen Prärogativen der landesherrlichen Macht nur noch, dass sie im Besitz der höchsten Gerichtsbarkeit war. Innerhalb der Grenzen der Mark waren die Gerichte nicht mehr unter des Königs Bann, sondern bei des Markgrafen Hulden. Von seinem Ausspruch oder von dem der durch ihn bestellten Richter war keine Appellation an eine höhere Auktorität möglich. Von den Gerichts- und Strafgeldern gebührte dem Landesherrn das obere Gericht oder zwei Drittel, das dritte Drittel oder das niedere Gericht dem von jenem mit diesem Amt beliehenen Unterrichter oder Schulzen. Alle diese landesherrlichen Rechte konnte der Markgraf zum Teil oder gänzlich für diesen oder jenen Ort entäußern. Das letztere hatte wahrscheinlich schon Albrecht der Bär gegen den Grafen Walther I. von Arnstein in Bezug auf die Grafschaft Ruppin getan.

2.6 Die Ausdehnung der Herrschaft Ruppin

Die ersten Markgrafen von Salzwedel, lange vor den Zeiten Albrechts des Bären, waren keineswegs Landesherren der ihnen zur Beschützung anvertrauten streitigen Grenze gewesen, sondern nur militärische Befehlshaber in den an jener Grenze von den sächsischen Königen errichteten Burgen. Es gehört nicht hierher zu zeigen, auf welche Weise sie zu landesherrlichen Rechten gelangten, genug, sie gelangten dahin. Gewiss waren dem Markgrafen Albrecht eine Menge sächsischer Edler über den Strom gefolgt und hatten ihm den letzten Kampf wider das Volk der Lutizen auskämpfen helfen. Sie erhielten zum Lohn in den eroberten Ländern zum Teil ansehnliche Besitzungen, von denen sie dem Landesherrn weder Zins noch Zehnten zu zahlen, sondern nur im Fall des Krieges mit einer bestimmten Zahl von Rossen und Reisigen beizustehen verpflichtet waren.

Diese waren jedoch weit entfernt, gleich von Anfang etwa landesherrliche Gerechtsame zu haben, wie sie schon von Albrecht dem Bären scheinen dem Haus Arnstein für seine Besitzungen in der Mark bewilligt worden zu sein, und wie sie von den Bischöfen von Havelberg und Brandenburg sowie von dem Abt von Lehnin über ihre Güter ausgeübt wurden. Die Stellung, welche unsere Grafen anfangs einzunehmen bestimmt waren, war nur die, in der Reihe der oben erwähnten Burgen die von Ruppin gegen die Angriffe der östlich wohnenden Slawenstämme, etwa der Ukrer, zu verteidigen.

Da es aber nur durch eine Schaar tüchtiger kriegerischer Vasallen nach der Vorstellung jener Zeit geschehen konnte, so musste mit der Burg von Ruppin auch ein bedeutender Strich Landes verbunden werden, in welchem der Burgherr seinen Mannen ritter- und knappenmäßige Freihufen anzuweisen im Stande war. Wie weit sich nun gleich anfangs das Gebiet der Grafen von Arnstein und Herren zu Ruppin erstreckt habe, lässt sich freilich nicht ganz genau bestimmen. Das aber ist unbezweifelt gewiss, dass die Städte Gransee und Wusterhausen erst später im 14. Jahrhundert an die Grafen von Lindow kamen.

Wir glauben kaum, dass es im Westen weit über die Temnitz hinausreichte, da im Jahr 1232 Johann und Gebhard Edle von Plotho dem Kloster zu Arendsee in der Altmark 42 Hufen vereignen konnten, welche an der Temnitz in der Nähe von Netzeband lagen[11], und sechs Jahre nachher dem Kloster Dünamünde in Livland das Eigentumsrecht von 30 Hufen auf der Feldmark des Dorfes Tramnitz und anderen 30 bei Rägelin übertrugen[12], Schenkungen, welche gewiss nicht daran zweifeln lassen, dass die Temnitz wohl auf dieser Seite die Grenze der gräflichen Herrschaft bildete.

Wenn auf der anderen Seite das Kloster Lindow, nach dem Hauptort Lindau in der Grafschaft dieses Namens, schon unter dem Grafen Gebhard gestiftet worden ist, so wird auch die Umgegend dieses Klosters nicht bloß zur Zeit Gebhards, sondern wahrscheinlich gleich bei der ersten Verleihung der Herrschaft Ruppin an die Grafen von Arnstein einen Teil derselben ausgemacht haben.

Ebenso nach Norden hinauf, ohne Zweifel auch Rheinsberg, da im Gefolge der Grafen sehr häufig Edle von Rheinsberg aufgeführt werden. Aus diesem ihrem Gebiet nun zogen die Grafen zu ihrem und ihrer Burgmannschaft Unterhalt sämtliche landesherrliche Einnahmen, Zinsen und Zehnten, sowohl vom Korn als vom Fleisch. Sie hatten die hohe und höchste Gerichtsbarkeit, in ihrem Namen wurde durch ihre Richter das Recht gesprochen. Sie hatten das Recht, Zölle anzulegen und aufzuheben. Ihnen leisteten Bürger und Bauern die sonst nur dem Landesherrn schuldigen Hofdienste. Selbst das so wichtige Münzrecht müssen sie schon sehr frühzeitig geübt haben, da schon 1256 unter den Ratmannen der Stadt Neuruppin als der erste der Münzmeister Salomon erwähnt wird. Es ist aber ebenso unglaublich, dass die Stadt selber sollte das Münzrecht gehabt haben, als dass die Markgrafen einer ihnen gar nicht unmittelbar unterworfenen Stadt sollten eine Münzstätte errichtet haben. Kraft dieser ihrer Stellung durften sie auf dem ihnen eigentümlich gehörenden Boden auch Städte und Dörfer anlegen.

Und so sehen wir denn unsere Grafen in dem Gefolge der Markgrafen stets unter den weltlichen Vasallen den ersten Platz einnehmen. Es sind eben nur die Bischöfe von Brandenburg, Havelberg und Lebus, zuweilen auch der Meister des Ordens der Johanniter, welche ihnen vorangingen, jene sowohl als dieser besonders wegen ihrer geistlichen Würde. Die Bedeutung der Grafen von Lindow aber war umso größer, da ihre Besitzungen an der stets unruhigen mecklenburgischen Grenze lagen und, in den Händen ungetreuer Vasallen des Markgrafen, dem stets schlagfertigen Feind den Eingang in die Mark so außerordentlich erleichtern mussten.

2.7 Günther I. und die Stadtrechtsverleihung 1256

Wir wenden uns nach dieser Erörterung wieder zur Geschichte des Geschlechts der Grafen von Arnstein zurück, welche wir mit dem Tod des Grafen Gebhard oder *Ghewert* auf einige Zeit verlassen hatten. Graf Gebhard von Arnstein hinterließ bei seinem Ableben, wie es scheint, zwei Söhne, Günther[13] und Walther[14], von denen dieser 1279, jener 1284 starb.

Gleich in den ersten Tagen seiner Regierung erteilte Günther der Stadt Neuruppin mehrere Privilegien in einer uns abschriftlich noch jetzt erhaltenen Urkunde: Von dem Markt, dem Marktkeller, den Fleischerscharren, den Wursttischen, den Heringsbänken, dem Kaufhaus und dem Gewerbehaus überließ er der Stadt die zwei Drittel des Zinses, welche bis dahin dem Grafen gezahlt waren, dagegen der Schulze, wenn die Ratmannen sich nicht auf andere Weise mit ihm einigten, das letzte Drittel nach wie vor einnahm. Ferner gestattete er dem Rat eine polizeiliche Aufsicht und Gerichtsbarkeit, von der unten bei den Ratmannen besonders gehandelt werden wird.[15]

Bei einer näheren Betrachtung wird man leicht einsehen, dass die Grafen gewiss schwerlich bloß aus besonderer Zuneigung zu ihrer Stadt und in der Absicht, deren Wohlstand zu heben, so bedeutender Einnahmen und Rechte sich sollten entäußert haben. Im Gegenteil wissen wir, dass selbst die Markgrafen gern jede Gelegenheit benutzten, den steigenden Wohlstand der Städte bei ihren dringenden Geldverlegenheiten in Anspruch zu nehmen. Freilich wussten die Städte ebenso gut die Bedrängnisse der Fürsten wahrzunehmen, um mit möglichst geringen Opfern ihre Rechte und Einkünfte zu mehren. Und der Nachteil war hier jedenfalls auf Seiten der Landesherren, da sie um eine augenblickliche Erleichterung zu gewinnen, oft den sichersten und einträglichsten Einkünften für sich und ihre Erben oder Nachkommen auf ewige Zeiten entsagten.

So sind wir auch der Meinung, dass die Grafen von Lindow keineswegs aus reinem Wohlwollen für ihre Stadt zu wiederholten Malen gerade die ersten Regierungsjahre durch Erteilung solcher Privilegien bezeichneten, sondern vielmehr, dass gerade dann, wenn die Erneuerung der Belehnung nach dem Tod des Vaters die Söhne nötigte, an das markgräfliche Hoflager zu gehen und dort auf eine ihrem Rang angemessene Weise zu erscheinen, die Grafen die dazu erforderlichen Kosten nicht anders als durch Veräußerung von Rechten und Einkünften zu decken wussten, und daher der Stadt jene Privilegien erteilten. Es lag nicht in der Sitte jener Zeit, die Kaufsumme zu nennen, für welche irgendein Besitztum erstanden war, wofern nicht etwa der Verkäufer sich ausdrücklich das Recht des Wiederkaufs Vorbehalten hatte. Auch wurde eine solche Verhandlung zwischen den regierenden Herren und deren Untertanen mehr als ein Akt der Gnade angesehen und schon deshalb die Summe nicht weiter genannt, welche mehr als eine Gabe der freiwilligen Huldigung der Stadt angesehen wurde.

Was wir noch außerdem von dem Grafen Günther, der übrigens im Jahr 1256 Graf von Arnstein und Graf zu Mühlingen hieß, während ihn die Grabschrift in unserer Klosterkirche schon als Grafen von Lindow, seinen Bruder Walther dagegen noch als Grafen von Arnstein bezeichnet, wissen, reicht nicht hin, um zu einer genügenden Anschauung seines Charakters und seiner Tätigkeit zu führen. So viel aber ist gewiss, dass ihn ebenso sehr der Adel seines Geschlechts als der Umfang seiner Besitzungen weit über andere Vasallen des Markgrafen erhob. Es ist daher nicht im geringsten zu verwundern, wenn wir ihn öfters im Gefolge der Markgrafen, und zwar stets mit einem ausgezeichneten Rang, oder diese auf der Burg zu Ruppin antreffen, wie z. B. die Markgrafen Johann II., Konrad I. und Otto IV., die Söhne Johanns I., im Jahr 1273.[16]

Mit einer Tochter des Fürsten Jaromar II. von Rügen erzeugte Günther, wie es scheint, zwei Töchter, Euphemia und Sophie, jene anfangs mit dem Fürsten Niklot von Rostock, dann mit Haakon VII. von Norwegen, diese mit Johann dem Friedfertigen, einem wendischen Fürsten, vermählt.[17]

2.8 Burchard III. und Ulrich I.

Wahrscheinlich ein Sohn Günthers I. war jener uns übrigens durchaus unbekannte Graf Albrecht III. von Lindow,[18] welcher seinem

Vater 1284 in der Regierung folgte, aber dieselbe schon 1290 den Brüdern Burchard III.[19] und Ulrich I.,[20] hinterließ.

Wir wagen es nicht mit voller Gewissheit zu entscheiden, ob Burchard († 1311) und Ulrich († 1316) Söhne Günthers oder Walthers waren. Für das letztere scheint uns besonders Folgendes zu sprechen: Gleich nach Albrechts III. Tod erstanden die Ratmannen von Neuruppin von Burchard und Ulrich sehr bedeutende Einkünfte, welche die Grafen ehedem aus der Stadt gezogen hatten. Es waren einige 30 Talente, eine für jene Zeiten nicht kleine Summe, welche die beiden Gebrüder gegen eine uns unbekannte Kaufsumme der Stadt überließen, und von denen die Ratmannen des Jahres 1290 bis 1291 kurz vor ihrem Abtreten am 23. Juni 1291 genaues Verzeichnis aufnahmen.[21] Wahrscheinlich bedurften die Grafen jetzt eine Summe Geldes, um die Belehnung zu empfangen, was doch gewiss nicht nötig gewesen wäre, wenn sie gleich nach Günthers I. Tod 1284 zugleich mit Albrecht III. beliehen worden wären. Das letztere aber würde bestimmt geschehen sein, wenn sie Brüder Albrechts III. und Söhne Günthers I. gewesen wären. Im Jahr 1306 verbürgte sich Graf Burchard für den Markgrafen Otto IV. mit dem Pfeil in dem Vergleich desselben mit Bischof Friedrich von Brandenburg. Vier Jahre nachher finden wir ihn zu Quitzöbel bei Markgraf Woldemar, als dieser der Gewandschneidergilde zu Havelberg ein Privilegium erteilte, mit unter den Zeugen erwähnt.[22] Ebenso in demselben Jahr bei ebendemselben, als er Pomerellen an den Orden der deutschen Ritter verkaufte und den Bewohnern von Stolp die Stadtgerechtigkeit verlieh.[23]

Die Gemahlin des Grafen Burchard war Elisabeth, deren Mutter die Schwester von Burchards Großmutter gewesen war. Von ihr hinterließ er einen Sohn Johann, welcher unserer oft erwähnten Grabschrift zufolge schon 1318 sehr früh als Junker (*domicellus*) starb.[24] Vielleicht der Gram über diesen Verlust tötete die vortreffliche Mutter, von welcher ihr eigener Gemahl einst gesagt, dass sie sein Licht, seine Hoffnung sei, und unter allen Weibern, welche Ruppin hege, durch ihre Tugend glänzend ausgezeichnet sei:

Fulget Elisabeth et floret inter uxores,
quas Rapina fovet clarissimas inter sorores.
Haec mea lux, mea spes per omnes inter nitores.

In welchem Grad der im Jahr 1312 verstorbene Graf Günther mit Burchard und Ulrich verwandt gewesen, wissen wir nicht[25], ebenso wenig wollen wir zu entscheiden wagen, ob jene Agnes, geborene Gräfin von Lindow, welche erst mit Fürst Wizlaw III. von Rügen, dann nach dessen im Jahr 1324 erfolgten Tod mit Fürst Heinrich II., dem Löwen, von Mecklenburg († 1329) vermählt war, eine Tochter Burchards oder dieses Günthers gewesen sei.[26]

2.9 Günther II., Ulrich II., Adolf I. und Burchard

Graf Ulrich I. hinterließ bei seinem Tod 1316 nach der Ansicht einiger vier Söhne, Günther II.[27], Ulrich II.[28], Adolf I.[29] und Burchard[30], welche vier häufig in den alten Urkunden nebeneinander, wenngleich nicht ausdrücklich als Gebrüder, genannt wurden. In einer Urkunde vom Jahr 1315, in welcher Graf Ulrich I. der Stadt Neuruppin für die ihm bis dahin unausgesetzt und gern geleisteten Dienste mehrere bedeutende Berechtigungen erteilte, z.B. die Gerichtsbarkeit über jede Art von Exzessen, das sichere Geleit für alle vor das Grafengericht zitierten Bürger, ferner den zwischen Kränzlin und Bechlin liegenden Wald mit einem Weg, der dorthin führte, überdies eine zwischen dem Dorf Langen und dem Rhin belegene Wiese den Bürgern bestätigte, und jede Bedrückung von Seiten des Zolls zu verhindern versprach.[31] In dieser Urkunde also werden nur die beiden Söhne Ulrichs I., Günther II. und Ulrich II., genannt. Freilich bliebe hier immer noch der Ausweg anzunehmen, dass Adolf und Burchard damals noch zu jung gewesen wären, um in jener Urkunde mit Erwähnung zu finden. Dies letztere ist aber schon deshalb weniger wahrscheinlich, weil Graf Günther und wohl auch Ulrich wenige Jahre nach ihres Vaters Tod schon müssen im vorgerückteren Alter gewesen sein, sie, denen der Kaiser Ludwig der Bayer die Vormundschaft für seinen ältesten Sohn anzuvertrauen kein Bedenken trug.

Indessen wird dieser ganze Streit durch den Anfang einer vom 8. September 1327 ausgestellten Urkunde gehoben, welcher so lautet: »Wir Günther und Ulrich, Adolf und Burchard, von der Gnade Gottes Grafen zu Lindow«,[32] so wie dadurch, dass es in einer anderen Urkunde von dem Jahr 1334 heißt: »Wir Günther und Ulrich, Gebrüder, Adolf und Burchard, auch Gebrüder«,[33] was absurd gewesen wäre zu sagen, wenn alle vier Söhne des Grafen Ulrich I. gewesen wären. Wenn demnach Günther und Ulrich die Söhne Ulrichs I. waren, so müsste der Vater von Burchard und Adolf aller Wahrscheinlichkeit nach Burchard III. gewesen sein, zu denen dann als dritter jener 1318 verstorbene Johann käme.

Außer jenen beiden Söhnen hatte Graf Ulrich I. noch zwei Töchter. Die eine, Sophie, starb 1310 und kann nicht wohl diejenige gewesen sein, welche an Johann den Friedfertigen vermählt, diesen ihren Gemahl schon 1289 durch den Tod verlor.[34] Agnes wurde Herzog Rudolfs III. von Sachsen-Wittenberg dritte Gemahlin und starb zu Wittenberg am 9. Mai 1343. In der Franziskanerkapelle daselbst liegt sie begraben. Ihre Grabschrift lautete: *Anno MCCCXLIIIIX Maji mortua est Domina Agnes, Ducissa Saxoniae, quae fuit soror Comitis de Lindow, uxor Rudolphi, Ducis Saxoniae III. mater Ducis Wenceslai.*[35]

In unserer Klosterkirche waren auch die Gräber zweier Frauen, Euphemia von Holstein und Adelheid von Stade, jene war 1317, diese 1322 gestorben. Eine von beiden kann natürlich nur des Grafen Ulrich I. Gemahlin gewesen sein. Wir müssen es freilich dahingestellt sein lassen, welche.[36] War es Euphemia, so könnte die andere des Grafen Günther II. oder Ulrich II. früh verstorbene erste Gemahlin, vielleicht auch selbst die Witwe des 1290 verblichenen Albrecht III. gewesen sein. Freilich, was könnte es nicht alles gewesen sein, wenn wir uns hier in Möglichkeiten erschöpfen wollten?

Stattdessen wollen wir nur noch bemerken, dass Ulrich ein vortrefflicher Fürst muss gewesen sein, wenn es anders auf ihn sich bezieht, was die Ruppiner noch lange nach seinem Tod sagten: »Ulrich't was en gode Herr. Schade dat he lefft nicht mehr.«

Graf Ulrich I. hinterließ nach unserer obigen Auseinandersetzung zwei Söhne die nebst den noch übrigen beiden Söhnen des Grafen Burchard III., Adolf I. und Burchard, sehr häufig in den Urkunden zusammen aufgeführt wurden. Was nun das letztere betrifft, dass so sehr häufig in den Urkunden sämtliche Brüder oder Gevettern miteinander erschienen, so hat es seinen Grund darin, dass die Besitzungen der Grafen von Lindow nicht sowohl den einzelnen Gliedern des Hauses, als vielmehr dem ganzen gräflichen Hause als Lehen übergeben waren, sodass ein einzelner in Betreff des der ganzen Familie gehörenden Gutes ohne Zuziehung der übrigen dazu berechtigten oder fähigen Familienglieder gar keine gültige Bestimmung treffen, keine Einkünfte verkaufen, keine Rechte vergeben konnte. Freilich ist es wohl in hohem Grad wahrscheinlich, dass der eine von den Grafen als das eigentliche Haupt der Familie angesehen wurde. Die übrigen wurden mit besonderen Besitzungen und Gütern abgefunden, so jedoch, dass diese nicht so sehr als einem einzelnen überwiesenes vollkommenes und abgesondertes Eigentum, sondern nur als ein zum Nießbrauch, nicht aber zur beliebigen Verfügung überlassenes Stück des Familiengutes angesehen wurde.

Dass den einzelnen in der Tat solche Teile der gräflichen Besitzungen sind angewiesen worden, erhellt unter anderen auch daraus, dass im Jahr 1347 nach des Grafen Adolf I. Tod Markgraf Ludwig I. den Grafen Ulrich II. und dessen Sohn Ulrich mit allen Angefällen von jenem belehnte.[37] Es ist allgemein bekannt, dass in der markgräflich-ballenstedtischen Familie ein ähnliches Verfahren stattfand, indem den einzelnen Gliedern des während der letzten Hälfte des 13. Jahrhunderts so überaus zahlreichen und blühenden Geschlechts ganze Landstriche mit ihren Einkünften zum Gebrauch, freilich auch zur Verwaltung angewiesen wurden, ohne dass darum die Mark aufgehört hätte, ein unteilbares Ganzes zu sein. Bei dieser Lage der Verhältnisse war es auch natürlich, dass selbst die Untertanen zu einer rechtsgültigen für Kinder und Kindeskinder dauernden Verhandlung die Zustimmung der übrigen Brüder oder Vettern für entbehrlich hielten, daher im Jahr 1395 Graf Ulrich IV. in Abwesenheit seines Bruders das Dorf Treskow bei Neuruppin den Bürgern dieser Stadt und ihren ewigen Nachfolgern zu ewiger Nutzung, Gebrauch und Nützlichkeit als ein ganzes vollkommenes und ewiges Eigentum verkauft hatte,[38] so hielten es die Ratmannen von der Stadt Neuruppin für nötig, 11 Jahre nachher sich die ausdrückliche Einwilligung auch von Seiten Günthers erteilen zu lassen.[39]

Nach dieser Entwicklung wird schwerlich jemand deshalb jene oft erwähnten vier Grafen für Brüder halten wollen, weil sie so häufig in den Urkunden nebeneinander erscheinen.

Noch bleibt eine andere Schwierigkeit zu heben: Zu einer Urkunde, welche am Sonntag nach St.-Blasius-Tag des Jahres 1358 von den Grafen Günther, Albrecht und Ulrich ausgestellt worden ist, und von der unten weiter wird geredet werden müssen, erwähnen die genannten drei Grafen, sämtlich Ulrichs II. Söhne, ihren Vater, dessen Bruder Günther II. und Albrecht, seinen Vetter, denen Gott gnädig sei, die also damals sämtlich schon verstorben waren.[40] Diesem Grafen Albrecht nun wissen wir in der Geschlechtstafel unserer Grafen durchaus keine passende Stelle anzuweisen, zumal, da er in Urkunden gar nicht weiter erwähnt wird. Wir unsererseits möchten fast vermuten, dass in der Urkunde selbst nicht »Albrecht«, sondern »Alf« gestanden habe, eine ähnliche Abkürzung des Namens »Adolf«, wie »Busso« von »Burchard«. Sollte diese unsere Mutmaßung in der Tat begründet sein, so würde daraus vollends zur unwidersprechlichen Gewissheit gebracht sein, dass Adolf und Burchard nicht Söhne des Grafen Ulrich I., sondern Burchards III., waren.

Der Grabschrift in unserer Klosterkirche nach zu urteilen, müsste Graf Günther II. schon im Jahr 1329 gestorben sein. In den Urkunden jedoch wird er noch viele Jahre nachher genannt. Noch 1334 war er bei den Verhandlungen wegen Wusterhausen und Gransee beteiligt,[41] und 1340 wurde er mit Ulrich II., Adolf I. und Burchard in dem Lehnsbrief der Äbtissin von Quedlinburg wegen Blankensee mit aufgeführt.[42] Dieterich und Bratring haben daher gemeint, jener 1329 Graf Günther sei keineswegs unser Graf Günther II., der Sohn Ulrichs I., der Bruder Ulrichs II., sondern ein frühzeitig verstorbener Sohn Ulrichs II., also ein Neffe unseres Günthers gewesen. Wir glauben vielmehr, dass der Angabe unserer Grabschrift ein Irrtum zu Grunde liegt, wahrscheinlich der Mönche, welche sie verfasst und an der Wand zum ewigen Gedächtnis verzeichnet haben. Ulrich nämlich hat in der Tat einen Sohn Günther III. hinterlassen, welcher 1379 starb, und 1329 gewiss schon geboren war. Gesetzt aber auch, jener Günther III. wäre erst nach 1330 geboren, so hätte dieser angeblich

1329 verstorbene Sohn Ulrichs dieses Namens bei seinem Tod noch so jung sein müssen, dass er wohl eher hätte *domicellus* als *dominus* genannt werden sollen, wie ja Burchards III. Sohn Johann († 1318) mit jenem Namen bezeichnet wurde. Oder hätte Ulrich II. etwa zwei zu gleicher Zeit lebende Söhne mit demselben Namen benennen sollen, wie Friedrich I. von Nürnberg zwei Söhne, Friedrich den Eisernen und Friedrich den Dicken, hatte? Die Geschichte unserer Grafen gibt uns wenigstens hiervon durchaus kein Beispiel. Ebenso wenig glauben wir, dass Graf Ulrich II. nach dem frühen Tod seines Sohnes Günther einem anderen, später geborenen Kind sollte den Namen des ihm so bald entrissenen beigelegt haben. Der Aberglaube, der sich in unseren Tagen noch an einen solchen Verlust knüpft, lässt in jenen Jahrhunderten ein solches Verfahren noch viel weniger wahrscheinlich finden. Daraus aber, dass Günther in der Grabschrift noch den Zusatz *filius Ulrici*, Ulrichs Sohn, erhalten hat, schließen zu wollen, es könne damit unmöglich der regierende Graf dieses Namens gemeint sein, ist durchaus unverständig, da jene Grabschrift keineswegs mit genügender Gleichmäßigkeit weder in Worten noch in Buchstaben abgefasst, und überdies kein Grund abzusehen ist, warum der oder die Verfasser nicht auch einmal einen regierenden Herrn hätten durch Beifügung von dem Namen seines Vaters näher bestimmen und von anderen scheiden sollen. Und wäre der in jener wichtigen Urkunde erwähnte Günther nicht der berühmte für die Geschichte unserer Stadt und der ganzen Grafschaft hochwichtige Graf Günther II., so würden wir gerade ihn, den bekanntesten und berühmtesten unter allen, darin gänzlich vermissen.

Günthers Gemahlin, Luitgard, war eine Tochter des Herzogs Johann III. von Mecklenburg. Ihren Tod setzt unsere Grabschrift in das Jahr 1332. Günther starb, wahrscheinlich gleich nach 1340, ohne männliche Nachkommen zu hinterlassen. Zu dieser Annahme eines Versehens der Verfasser unserer Grabschrift bei dem Todesjahr des Grafen Günther II. sind wir aber umso geneigter, weil eben dieselbe den Tod des Grafen Adolf in das Jahr 1346 setzt, obgleich er noch 1347 zugleich mit den Grafen Ulrich und Burchard einen Vertrag bestätigte, welchen Bischof Burchard I. von Havelberg zwischen der Stadt Wittstock und den genannten Grafen vermittelt hatte.[43] Freilich muss er noch im Lauf desselben Jahres mit Tod abgegangen sein, denn im Jahr 1347 belehnte Markgraf Ludwig den Grafen Ulrich und seinen ältesten Sohn Ulrich mit allen Angefällen vom Grafen Adolf, welcher demnach gleichfalls muss ohne männliche Leibeserben verstorben sein. Ulrich II. starb 1360, nachdem ihm seine Gemahlin Agnes schon 1352 vorangegangen war. Burchard, der jüngste der vier Grafen, überlebte die anderen. Im Jahr 1370 starb er als Bischof von Havelberg.

Als König Erich VII. von Dänemark im Jahr 1316 das mächtige, reiche und stolze Stralsund mit Krieg überzog, und viele Fürsten und Herren sich im königlichen Lager vor dieser Stadt einfanden, als Wizlaw III., Fürst zu Rügen, durch Verschwägerung den Grafen von Lindow verwandt, Erich II., Herzog von Sachsen-Lauenburg, Albrecht II., Herzog von Braunschweig-Lüneburg, Woldemar Herzog von Schleswig, Fürst Heinrich II. der Löwe von Mecklenburg, Pribislaw (ein wendischer Fürst), Gerhard III. und Johann III., Grafen zu Holstein, Adolf, Graf zu Schauenburg, Gunzelin VI., Graf zu Wittenburg, da erschien auch Graf Günther II. in des Königs Lager, obwohl Markgraf Woldemar, des Grafen Lehnsherr, die Stadt auf das Eifrigste unterstützte. Bei einem Ausfall der Belagerten aber wurde Herzog Erich gefangen genommen, und der Rat der Stadt, so sehr durch dieses glückliche Ereignis erhöht, dass das stolze, von Siegeshoffnungen aufgeblähte Heer der Belagerer unverrichteter Sache von der Stadt abziehen und auseinander gehen musste. Herzog Erich, anfangs dem Herzog Wartislaw von Pommern, dann dem Markgrafen zum Gewahrsam übergeben, musste sich mit 16.000 Mark Silbers aus der Haft lösen.

Wir kennen das politische Verhältnis unseres Grafen Günther II. zu dem Markgrafen Woldemar nicht näher. Gewiss aber lag darin durchaus keine eigentliche Verletzung seiner Lehnspflichten gegen denselben, wenn er mit seinen Reisigen gegen eine Stadt mit zu Felde zog, welche der Markgraf gerade zu unterstützen für gut befunden hatte. Offenbar war das Haus der Grafen von Lindow mit den wendischen Fürsten durch Wechselheiraten seit langer Zeit auf das Engste verbunden gewesen. Wizlaw hatte eine Gräfin von Lindow zur Gemahlin, dieselbe wurde später nach Wizlaws Tod an den gleichfalls bei jenem Zug befindlichen Fürsten Heinrich den Löwen von Mecklenburg verheiratet. Wie natürlich war es, dass auch Günther diesem glänzenden Unternehmen sich anschloss, welches ja noch überdies die Bestimmung hatte, den trotzigen Übermut einer mächtig gewordenen Stadt gegen Fürstengewalt zu bestrafen. Es lässt sich leugnen, dass in jener Zeit ganz besonders, je mehr die Städte zu Wohlstand gelangten, und je herrlicher sie aufblühten, desto mehr sich ein Geist der Feindseligkeit und des Neides zwischen ihnen und dem Kriegsadel zu entwickeln begann. Dieser, welcher in ritterlichen Festen seine Güter vergeudete und nur noch von seinem guten Schwert zu leben hatte, betrachtete die festen Mauern, mit denen sich die Städte gegen seine Reisigen wahrten, die Kriegsknechte, welche sie zu halten im Stande waren, die prächtigen Kirchen und hohen Türme, von denen sie weit in das Land blickten, die Rechte und Güter, welche sie an sich brachten, mit nicht geringerer Missgunst, als die Bewohner der Städte auf die edle Geburt, die höhere Geltung bei jeder Gelegenheit, die drohenden, durch Wall und Graben, Wald und Sumpf geschützten Burgen jener hinblickten. Auch Günther scheint jenem Hass keineswegs ganz fremd geblieben zu sein.

Zwar, dass er die Töchter der Freude in unserer Stadt mit Geldstrafen belegte, mag man ihm als Lob anrechnen, aber auch durch andere strenge Maßregeln verfeindete er sich unter anderem die Bürger von Neuruppin so sehr, dass ein förmlicher Aufruhr gegen ihn entstand, und Günther nur durch die treue Ergebenheit eines Bürgers aus Lebensgefahr gerettet werden konnte. Mag das mit die Ursache gewesen sein, warum die Untertanen unserer Grafen so lange das Andenken des guten Grafen Ulrich I. segneten, und die Zeiten seiner Regierung zurückwünschten. Diese Richtung seiner Gesinnung hatte nun wohl auch Günther nach Stralsund geführt, wo es sich fürwahr um mehr als um die Widerspenstigkeit einer einzelnen Stadt handelte. Höchst unwahrscheinlich aber ist es uns, dass er vielleicht daran gedacht haben sollte, durch jene enge Verbindung von Fürsten und Herren sich der Lehnshoheit des Markgrafen zu entziehen und gleich anderen nordischen Fürsten die Reichsunmittelbarkeit zu erlangen. Sein ganzes künftiges Leben liefert den Beweis dagegen.

2.10 Die Erwerbung Gransees und Wusterhausens

Woldemar, der gewaltige, unbesiegte Held starb schon im Jahr 1319 Ende August. Gleich nach Woldemars Tod, noch in dem nämlichen Jahr dienstags nach Michaelis erblicken wir unsere Grafen im Besitz von Gransee. Ratmannen und Bürgerschaft hatten ihnen die Huldigung geleistet und wurden nun dafür in allen ihren bisherigen Rechten an Acker und Holz, an Wasser und Weide und an all ihrem Gut und Eigentum bestätigt. Überdies erlaubten die Grafen der Stadt, auf welcher Mühle sie wollten, ihr Mehl mahlen zu lassen, ja selber Mühlen zu bauen, innerhalb oder außerhalb der Stadt, über oder unter der Erde, ganz nach ihrem Belieben.[44]

Auf welche Weise, mit welchem Recht Graf Günther II. in den Besitz dieser Stadt gelangte, wird wohl für jetzt noch dahingestellt bleiben müssen. Begaben sich die Bürger in der unruhvollen, herrenlosen Zeit selber in des mächtigen Grafen Schutz? Oder hatte dieser die Stadt nur pfandweise von dem Nachfolger des großen Woldemar oder gar von diesem selber empfangen? Das letztere glauben wir kaum. Die Besitznahme muss erst nach des Markgrafen Ableben, aber freilich unmittelbar nachher erfolgt sein. Die politischen Verhältnisse jener Zeit waren aber gewiss so unsicher, dass schwerlich jemand zu einer solchen Verhandlung bereit war. Hätten vielleicht diejenigen, welche sich nach Woldemars Tod die Gewalt in der Mark aneigneten, durch Einräumung dieser für Günther so wohlgelegenen Stadt sich die Zuneigung desselben erkaufen wollen? Wir wissen es nicht. Ebenso wenig, ob er sie noch einmal wieder zurückgegeben, ehe sie nebst Wusterhausen ihm 1333 zum Ersatz für andere an die Grafen verpfändet gewesenen Orte, immer jedoch nur pfandweise, abgetreten wurde.[45]

Bis dahin hatte Gransee, dessen Ursprung ebenso für uns in undurchdringliches Dunkel gehüllt ist, wie der von Neuruppin, unmittelbar unter den Markgrafen gestanden. Laut einer zu Mansdorf im Jahr 1285 vier Tage vor Pfingsten ausgestellten Urkunde hatten die Markgrafen Otto und Konrad den in Christo geliebten Bürgern zu *Gransoye* den ihnen zustehenden Zoll für 100 Pfund Brandenburgischer Pfennige käuflich überlassen,[46] nachdem schon 1262 Markgraf

Johann in einer 1442 am Montag nach Allerheiligen von Friedrich II. aus dem Haus der Burggrafen von Nürnberg bestätigten Urkunde der Stadt versichert hatte, dass er ihr in allen ihren Bequemlichkeiten und Nutzsamkeiten andächtig sein, auch allen ihren Bewohnern das Recht der alten Stadt Brandenburg gewähren wolle, und dass sie gleich anderen Städten und Bürgern in der Mark von aller Verpflichtung zur Zahlung des Zolls schlechthin und auf ewige Zeiten sollte entbunden sein.[47]

Es ist hier nicht der Ort, den Untergang eines der edelsten Fürstenhäuser, das der ballenstedtischen Markgrafen von Brandenburg, und die lange Reihe von Unfällen, verschuldeten und nicht verschuldeten, von denen seitdem ein ganzes Jahrhundert lang die arme Mark heimgesucht wurde, zu beschreiben. Mit Weisheit, Milde, Gerechtigkeit hatten sie das große Werk vollbracht, die Länder zwischen Elbe und Oder zu beiden Seiten der Havel und der Spree, ja noch ostwärts von der Oder mit deutschem Leben zu erfüllen, in welches die letzten Reste slawischer Sitte und Kultur vollkommen aufgegangen waren. Städte, erst während ihrer Herrschaft gegründet, hatten sich in außerordentlicher Menge binnen kurzem zu einer Blüte entwickelt, von der wir uns jetzt kaum eine rechte Vorstellung zu machen vermögen, und die dem Unkundigen als zum Teil fabelhaft erscheint.

2.11 Die Arnsteiner und die Wittelsbacher

König Ludwig aus dem Haus Wittelsbach, welches zuerst durch Friedrich den Rotbart nach dem Sturz des welfischen Löwen zu Ehre und Macht gelangt war, benutzte das Aussterben des markgräflichen Hauses, die erledigte Mark seinem Haus zuzuwenden, und dadurch den noch immer schwankenden Thron sicherzustellen. Markgraf Ludwig der Ältere war, als ihn sein Vater mit der Markgrafschaft belehnte, im Jahr 1323, noch sehr jung, und wenig geeignet, in einem Land, welches die Nachbarn als ein ihnen zur beliebigen Zerstückelung herrenlos hingeworfenes Land zu betrachten angefangen hatten, gesetzliche Ordnung und Sicherheit der Güter wie des Lebens wieder herzustellen.

Die Herzöge und Fürsten von Pommern, von Mecklenburg, von Braunschweig, von Sachsen, von Anhalt, andere Herren, groß und klein, hatten sich ganze Provinzen wie die Uckermark, die Prignitz, die Altmark usw. angeeignet, und griffen, als der rechtmäßige Landesherr erschien, zu den Waffen, um, was sie mit Unverschämtheit an sich gerissen, mit Frechheit ferner zu behaupten.

Unsere Grafen schlossen sich also bald auf das Engste an das Haus Wittelsbach, ja Günther und Ulrich übernahmen sogar die Vormundschaft für den jungen Markgrafen, und werden daher in den Urkunden häufig als in seinem Gefolge befindlich erwähnt.[48] So Graf Günther II. von Lindow, als Ludwig der Stadt Nauen 1324 den Hufenzins erließ,[49] in demselben Jahr der Stadt Kremmen ihre früheren Gerechtsame bestätigte,[50] ferner als er gleichfalls im Jahr 1324 in vigilia Sti. Matthiae der Altstadt Brandenburg gewisse Freiheiten verlieh.[51] Auch in dem folgenden Jahr 1325 ist der edele Mann Graf Günther von Lindow dabei zugegen gewesen, als Markgraf Ludwig das Dorf Streckenthin mit 14 Hufen, den Kossäten, Holzungen, Weiden, Mühlen, Wegen und Anwegen an die Stadt Pritzwalk für 262 Pfund Brandenburgischer Pfennige und 20 Mark Brandenburgischen Silbers überließ, am Dienstag nach St. Bartholomäi;[52] beide, Günther und Adolf, als Ludwig auf der Burg zu Ruppin den Bewohnern von Wusterhausen die ihnen von seinen Vorgängern erteilten Privilegien bestätigte.[53] Im Jahr 1327 schenkte Ludwig der Stadt Seehausen in der Altmark einige Äcker. Beide, Günther und Adolf, waren mit unter den Edlen, welche diese Schenkung bezeugten.[54] Günther allein war 1329 zu Liebenwalde beim Markgrafen, als dieser von hier aus der Stadt Wusterhausen den bei der Stadt befindlichen Zoll samt allen seinen Einkünften und Zubehör vereignete.[55] Wie alle vier Grafen im Jahr 1324 den Erzbischof von Magdeburg auf dieser seiner Stadt auszusöhnen beschäftigt waren,[56] so war 1326 Graf Ulrich II. von Lindow zwischen den Markgrafen und den pommerschen Herzogen Schiedsrichter, und Ludwig bestätigte und genehmigte 1326 am 25. August ausdrücklich die durch ihn mit den Herzögen von Pommern-Stettin und dem Stift von Kamin abgeschlossene Einigung.[57] Sehr wahrscheinlich waren unsere Grafen auch 1331 in der Schlacht am Kremmer Damm mit zugegen, in welcher Markgraf Ludwig von den Herzögen von Pommern auf das Haupt geschlagen wurde. Vier Jahre nachher verbürgte sich Graf Günther II. für den Bischof Ludwig von Brandenburg, dass dieser die Bürger von Berlin, welche den Propst Cyriakus von Bernau erschlagen hatten, und deshalb von ihm in den Bann getan waren, nun wieder von dem Bann befreien werde, nachdem sie 750 Mark Silbers als Buße erlegt hatten.[58]

Bei dieser engen Verbindung der Grafen von Lindow mit dem wittelsbachischen Fürstenhaus ist es nun nicht im geringsten zu verwundern, dass Papst Johannes XXII. seinen unversöhnlichen Hass gegen das Geschlecht Ludwigs des Bayern auch auf dessen getreueste Anhänger, die Grafen Günther und Ulrich, ausdehnte, sie 1327 nach Avignon, der damaligen päpstlichen Residenz vorladen ließ, und im Falle des Ungehorsams den Bann über sie aussprach.[59] *Ulricus et Guicherus, Comites de Lindolbe* nannte sie der Papst in seiner Bulle. In einer anderen Bannbulle vom Jahr 1338 wurden nebst vielen anderen auch Ulrich und Adolf, Grafen von Lindow, in den Bann getan. Natürlich sollten diese Interdikte nicht allein die Personen der Grafen, sondern auch alle ihre Lande und Leute treffen. Wir glauben jedoch kaum, dass die Bischöfe von Havelberg jene Interdikte wirklich zu vollziehen wagten.

Fürst Heinrich II., der Löwe, von Mecklenburg hatte sich eines großen Teils der Prignitz bemächtigt. Unsere Grafen aber wussten, den Fürsten, dem sie durch Verschwägerung verbunden waren, und der daher in einem mit Otto und Barnim von Pommern-Stettin abgeschlossenen ewigen Bund sich die Bedingung setzte, nicht gegen Gerhard von Holstein und die Grafen Günther, Ulrich und Adolf von Lindow ziehen zu dürfen, bald dahin zu bringen, dass er die von ihm besetzten Lande gegen eine Summe von 8.000 Mark Brandenburgischen Silbers an ihren rechtmäßigen Herrn zurückstellte.[60] Wer diese so bedeutende Summe dem Markgrafen vorgestreckt hatte, wissen wir nicht. Wir vermuten, es waren unsere Grafen von Lindow. Denn 1327 überließ ihnen Ludwig der Ältere die drei Städte Fürstenberg, Rathenow und Friesack mit dem Bemerken, dass es dem Landesherrn oder seinen Nachfolgern freistehen solle, dieselben gegen Rückzahlung der Pfandsumme wieder einzulösen, und zwar Fürstenberg für 3.000 Mark Brandenburgischen Silbers, die beiden anderen

Orte aber für 6.970 Mark. Sollten vor der Einlösung dem Pfandinhaber diese Orte durch Eroberung verloren gehen, so sollten weder der Markgraf noch die Grafen sich mit dem unrechtmäßigen Inhaber der verpfändeten Orte söhnen, ehe sie ihr Geld und er seine Schlösser wieder empfangen hätten.[61] Im Besitz der genannten blieben die Grafen von Lindow bis zum Jahr 1333, in welchem Kaiser Ludwig urkundlich bezeugte, dass sein Sohn Markgraf Ludwig unter Vermittlung des Herzogs Rudolf von Sachsen mit dem Grafen Günther von Lindow sich dahin verglichen habe, dass dieser für Fürstenberg 1.000 Mark Silbers ausgezahlt erhalten, Rathenow und Friesack aber zu des Markgrafen Händen zurückstellen und dafür Wusterhausen und Gransee verpfändet erhalten sollte, sodass all diese Orte für eine Summe von 8.970 Mark hafteten.[62] Wenn in der Urkunde nur 7.000 Mark als die Pfandsumme für Wusterhausen und Gransee genannt werden, so muss der Überschuss schon vorher auf irgendeine Weise getilgt worden sein. Alles dies wurde im folgenden Jahr 1334 noch einmal von sämtlichen Grafen von Lindow bestätigt in einer Urkunde, in welcher sie dem Markgrafen stets behilflich zu sein versprachen, und ihm als getreue Männer zu dienen, wie ihre Älteren seinen Vorgängern gedient hätten, dagegen er sie in ihren Rechten beschirmen solle, wie ein Herr seinen Mann beschirmen müsse, und wie seine Vorfahren die ihrigen beschirmt hätten.[63] Es gehörten aber zu Wusterhausen damals mit die Dörfer Brunn, Trieplatz, Sieversdorf, Blankenberg, Plänitz, Zernitz, Gartz und Dannenfelde. Die Einlösung dieser Orte ist nie erfolgt.

Die Gegend um Wusterhausen und Kyritz finden wir, gleich wo ihrer zum ersten Mal gedacht wurde, in den Händen einer Ministerialenfamilie, der Edlen von Plotho, welche ohne allen Zweifel von der ihnen zugehörigen Burg Altenplatow bei Genthin diesen Namen führte, und wahrscheinlich in den pfandweisen Besitz dieser Gegend gekommen war. In der ersten Hälfte des 13. Jahrhunderts lernen wir aus dieser Familie die drei Gebrüder Johann, Gebhard und Richard von Plotho kennen, welche im Jahr 1229 dem Erzbischof von Magdeburg als Zeugen dienten. Johann und Gebhard machten 1232 und 1238 bedeutende Schenkungen an das Kloster Dünamünde in Livland, ohne dass wir den Grund erkennen, warum gerade an dieses, wenn nicht etwa einer von ihnen, etwa Richard, dem Orden der Schwertbrüder angehörte, oder gar dem genannten Kloster als Abt Vorstand. Johann, Gebhard und Konrad verliehen 1237 dem Ort Kyritz, der sich allmählich um die jetzt im Besitz der Edlen von Plotho daselbst befindliche Burg gebildet hatte, Stadtrecht und bestimmten acht Jahre später 1245 gemeinschaftlich mit einem bis dahin noch nicht erwähnten Vetter Johann die Privilegien der Gewandschneidergilde in der neuen Stadt. Gebhard, Konrad und der eben genannte Vetter Johann gaben ihr 1259 auch die Fährgerechtigkeit auf der Jäglitz. Zwischen 1248 und 1259 muss auch der Ort Wusterhausen, welcher um die längst dort befindliche Burg entstanden war, von denselben Edlen Stadtrecht bekommen haben. Dann aber verschwanden die Herren von Plotho mit einem Mal plötzlich aus unserer Nachbarschaft, ganz gewiss eben aus dem sehr einfachen Grund, weil die Pfandsumme an sie zurückgezahlt und somit ihre Ansprüche an die ihnen versetzt gewesene Landschaft augenblicklich aufgehoben worden waren.

Im Jahr 1291 waren es die Markgrafen von Brandenburg, Otto IV., Konrad I., Johann IV. und Otto V., welche der Stadt Wusterhausen die um dieselbe herumliegenden Dämme und Gärten mit vollem Recht zu einem ewigen Eigentum überließen, laut einer zu Rathenow am Fest des heiligen Erzengels Michael ausgestellten Urkunde.[64] Eben dieselben Fürsten bestätigten von Rathenow aus 1293 derselben Stadt die ihr von den Edlen Gebhard, Konrad und Johann von Plotho gemachten Schenkungen, nämlich den Karpow-Wald, welcher von den Dörfern Metzelthin und Gartow aus zu den landesherrlichen Wiesen bei der Stadt sich erstreckte; ingleichen, dass die Worten außerhalb der Stadt mit Ausnahme derer, welche zur Burg gehörten, ihren Zins in die städtische Kasse zahlen sollten; überließen ferner den Bürgern alle Weiden und Wiesen innerhalb der Grenzen der städtischen Feldmark, mit Ausnahme der landesherrlichen und derer der Burgleute, aufs neue, wie sie schon früher von den erwähnten Edlen der Stadt geschenkt waren, und versprachen endlich, dass die damals stattgehabte neue Vermessung der Äcker, Weiden und Zubehör fortan zu keiner Zeit unter irgendeiner Gestalt wiederholt werden sollte.[65]

Mit der soeben erwähnten Vermessung aber hatte es folgende Bewandtnis: Bei der ersten Anlage der Städte war diesen eine bestimmte Anzahl von Hufen als städtische Feldmark zu Ackerwerken, Wiesen, Weiden usw. zugeteilt worden, ohne, dass man daran gedacht hätte, eine besondere und genaue Vermessung anzustellen. Land und Boden war zum Überfluss vorhanden und lagen zum Teil unbebaut. Sachkundige Männer bestimmten nach ungefährer Schätzung den Umfang des städtischen Grund und Bodens, sodass derselbe auf jeden Fall viel eher zu weit als zu eng festgesetzt wurde. Als aber die Geldverlegenheit der Markgrafen bei fortgehender Veräußerung ihrer besten und sichersten Einkünfte zunahm, da ergriffen sie, um derselben abzuhelfen, unter anderen keineswegs zu billigenden Maßregeln auch das Auskunftsmittel, dass sie die städtischen Feldmarken einer neuen Vermessung unterwarfen. Überall ergab sich zu ihren Gunsten ein bald größerer bald geringerer Überschuss, den sie nun entweder Zurücknahmen und aufs Neue an irgendeinen Käufer abtraten, oder der Stadt abermals gegen eine bald höhere bald niedrigere Kaufsumme überließen. Es lässt sich leicht vorstellen, dass ein solches Verfahren die Städte höchst bestürzt und besorgt machte, und dass sie sich von den Markgrafen die Zusicherung geben ließen, dass eine solche Vermessung, wo sie jetzt stattgefunden hatte, nie wieder vorgenommen werden sollte, andere kamen dem zuvor, und wendeten die so gehässige Maßregel im Voraus durch Erlegung einer Geldsumme ab. Als die Markgrafen so 1281 die Feldmark von Stendal zu vermessen anfingen, sahen sich die Bürger jener Stadt genötigt, denselben eine bedeutende Summe auszuzahlen, worauf sich die Markgrafen jedes Rechts einer neuen Vermessung begaben. Ähnliche Verträge wurden 1281 mit Schönfließ, 1284 mit Prenzlau, 1288 mit Kremmen und 1293 mit Wusterhausen abgeschlossen. Dies Verfahren wurde so allgemein, dass wohl nur wenige der landesherrlichen Städte davon verschont blieben, ja selbst der Bischof von Brandenburg 1289 sich in die Notwendigkeit versetzt sah, sich die Versicherung zu verschaffen, dass seine und seines Konvents Güter nicht sollten vermessen werden. Sogar Dörfer blieben nicht sicher, und bei Woltersdorf und Jädickendorf, welche beide dem Kloster Chorin gehörten, ergaben sich auf 120 Hufen Landes 8 Hufen Überschuss. Für das Versprechen, ihre Stadt in Zukunft keiner neuen Vermessung zu unterwerfen (natürlich war damit verbunden, dass der gefundene Überschuss an die Stadt zurückgegeben wurde), und für die Bestätigung der der Stadt schon früher durch die Edlen von Plotho gemachten Schenkungen, strichen die Bürger von ihren Schuldforderungen an die Markgrafen 49 Mark Silbers, 100 Pfund Pfennige und 15 Wispel Winterkorn. Außerdem zahlten sie noch bar an die Markgrafen 20 Mark Silbers.

Im Jahr 1308 stellten die Markgrafen Otto und Woldemar zu Fehrbellin am Tag nach St. Michaelis in Anwesenheit der Ritter Nikolaus von Buch und Konrad von Redern derselben Stadt eine andere Urkunde aus, laut welcher sie derselben für eine noch nicht bezahlte Schuld von 80 Mark Silbers das Dorf Klempow nebst dem daselbst befindlichen See, ingleichen den See von Bückwitz überließen, und überdies zwei Drittel von dem Wortzins, welcher unten noch weiter erwähnt werden wird.[66] Woldemar war es auch, der den Bürgern von Wusterhausen den landesherrlichen Zoll bei dieser Stadt vereignete, zur Entschädigung für ihre Forderungen an ihn. Markgraf Ludwig bestätigte diese Übertragung, obwohl die Stadt keine Urkunde darüber aufzuweisen hatte, auf das Zeugnis glaubwürdiger Männer, von Liebenwalde aus im Jahr 1329 nach bestem Wissen am Tag des Evangelisten St. Lukas.[67] Schon 1323 hatten Graf Günther von Käfernburg und Lüchow nebst anderen der Stadt bezeugt, dass in der Tat Woldemar zur Abtuung seiner dortigen Schulden ihr den dasigen Zoll verliehen habe.[68]

Im Jahr 1325 erblicken wir die Grafen von Lindow, Günther II., Ulrich II. und Adolf I. im Besitz der Stadt, ohne dass wir recht wissen, auf welche Weise sie zu demselben gelangt sind.[69] In diesem Jahr nämlich übertrugen die genannten Herren der Stadt das Schulzenamt und die Jurisdiktion desselben sowohl im oberen als in dem niederen Gericht, samt den Einkünften von Exzessen und Wedden, so dass die Hälfte der Gerichtsgelder der Stadt, die Hälfte den Grafen zufallen sollte, für eine Summe von 16 Talenten, mit der Befugnis, nach eigenem Gutachten und Belieben einen Richter zur Handhabung des Rechts zu ernennen. Wenn aber schon 1326 Markgraf Ludwig I. in Anwesenheit Günthers und Adolfs und anderer Personen rittermäßigen Standes der Stadt Wusterhausen die von seinen vordem erhaltenen Freiheiten und Privilegien,[70] 1329 die Einnahme des Zolls bei jener Stadt bestätigte konnte,[71] so muss gleich nach dem Jahr 1325 auf irgendeine rechtliche Weise die Stadt wieder in die Hände des Markgrafen zurückgekommen sein, da dieser unmöglich sich solcher Ausdrücke, wie sie in der Urkunde wirklich vorkommen, sich hätte bedienen, oder überhaupt in Betreff der Stadt Verfügungen machen können, wenn dieselbe noch an unsere Grafen wäre verpfändet gewesen. Es ist schon oben erwähnt worden, dass Wusterhausen zugleich mit Gransee abermals den Grafen von Lindow als Pfand abgetreten wurde. Wir wissen es nicht, wann und ob überhaupt diese Verpfändung in einen ewigen Kauf verwandelt wurde, doch muss dies vor 1351 geschehen sein, wo Markgraf Ludwig ausdrücklich erwähnte, dass er die Bewohner von Wusterhausen erblich an Ulrich abgetreten habe.[72] So viel ist gewiss, dass seit diesem Jahr Ruppin, Wusterhausen und Gransee stets als die drei Städte der Herrschaft Ruppin aufgeführt wurden.

So wie hier die Macht der Grafen durch die Erwerbung zweier Städte mit den dazu gehörigen Dörfern bedeutend erweitert wurde, ebenso auf der anderen Seite durch das Amt Roßlau, das Haus mit allen Rechten, mit aller Nutzung und Zubehör ledig oder verlegen, mit allen Lehen, geistlichen oder weltlichen, welches den Grafen Günther II., Ulrich II. und Adolf I. von dem Grafen Albrecht II. und dem Grafen Woldemar I. von Anhalt, ungewiss in welchem Jahr, überlassen worden war. Eben dasselbe Amt verkauften schon Ulrichs II. Söhne, Ulrich III., Albrecht VI. und Günther III. im Jahr 1358 für 1.225 Mark Silbers wieder an dieselben Grafen von Anhalt, ihre lieben Oheime, mit Mannschaft, Gut und Mut, wie es zu dem Haus gehörte, zurück, laut einer schon oben erwähnten Urkunde in Gegenwart der beiden Ritter Gödicke von Zorren und Johann von Verdersdorf, ferner Konrad Reiche, Albrecht von Quast und anderer ehrbarer Leute genug.[73]

Dagegen hören wir auch wieder, dass im Jahr 1325 die Grafen von Lindow ihren Anteil an der Stadt Dossow an den Bischof Dietrich von Havelberg für 200 Mark Brandenburgischen Silbers überließen.[74] Von demselben Stift trugen sie auch das Schloss Goldbeck zu Lehen, wie sie um dieselbe Zeit in einer uns erhaltenen Urkunde dartun.[75] Noch während der Regierung Günthers muss die Geldverlegenheit der Grafen, wohl zum Teil mit durch die anderweitig verwendeten Summen, so hoch gestiegen sein, dass sie selbst die Stadt Neuruppin zu versetzen genötigt waren. In einer von Berlin ausgestellten Urkunde des Jahres 1355 erklärten und versprachen nämlich Bernhard Kober, Albrecht, Gottfried und Hans von Stangen, Thilo und Konrad von Dysten, dass die Stadt Neuruppin, welche sie gekauft hätten, dem Markgrafen stets ein offen Schloss sein, und dass dieser es ihnen ersetzen solle, wenn es ihnen etwa in seinem Dienst verloren gegangen wäre.[76] Es bedarf hier wohl kaum einer Erwähnung, dass der Verkauf nur mit dem Recht des Wiederkaufs wird geschehen sein. Wenigstens finden wir gleich nachher die Stadt wieder in den Händen unserer Grafen, ohne dass weiter weder der Verpfändung noch der Wiedereinlösung auch nur mit einem Wort gedacht würde. Übrigens waren die Pfandinhaber Personen, deren Namen in der Geschichte unserer Grafschaft durchaus keine Erwähnung weiter fanden. Offenbar musste die Stellung, welche unsere Grafen eine Zeitlang in der Mark einnahmen, die vielen Reisen, welche dadurch notwendig gemacht wurden, vielleicht auch die vielen Erwerbungen von Landgebiet, welche sie machten, ihre ohnehin wohl nie glänzenden Hilfsmittel noch mehr erschöpfen. Versetzung von Dörfern und Städten, Rechten und Gütern half immer nur dem augenblicklichen Bedürfnis ab, verwirrte aber die finanziellen Verhältnisse nur immer mehr. Wir werden unten noch öfter Gelegenheit haben, uns zu überzeugen, wie die Geldnot der Grafen von Lindow immer größer und größer wurde, bis das Geschlecht gänzlich erlosch.

Nachdem Günther noch 1339 der glänzenden Versammlung von Fürsten und Herren, welche in der freien Reichs- und Hansestadt Lübeck gehalten wurde, und die Wiederherstellung des allgemeinen Landfriedens in den nordischen Ländern zum Zweck hatte, beigewohnt hatte, hinterließ er wahrscheinlich schon 1340 sterbend die eigentliche Regierung seinem Bruder Ulrich II. oder *Olgen.* Ulrich, Adolf und Burchard vereigneten 1345 miteinander dem Jungfrauenkloster zu Zerbst 1 Wispel Roggen jährlicher Hebung.[77] Eben dieselben schlossen 1347 unter Vermittlung des Bischofs Burchard I. von Havelberg mit der Stadt Wittstock einen Vergleich wegen der Scheide des Holzes zwischen Goldbeck und jener Stadt, welcher festsetzte, dass von der Stelle in der Babitzbart, wo das Fliet, die Goldbeke genannt, entspringe, bis zu dem Ende des Holzes an dem Graben, der den Acker scheidet, sollten Erdhügel (*Höpe*) aufgeworfen werden. Das, was von diesen nach Wittstock zuliege, sollte der Stadt, was nach der anderen Seite, den Grafen gehören, die überdies das Recht haben sollten, auf ihrem Teil längst den Höpen, damit man nicht irre (damit man nicht *endwale*) einen Scheidgraben aufzuwerfen.[78]

2.12 Graf Burchards Wahl zum Bischof von Havelberg

In demselben Jahr noch starb, wie oben erwähnt, Graf Adolf I., wurde Graf Burchard als Burchard II. auf den bischöflichen Stuhl zu Havelberg erhoben. Es ist uns keineswegs unbekannt, dass nach der gewöhnlichen Annahme Burchard erst viele Jahre später zum Bischof erwählt sein müsste. Das Epitaph des schon erwähnten Bischofs Burchard aus dem Haus Bardeleben setzt dessen Tod in das Jahr 1347, und wir haben nicht den geringsten Grund, an der Glaubhaftigkeit dieses Epitaphs Zweifel zu hegen. Von einem anderen Bischof aber, der zwischen beiden Burchards die bischöfliche Würde bekleidete, ist gar nicht weiter die Rede.

Wenn also in einer Urkunde von dem Jahr 1351,[79] durch welche Markgraf Ludwig I. der Stadt Wusterhausen auch für die Zukunft die Erlaubnis gibt, aus dem Rodan-Wald zu ihrem Gebrauch Holz zu holen, obgleich die getreuen Bürger dieser Stadt erblich an den edlen Mann, Grafen Ulrich II. von Lindow, seinen geliebten Ohm und General-Hauptmann gewiesen habe, ebenso, wie er in demselben Jahr in dem offenen Brief, kraft dessen er den Städten Berlin und Cölln ihre Anhänglichkeit an den falschen Woldemar verzieh, den als Zeugen anwesenden Grafen Ulrich von Lindow seinen lieben Ohm nannte,[80] wenn also, sage ich, in jener Urkunde auch ein Bischof Burchard von Havelberg als Zeuge mit erschien, und von dem Markgrafen Ludwig gleichfalls sein lieber Ohm genannt wurde, so wissen wir wahrlich nicht, ob wir hier lieber an jenen der markgräflichen Familie durchaus fernstehenden Burchard aus dem Haus Bardeleben, oder an den aus dem gräflich-lindowschen Geschlecht zu denken haben.

Wir zweifeln daher nicht im geringsten daran, dass Burchard von Lindow vom Jahr 1347 oder 1348 bis 1370 dem Hochstift Havelberg als Bischof vorgestanden habe. Als solcher bestätigte er unter anderem am 13. April 1356 die Schenkung des Vogtes Heinrich Poppentin und seiner Söhne Konrad und Nikolaus zur Stiftung eines Altars der Elendengilde in der Pfarrkirche der Stadt Neuruppin in allen ihren einzelnen Artikeln und Gliedern.[81]

2.13 Der Falsche Woldemar

Bald nach dem Tod des Grafen Adolf I. und der Erhebung seines Bruders Burchard zum Bischof von Havelberg trat in der Mark ein Mann auf, der durch seine Betrügereien nicht allein unzählige seiner Zeitgenossen getäuscht hat, sondern auch noch heutigen Tages urteilsfähigen Männern gar manche Bedenklichkeiten erregt. Es ist der falsche Woldemar, von dem wir reden, unstreitig ein Mann von ausgezeichneter Geisteskraft, und zum Herrschen wie geboren.

Es ist nach der neulichen ausgezeichneten Beweisführung Hellwings in seiner leidenschaftlich beurteilten Geschichte des preußischen Staates,[82] welche auf die innere Persönlichkeit beider Männer, des echten Markgrafen und des später seinen Namen missbrauchenden Betrügers, nicht unberücksichtigt lässt, nicht möglich daran zu zweifeln, dass der letztere nichts weiter als ein höhererseits vortrefflich zum Spiel der eingelernten Rolle angeleiteter Betrüger gewesen, welcher durch den usurpierten glanzvollen Namen und die sich daran knüpfenden glorreichen Erinnerungen, ferner durch seine Versprechungen, alle von Ludwig dem Bayern gemachten Schulden anzuerkennen und zu bezahlen, alle unter der bayerischen Herrschaft neu eingesetzten Zölle und Geleite aufzuheben, die Belehnung ohne alle Lehnware zu erteilen, ohne Einwilligung der Städte seine Burgen zu erbauen und die etwa erbauten wieder niederzureißen, alle zu ihm Übertretenden *up syne Pennyje, up syne Arbeit und up syne Kost tho bethedigen*, das ganze Land mit Ausnahme weniger Orte für sich gewann. Mit Palmen, Lichtern, Kreuzen zogen dem Ersehnten, dem Retter aus aller Not, die Bewohner aus Städten und Dörfern entgegen, ihm, der selbst von König Karl IV. und vielen benachbarten Fürsten anerkannt und mit gewaffneter Hand unterstützt wurde. Auch Graf Ulrich II. ließ sich zu dem Falschen Woldemar mit hinüberziehen und unterzeichnete mehrere Urkunden desselben, ein Beweis, dass er sich öfters an dem Hof dieses Betrügers aufhielt.[83]

Indes wusste Markgraf Ludwig, das Haupt der ganzen wittelsbachischen Partei, den König Karl durch Aufstellung eines Gegenkönigs, des edlen, ritterlichen Grafen Günther von Schwarzburg so zu schrecken, dass jener dem Falschen Woldemar den so lange gewährten Schutz und Beistand wieder entzog, und die Städte, welche er selber so oft und so dringend an denselben gewiesen hatte, wieder zum Gehorsam gegen das Haus Wittelsbach ermahnte. Da versammelten sich im Jahr 1349 am nächsten Montag nach der Geburt Gottes zu Spandau die Abgeordneten von vielen märkischen Städten, von Alt- und Neustadt Brandenburg, Nauen, Rathenow, Kremmen, Görzke, Berlin, Cölln, Spandau, Strausberg, Landsberg a. d. Warthe, Bernau, Neustadt und Köpenick, Stendal, Tangermünde, Perleberg, Pritzwalk, Kyritz, Havelberg, Sandau und Freyenstein, von Prenzlau, Pasewalk, Angermünde, Templin, Zehdenick, Schwedt, Liebenwalde, Strasburg, Fürstenwerder, und gelobten einander hier, treu an dem anhaltinischen Haus festzuhalten, sowohl bei Lebzeiten des Hochgeborenen – das war damals nur der Titel von regierenden, reichsunmittelbaren Fürsten, unsere Grafen von Lindow führten nur den Titel »Wohlgeboren« – Fürsten Woldemar als auch nach dessen Tod, und keinen anderen ihren Herren zu nennen, ehe denn er bewiesen, dass er ein besseres Recht an der Mark habe, als die vorgenannten Herren von Anhalt.[84] Neben anderen Fürsten und Herren, z.B. Herzog Rudolf I. von Sachsen-Wittenberg, unterzeichnete sich auch Graf Ulrich II. als Zeuge und Gewährsmann dieser Verhandlungen. Aber schon 1350 sehen wir ihn zum Gehorsam gegen seinen rechtmäßigen Herrn zurückgekehrt, da er in diesem Jahr zugleich mit seinem Vetter Adolf in den Bann getan wurde.[85]

Sollte dies der Adolf sein, mit dessen Gütern Ulrich II. schon 1347 von Ludwig I. belehnt war? So würde der Bann freilich wohl nur auf ein sehr schwaches Haupt gefallen sein, jener Adolf I. aber, dessen Tod wir in das Jahr 1346 gesetzt haben, noch bedeutend viel länger gelebt haben. Wir wissen nicht, was Adolf bei seinen Lebzeiten hätte bewegen können, seinen Anteil an den Landen seiner Väter zu entsagen. Tat er es, wie konnte ihn der Bann treffen? Von Angefällen konnte überdies 1347 nur die Rede sein, wenn Graf Adolf wirklich gestorben war, nicht, wenn er freiwillig seinen Gütern entsagt hätte. Wir wollen die Sache für jetzt dahingestellt sein lassen.[86]

Alle diese Verwirrungen scheinen das ohnehin wohl mehr dem Ernst als frischer und froher Tätigkeit zugewandte Gemüt des Grafen Ulrich II. gar sehr erschwert zu haben. Es lässt sich leicht denken, dass diese unselige und herrenlose Zeit, welche die Bande der gesetzlichen Ordnung vollends auflösen half, und, während sie auf der einen Seite die Einkünfte schmälerte und ins Stocken brachte, so auf der anderen die Ausgaben erhöhte, auch unseren Grafen Ulrich in immer tiefere Not und Bedrängnis stürzte, aus der er sich nicht anders zu helfen wusste, als dadurch, dass er schon bei seinem Leben einen Teil seiner Lehen, nämlich diejenigen, welche die Bürger in seinem Land von ihm hätten, seinem ältesten Sohn Ulrich III. oder *Olgen* übertrüge. Er übersandte daher die betreffenden Urkunden durch Albrecht von Neukammer an Markgraf Ludwig den Römer, und bat denselben, sie zu seines Sohnes Hand zu legen, so jedoch, dass sie, im Fall dieser früher stürbe, wieder an den Vater zurückfallen sollten.[87] Wir sehen nicht recht klar, was Graf Ulrich hier eigentlich beabsichtigte, ob er sich nur eines Teils seiner Regierungsgeschäfte entledigen wollte, oder was sonst. Er selber sagte in dem deshalb an den Markgrafen gerichteten Schreiben, dass *wier dorch Schult unde dorch unser grotzer Nod wille, dar wy zu komen syn* etc. Schiene uns das nicht, dem ganzen Charakter jener Zeit zu widersprechen und insbesondere dem durch die ganze Geschlechtsreihe der Grafen von Lindow hin auf das deutlichste erkennbaren edelen und gerechten Charakter entgegen zu sein, so könnten wir vielleicht glauben, Ulrich hätte sich den ungestümen Forderungen seiner Gläubiger, welche entweder Rückzahlung der Schulden oder Verpfändung sicherer Einkünfte forderten, dadurch entziehen wollen, dass er die mit Geldleistungen verbundenen Bürgerlehen, d.h. alle Einkünfte, welche aus den Städten in die gräfliche Kasse flossen, an seinen Sohn Ulrich übertragen ließ. Die Inhaber von ritterlichen und Knappenlehen waren nur zu persönlichen Diensten gehalten. Indes das Urteil über den persönlichen Wert eines Mannes darf in der Geschichte nur auf ganz festen und sicheren Gründen beruhen, das ganze übrige Leben unseres Grafen reinigt ihn von einem Vorwurf oder Verdacht, den allerdings ein solches Verfahren auf ihn hätte werfen können. Ulrich II. lebte seitdem noch sieben Jahre bis 1360.[88] Während dieser übrigen Zeit seines Lebens bestätigte er 1357 am Heiligen Abend vor Weihnachten noch eine Schenkung des Vogtes Heinrich Poppentin und seiner Söhne an den Pfarrer Nikolaus von Buskow, um davon den schon oben berührten Altar der Elendengilde zu Neuruppin zu stiften.[89] Im folgenden Jahr *feria tertia vor Margarethen* waren es dagegen seine drei Söhne Ulrich III., Albrecht VI. und Günther III., welche eine gewisse Menge Getreide aus dem Dorf Grimme an die Schöffen zu Zerbst, um davon einen Altar in der dortigen Nikolaikirche oder sonstwo zu errichten,[90] sodass vielleicht in diesem Jahr Graf Ulrich II. ganz in den Stand eines Privatmannes scheint zurückgekehrt zu sein. Er starb 1360.

Um dieselbe Zeit beschloss, wie unsere Grabschrift meldet, der junge Herr, Graf Woldemar I., sein Leben und wurde zu Wittstock begraben. Wir wissen nicht, ob er ein Sohn Günthers II. oder Ulrichs II. oder eines der übrigen Grafen gewesen ist. Gewiss aber war es, wenn es anders wirklich wahr ist, dass er schon vor seinem zwanzigsten Jahr große Reisen gemacht hatte und des Schreibens ganz besonders soll kundig gewesen sein, zum geistlichen Stande bestimmt, und danach wahrscheinlich einer der jüngeren Söhne des Grafen Ulrich II. Ein hitziges Fieber raffte ihn hinweg, als er kaum einige zwanzig Jahre alt war.[91] Graf Ulrich III. starb aller Wahrscheinlichkeit nach wenigstens nicht vor dem Jahr 1377,[92] Günther III. 1379,[93] Albrecht VI. 1391.[94] Nur von Albrecht wissen wir, dass er vermählt gewesen, und zwar mit Sophie, der Tochter eines slawischen Fürsten, Nikolaus' IV. von Werle-Goldberg Schwester, welcher selbst mit einer Gräfin Agnes von Lindow[95] vermählt war. Sophie starb 1384.

Die Zeit der genannten drei Grafen ist nicht minder als die ihres Vaters und Oheims mit Kriegen, Fehden und Unordnungen jeglicher Art erfüllt gewesen. Sie sahen die Mark aus den Händen des Geschlechts der Wittelsbacher an das der Luxemburgischen Fürsten, zunächst an Karl IV. übergehen. Sie sahen nach dem kurzen, der

Mark wenigstens segensreichen Regiment des Kaisers die Mark wie ein wertloses nur zu Gelderpressungen brauchbares Gut hin- und hergeworfen in die Hände dieses, jenes geldgierigen Fürsten fallen – keine gesetzliche Ordnung, keine Sicherheit des Handels und Verkehrs. Der Adel, statt mit seinen Waffen die Grenzen zu schützen, den Bauern zu schirmen, legte sich auf Straßenraub und befehdete die Städte. Selbst unsere Grafen, ohne Zweifel die mächtigsten und edelsten unter den weltlichen Vasallen der Markgrafen, vermochten dem verderblichen Geist jener Zeit nicht zu widerstehen, sondern wurden selbst von demselben ergriffen und zu unnützen Händeln und Fehden fortgerissen, indes ihre eigenen Untertanen des Schutzes gegen die Räubereien besonders des mecklenburgischen Adels entbehrten.[96]

So gerieten Albrecht VI. und Günther III. in einen Krieg mit Pommern. zu dessen Beilegung sie sich 1369 an den Meister des Johanniterordens, Hermann von Werberg, wenden mussten,[97] der aber dennoch bis 1371 fortdauerte, den Grafen Günther in die Haft des Herzogs Kasimir III. von Pommern-Stettin führte, und endlich, nachdem ein großer Teil der Mark und unserer Grafschaft insbesondere verheert worden war, ohne den geringsten Erfolg zu wenig von dieser als von jener Seite beendet wurde. Schon noch früher müssen unsere Grafen mit den Edlen von Plotho in Fehde gewesen sein, da sie in diesem Jahr die Mönche von Dranse und ihrem Kietz mit ihren Höfen und all ihrem Gut in ihren Frieden nahmen, laut einer Urkunde *gegeven thu alden Ruppin, an S. Johannis Baptisten Avend, wende so em dat Hovet ward afgeschlagen.*[98] Es ist dies nach Bratrings trefflicher Anmerkung[99] das Dorf Dranse bei Wittstock, welches bis 1445 den Mönchen zu Amelungsborn gehörte, in diesem Jahr aber von denselben an den Bischof Konrad von Havelberg verkauft wurde. Der Kietz ist wahrscheinlich der Hof zu Kotze, welchen das am Rhein liegende Kloster Kämpen 1436 samt seinen übrigen Besitzungen an Wittstock verkaufte, und von welchem die Stadtheide von dieser Stadt noch jetzt den Namen der Kotzer- oder Mönchsheide führt. Es war um dieselbe Zeit, dass das Raubwesen der Stellmeiser[100] in der Mark ganz überhandnahm, und die Städte genötigt wurden, Bündnisse untereinander zum gegenseitigen Beistand und zur Vertilgung der Raubnester abzuschließen. Auch unsere Stadt Ruppin scheint nicht wenig durch diese Wegelagerer gelitten zu haben. In einem Schossregister derselben fanden sich als Räuber (*raptores*) unter anderem folgende Edle verzeichnet: Tacke von Wentz zu Preddöhl, Lüdeke von Winterfeld, Reinhard von Garz, Johann von Lüderitz.[101] Und im Jahr 1386 hatten Wedego von Walsleben, Nikolaus von Winterfeld und Werner von Ertellenburg mehrere Bürger von Ruppin gefangen genommen, welche sie laut einer in diesem Jahr zu Neubrandenburg ausgestellten Urkunde wieder frei ließen, den Heinrich von Bellin und Peter von Rheinsberg ausgenommen.[102] In jener Zeit dürfte auch wohl zum Schutz der Stadt und der städtischen Feldmark gegen die Überfälle der Raubritter die Kuhburg nebst der daran stoßenden Landwehr angelegt worden sein.

2.14 Die Ruppiner Landwehren

Eine Kuhburg findet sich auch in der Nähe von Frankfurt an der Oder, eine viertel Meile hinter dem letzten Haus der Dammvorstadt, rechts der Crossener Landstraße, am Ende des Dammes an der Oder, auf einer von Flusssand angespülten, von Schutt und Müll erhöhten Fläche, welche ohne Zweifel dieselbe Bestimmung hatte, wie die in der Nähe unserer Stadt. Ähnliche Warttürme wurden gegen Ende des 14. Jahrhunderts fast bei allen Städten der Mark gebaut. Stendal hatte eine solche Warte, zwei Meilen von der Stadt entfernt, bei dem Dorf Deetz, zum Schutz für Stadt und Land, wenn etwa von Braunschweig her Gefahr drohte. Diese Warte stand in Verbindung mit einer Landwehr und bildete gleichsam das einzige Tor, welches durch dieselbe hindurch führte. Ähnlich besaß die Stadt Gardelegen eine Landwehr nach derselben Seite hin wie Stendal, welche von einem unwegsamen und undurchdringlichen Sumpfgebüsch an sich über Anhöhen fort erstreckte, bis sie sich wieder in Sumpf und Morast verlor. Auch durch diese Landwehr wurde die einzige Pforte durch eine Warte gebildet, deren Trümmer noch vor 20 Jahren sichtbar waren Auch auf zwei anderen Punkten erhoben sich vor den Toren jener Stadt ähnliche Türme, die sämtlich niedergerissen wurden, als Friedrich der Große gegen das Ende seiner Regierung so bereitwillig die

Verschönerung der Städte durch Baugelder unterstützte. Doch wir haben nicht nötig, aus der Ferne Beispiele zu sammeln, da unsere Nachbarschaft selber dergleichen zur Genüge darbietet. Die Gestalt dieser Türme ist verschieden, bald rund, bald viereckt, bald stehen sie isoliert da, bald sind sie unten noch mit einer Mauer umgeben, welche den in der Nähe befindlichen Herden Raum und Schutz gegen augenblickliche Gefahr darbot. Ein Turm dieser Art findet sich noch jetzt bei Neuhaldensleben vorzüglich gut erhalten, abgebildet in dem vortrefflichen Werk über diese Stadt von Behrends.[103] In der Regel war der Eingang zu diesen Türmen nicht auf niederer Erde, sondern mehrere Fuß über derselben, sodass der Wächter nur vermittelst einer Leiter hinaufgelangen konnte, dann aber dieselbe hinter sich in die Höhe zog, und so gegen jeden Überfall gesichert war.

Was nun unsere Kuhburg betrifft, so war sie gleichfalls nur ein einzelner runder Turm auf der Straße, die von Ruppin nach Rheinsberg führt, noch am Anfang des vorigen Jahrhunderts von der Höhe, aber nicht ganz von dem Umfang des Pulverturms, dessen sich ohne Zweifel noch manche der älteren Bewohner unserer Stadt erinnern werden. Gewiss muss er, wenn er seine doppelte Bestimmung, das Tor der Landwehr zu schützen und die nahende Gefahr zu verkünden, erfüllen sollte, bedeutend höher gewesen sein. Man scheint aber späterhin die Steine zu anderen Zwecken verwendet zu haben, sodass er dann nur noch die Höhe eines Kachelofens hatte, bis der Magistrat ihn ganz abreißen ließ, und das Material zu dem Bau des neuen Rathauses verbrauchte, welches am 18. Dezember 1716 feierlichst eingeweiht wurde. Jetzt erinnern nur noch etwa die Kuhburgsfabeln daran, dass es ehedem eine Zeit gab, in der der Bürger nicht allein nicht sicher seine Straße ziehen, sondern nicht einmal ohne Besorgnis seine Äcker bestellen, seine Herden hinaustreiben lassen konnte. Wir glauben, man hätte solche altertümlichen Denkmale aus verschollenen Zeiten schon deshalb schonen sollen, um bei ihrer Betrachtung der Segnungen des Friedens und der Fortschritte der Gesittung recht froh zu werden. Es bedarf keiner Erinnerung, dass hier auf der Kuhburg beständig mehrere Stadtknechte Wache hiel-ten, und, sobald sie aus der Ferne irgendeine verdächtige Erscheinung, etwa einen Trupp geharnischter Reiter gewahrten, mit ihrem Horn allen im Feld befindlichen Städtern sowie den Hirten und Herden das Zeichen zu schleuniger Flucht gaben. An diese Kuhburg nun schloss sich zu beiden Seiten die Landwehr, bei uns unter dem durchaus falschen Namen der Schwedenschanze bekannt, wenn man nämlich diesen Namen so versteht, als hätten die Schweden sie angelegt, um sich hier in ihren Kriegen gegen die Mark zu behaupten.

Das System der Verteidigung der städtischen Feldmarken durch Landwehren scheint gleichfalls erst gegen das Ende des 13. Jahrhunderts durch den Drang der Umstände ins Leben gerufen zu sein, und verdient umso mehr unsere Beachtung, als es gegenwärtig, auch wo sich noch Reste jener Landwehren bis auf unsere Tage erhalten haben, fast ganz in Vergessenheit geraten ist. Die Landwehr bestand in der Regel aus zwei Gräben und dem Wall zwischen beiden Gräben, welcher durch die aus denselben aufgeworfene Erde gebildet war, oft auch aus einem doppelten, ja dreifachen Erdwall und der verhältnismäßigen Zahl von Gräben, welche da, wo es die Natur des Ortes erlaubte, gemeiniglich mit Wasser angefüllt waren. Die Wälle waren dagegen stets mit dichtem, undurchdringlichem Dornengebüsch besetzt, sodass dadurch die bedrohten Teile der Feldmark wie von einer starken lebendigen Schanze umzogen waren. Durch diese Landwehr führten nur wenige Haupttore, aber mehrere kleinere, nur den Bewohnern der benachbarten Dörfer bekannte Pforten. Solch ein Landgraben begann bei Neuhaldensleben östlich von der Stadt an der Ohre, und zog sich, die städtische Feldmark im Kreis umschließend westlich wieder bis an die Ohre hin.

Ebenso begann die Landwehr von Ruppin an dem Rhinfluss, ging dann über die Kahlenberge zwischen Storbeck und Kränzlin hinter Werder bis nach Walsleben hin, wo sie die Temnitz erreichte, und sicherte demnach auch die Feldmarken mehrerer Dörfer gegen die plötzlichen Raubüberfälle der mecklenburgischen Ritter, zuweilen mit einem dreifachen Wall. Wahrscheinlich um dieselbe Zeit, in der diese unsere Landwehr aufgeworfen wurde, erteilte Graf Albrecht VI. auch der Stadt Wusterhausen einen offenen Brief, deren Landwehr gegen Kyritz, Plänitz und Leddin hin betreffend.[104]

2.15 Verpfändung und Verkauf der Grafschaft Lindau

Fast um eben dieselbe Zeit, in welcher unsere Grafschaft nicht allein durch räuberische Überfälle, sondern auch durch offenen Krieg in ihrem ferneren glücklichen Gedeihen gehemmt wurde, sahen sich die Grafen von Lindow genötigt, ihre mit den anhaltinischen Ländern grenzenden Besitzungen an die Fürsten von Anhalt zu veräußern. Schon 1358 hatten, wie oben erzählt wurde, die Grafen Ulrich III., Albrecht VI. und Günther III. das Schloss Roßlau mit allen Rechten, aller Nutzung und Zubehör, ledig oder verlegen, mit allen Lehnen, geistlichen oder weltlichen, in all der Weise, in welcher sie es von ihren Vorfahren übernommen hätten, alle Mannschaft, Gut und Mut, die zu dem Haus gehört hatten, an ihre Oheime, die hochgeborenen Fürsten, Grafen Albrecht II. und Woldemar I. von Anhalt, abgetreten, gegen eine Kaufsumme von 1.225 Mark Brandenburgischen Silbers, welche von den Verkäufern vielleicht anderweitig zur Tilgung von Schulden verwendet wurde.[105] Aber schon 1370 verpfändete Graf Albrecht VI. von Lindow auch noch die Grafschaft selber, welche seinem Haus so lange den Namen gegeben hatte, für 1.300 Mark Brandenburgischen Silbers und Gewichtes an den Fürsten Johann II. von Anhalt,[106] ja 1372 bewog er denselben Fürsten, noch 400 Mark Brandenburgischen Silbers und Magdeburgischen Gewichts hinzuzufügen.[107] Johann, welcher diese Summe nicht sofort aus eigenen Mitteln zu erschwingen vermochte, entlieh teils von der Stadt Gelder, teils ließ er diese Stadt und einige Edle für sich bei Graf Albrecht Bürgschaft leisten.

Fragen wir, was unsere Grafen zu dieser Verpfändung veranlasste, so dürfen wir gewiss überzeugt sein, dass es nur die höchste Bedrängnis war. Von leichtsinniger Verschwendung der angeerbten Güter finden wir in der Geschichte der Grafen von Lindow durchaus keine Spur. Und in der Tat sehen wir, dass zu derselben Zeit die Grafen in einen schweren Krieg mit den Herzögen von Pommern verwickelt waren, dass in diesem Krieg der eine unserer Grafen, wahrscheinlich Günther III., gefangen wurde. Sollte nicht jene Summe dazu gedient haben, die Last des Krieges zu tragen, den gefangenen Bruder aus der Haft zu lösen? Ist es nicht aller Wahrscheinlichkeit gemäß gerade deshalb Albrecht VI. von Lindow allein gewesen, der diese Verhandlung betrieb, weil sein Bruder in der Gefangenschaft war, Graf Ulrich III. aber sich frühzeitig von der Teilnahme an den Regierungssorgen losgesagt hatte? Kurz: Die Grafschaft ging verloren, und blieb es für alle Zeiten. Wir aber dürfen den Grafen Albrecht nicht tadeln, wenn wir es gleich schmerzlich bedauern müssten, dass er sich durch den Drang der Umstände in jene Notwendigkeit versetzt sah.

Weil aber Graf Albrecht VI. wohl zur Genüge erkannte, dass es ihm bei den finanziellen Verhältnissen der Grafen gewiss ganz unmöglich sein würde, aus den Einkünften des Landes Ruppin die verpfändete Grafschaft wieder einzulösen, so beschloss er, sie an Kaiser Karl IV. und dessen ältesten Sohn Wenzel zu verkaufen.[108] Wirklich wurde zwischen den genannten Fürsten auf der einen und unserem Grafen auf der anderen Seite ein Kaufvertrag am heiligen Pfingstabend des Jahres 1373 abgeschlossen, in welchem sich jene verpflichteten, für die Grafschaft Lindow und die Stadt Möckern, welche unsere Grafen von dem Erzstift Magdeburg zu Lehen hatten, mit Zubehör an den Grafen Albrecht als Verkäufer 12.400 Schock guter Böhmischer Pfennige zu zahlen.[109] Statt diese Summe bar dem Grafen einzuhändigen, trat Karl, so scheint es, diesem die Länder Rhinow und Glin ab, welche jedenfalls für die Herrschaft Ruppin viel bequemer und passender lagen, als die viele Meilen von der Hauptmasse der gräflichen Lande entlegene Grafschaft Lindow.

Aber schon wenige Jahre nachher wurde dieser Kaufvertrag wieder aufgehoben, sei es weil er von anhaltinischer Seite Widerspruch fand, sei es, weil Karl Bedenken trug, durch diese bedeutende Erweiterung des Landes Ruppin – auch Bötzow, das jetzige Oranienburg, war dem Grafen Ulrich III. 1360 verliehen, freilich von den Grafen damals schon wieder für 700 Mark Silbers an Rantwig von Rönnebeck versetzt worden – vielleicht für die Zukunft die gänzliche Losreißung der Grafen von der Mark und ihr Streben nach der Reichsunmittelbarkeit zu begünstigen. Demnach stellte Graf Albrecht schon 1376 die Länder Rhinow und Glin nebst dem Haus Bötzow wieder zu Karls IV., des damaligen Markgrafen von Brandenburg, Händen zurück, und trat wieder in den Besitz der Grafschaft Lindow und der Stadt Möckern ein, mit der Bestimmung, dass er wegen jener hinfort nicht mehr Lehnsträger des Stiftes von Quedlinburg, sondern allein des Markgrafen von Brandenburg sein sollte.[110] So verblieb denn nun die Grafschaft Lindow auch ferner in dem Besitz des anhaltinischen Fürstenhauses, bis 1457 Graf Albrecht VIII. von Lindow dieselbe für die 1.700 Mark Brandenburgischen Silbers, welche darauf hafteten, wiederkäuflich an die Fürsten Adolf I. und Albrecht IV. von Anhalt abtrat.[111] Es gehört nicht in unsere Geschichte, die Verhandlungen weiter zu verfolgen, welche nach dem Aussterben des Hauses der Grafen von Lindow von den Markgrafen von Brandenburg wegen Rückkaufs der Grafschaft gepflogen wurden, bis endlich jener erste Kauf in einen ewigen und unwiderruflichen verwandelt wurde. Dessen ungeachtet aber führten die Grafen, mit deren Geschichte sich dieses Buch beschäftigt, bis zum Erlöschen ihres Geschlechtes den Namen Grafen von Lindow fort. Übrigens ist Albrecht VI. der erste von ihnen, welcher in Urkunden auch Graf von Ruppin genannt wurde.[112]

2.16 Otto und Günther von Lindow-Ruppin auf Feldzug in Schweden

In allen jenen Verhandlungen ist allein von dem Grafen Albrecht oder Albert die Rede. Alle drei Brüder treffen wir noch zum letzten Mal beisammen in einer Urkunde des Jahres 1377, welche das Schulzenamt zu Wusterhausen betrifft;[113] ohne Zweifel nur deshalb, weil die Ratmannen dieser Stadt sich nicht der Gefahr ausgesetzt sehen wollten, im Fall eines Widerspruchs von Seiten eines der nicht mit hinzugezogenen Glieder der gräflichen Familie ihr Geld umsonst hingegeben zu haben. Weder Ulrich III. noch Günther III. wurden weiter in der Geschichte erwähnt. Ihr Anteil an der eigentlichen Regierung muss auf jeden Fall höchst unbedeutend gewesen sein. Günther hielt sich viel an Karls IV. Hoflager auf (*comes elegantissimus*), und wohnte unter anderem 1375 dem prächtigen Einzug des Kaisers in Lübeck bei.[114] In den nordischen Geschichten wird noch ein Graf Otto von Ruppin genannt, ein Kriegsheld von ausgezeichnetem Mut, welcher dem Herzog Albrecht III. von Mecklenburg, welcher seit dem Jahr

1365 die Krone von Schweden trug, nebst vielen anderen norddeutschen Edlen über das Meer hin gefolgt war.[115] Albrecht entging so wenig als viele andere seiner Vorgänger und Nachfolger der Unzufriedenheit des schwedischen Adels, welcher sich der König Margarethe von Dänemark und Norwegen anschloss. Zwar verpfändete der König schnell entschlossen die Insel Gotland an den Hochmeister des Deutschen Ordens, Konrad von Jungingen, für 20.000 englische Nobel und ließ eine Armee von Mecklenburgern, Holsteinern, Sachsen usw. werben, welche unter dem Befehl des Grafen Gerhard von Holstein, des Herzogs Bogislaw VIII. von Pommern-Stargard und des Grafen Otto von Ruppin stand. Aber bei Falköping in Westergotland trug das Heer der Margarethe einen so vollständigen Sieg davon, dass Albrecht selber, sein Sohn Erich, Graf Otto von Ruppin und Graf Gerhard von Holstein in die Gefangenschaft der siegreichen Königin gerieten.

Wir wissen durchaus nicht, welche Stelle wir diesem Grafen Otto in dem Geschlecht unserer Grafen anweisen sollen. Übrigens ist wohl zu beachten, dass dieser Name Otto sonst in der Familie der Grafen von Lindow ganz ungewöhnlich ist. Wahrscheinlich war er aber gleich bei dem ersten Zug des Königs Albrecht diesem nach Schweden gefolgt, da er in der Schlacht bei Falköping offenbar schon als ein tüchtiger und erprobter Feldherr seinem Herrn zur Seite stand. War doch auch überdies diese Begünstigung der Fremden im Land eine der vorzüglichsten Ursachen, welche den Hass des bis auf die neuesten Zeiten herab zu Empörung geneigten schwedischen Adels erweckten, und den Sturz des Königs selbst herbeiführten.

Leichter wird eine andere Schwierigkeit behoben. In dem Gefolge des eben erwähnten Königs treffen wir auch einen Grafen Günther von Ruppin an. Unter vielen Fürsten und Edlen, welche dem 1386 oder 1387 von König Albrecht zu Wismar gehaltenen Fürstentag beiwohnten, erschien neben Herzog Wenzel von Sachsen, Herzog Bogislaw von Pommern-Wolgast, Herzog Erich von Sachsen-Lauenburg, Graf Nikolaus von Holstein, Graf Adolf von Schauenburg, Graf Otto von Hoya auch Graf Günther von Ruppin. Derselbe folgte dem König nach Schweden hinüber, und wurde gewiss zugleich mit diesem auf dem Feld von Falköping gefangen genommen. Wenn anders, woran wir keinen Grund haben zu zweifeln, Graf Günther III. unserer

Grabschrift zufolge im Jahr 1379 gestorben ist, so ist einleuchtend, dass der im Geleit des Königs erwähnte Günther nicht der Bruder Albrechts VI. sondern nur dessen Sohn kann gewesen sein, welcher, vielleicht von jugendlichem Tatendrang erfüllt, von der Ehre und Macht, zu der sich in Schweden sein eigener Ohm, Graf Otto emporgeschwungen, gelockt und geblendet, vielleicht von diesem selber hinübergerufen, dort einen besseren Besitz zu gewinnen hoffte, als ihm, dem jüngeren Bruder, die Heimat darzubieten schien. Für jenen Sohn Ulrichs II. dagegen, der, auch angenommen, das Todesjahr in der Grabschrift wäre unecht, dennoch müsste schon ein hochbejahrter Mann gewesen sein, würde ein so gefahrvolles und beschwerliches Unternehmen ganz bestimmt viel weniger Reiz gehabt haben, als für den kühn aufstrebenden Geist eines kräftigen Jünglings.

Mit dieser unserer Annahme stimmt auch ganz vortrefflich Folgendes: Im Jahr 1395 verkaufte Graf Ulrich IV. allein ohne Zuziehung seines Bruders, Günthers V., das an die Feldmark von Neuruppin stoßende Dorf Treskow an diese Stadt.[116] Günther bestätigte, gewiss auf die Forderung der Ratmannen unserer Stadt, welche sich von allen Seiten ganz sicher stellen wollten, diesen Verkauf, mit dem Bemerken, dass er damals außer Landes gewesen, im Jahr 1406.[117] Außer Landes, dünkt uns, kann nach dem damaligen Sprachgebrauch nur bedeuten, dass er sich nicht auf deutschem Boden befunden habe, nicht etwa, dass er sich außerhalb der Grenzen seiner Grafschaft, oder auch nur außerhalb der Mark aufgehalten habe. Wie? Sollte er nicht vielleicht damals noch in der Gefangenschaft gewesen sein? Sollte nicht vielleicht gerade jene Kaufsumme, für welche der Rat unserer Stadt das Dorf an sich brachte, dazu gedient haben, den Grafen Günther aus seiner Haft lösen zu helfen? Wenigstens muss dieser schon im folgenden Jahr 1396 wieder zurückgekehrt gewesen sein, da er am 16. Oktober dieses Jahres zugleich mit Ulrich IV. eine Urkunde zu Wusterhausen ausfertigen ließ.[118]

2.17 Ulrich IV. und Günther V.

Graf Albrecht VI. hinterließ zwei Söhne, Ulrich IV. und Günther V., von denen jener wahrscheinlich gegen das Ende des Jahres 1420,[119] dieser zwischen den Jahren 1416 und 1418 starb.[120] Wenigstens spricht 1416 Graf Ulrich noch in einer solchen Weise von seinem Bruder, dass man nicht umhin kann, ihn sich in diesem Jahr noch als lebend zu denken, dagegen 1418 schon von dem Grafen Ulrich V. und Albrecht VIII. eine Urkunde ausgestellt wurde.[121] Die Gemahlin Günthers war Cordula, eine geborene Gräfin von Wernigerode. Wir wissen weder, mit wem, noch ob Graf Ulrich IV. überhaupt vermählt gewesen war. Günthers Sohn war der oben genannte Graf Albrecht VIII.

Die ersten Jahr der Regierung unserer Grafen fallen in die unruhvolle und unselige Zeit, welche nach Karls IV. Tod über die Mark aufs Neue hereingebrochen war, eine Zeit, in welcher das Land, herrenlos und ohne Beschützer, von den Nachbarstaaten verachtet, von den jedesmaligen Pfandinhabern, wie natürlich, nur als ein unbequemes Mittel zu allen nur möglichen Gelderpressungen betrachtet, raschen Schrittes seinem gänzlichen Ruin entgegeneilte. Das System, durch Veräußerungen einträglicher Grundstücke der augenblicklichen Bedrängnis abzuhelfen, wurde auch von Ulrich und Günther fortgesetzt, und so allein an die Stadt Neuruppin für 40 Mark Silbers das Dorf Treskow, für 100 Mark die Holzung Manhagen veräußert, deren Lage wir umso weniger genauer zu bestimmen wissen, da schon vor hundert Jahren keiner der Bewohner unserer Stadt darüber Auskunft zu geben vermochte. Es ist nicht zu verwundern, dass bei fortgesetztem Verfahren der Art mit den Hilfsmitteln der Grafen auch ihr Ansehen durchaus leiden musste, und dass auch sie, die ersten der markgräflichen Vasallen, keineswegs im Stande waren, innerhalb ihrer Herrschaft die Ruhe, Ordnung und Sicherheit zu behaupten und zu erhalten, welche um diese Zeit fast aus der ganzen Mark durchaus verschwunden waren.

In den letzten Jahren des 14. Jahrhunderts, im Jahr 1397, ereignete sich in der Stadt Ruppin ein Vorfall, welcher uns die Verhältnisse jener Zeit auf das allerdeutlichste erkennen lässt. Die Diebstähle hatten damals auf eine entsetzliche Weise zugenommen. Es waren nicht bloß Geld, Tuch, Kostbarkeiten und Privatwohnungen, sondern auch goldene und silberne Gerätschaften aus den Kirchen entwendet worden, und deshalb sowohl Männer als Frauen, die doch in der Tat ganz unschuldig waren, in Verdacht geraten und in Strafe genommen. Der Magistrat ließ daher Haus für Haus eine genaue Untersuchung anstellen, und so fanden sich in der Wohnung eines hiesigen Priesters Jakob Schildicke Kammern und Kisten mit sehr vielen goldenen, silbernen und anderen Sachen, die sowohl von der Kirche als von etlichen anderen Häusern waren gestohlen worden. In seiner geistlichen Kleidung und mit seinen geschorenen Haaren, wie er sehr oft in der Stadtkirche als Diakon das Evangelium gelesen und gesungen hatte, wurde der Verbrecher sofort in das Gefängnis geworfen, und am folgenden Tag, da das Volk durch Glockengeläut war zusammen berufen worden, nach dessen ungestümer Forderung mit Ulrichs IV. und seiner Räte Einstimmung zum Tod verurteilt. Ein eigentlich gerichtliches Verfahren hatte hier umso weniger statthaben können, da jener als Geistlicher weder unter dem städtischen noch unter dem gräflichen Gericht stand. Zwei Bürger der Stadt, auf welche das Würfellos gefallen war, Jakob Königsberg und Johann Keller, versahen das Amt des Nachrichters[122] und erhenkten ihn am Galgen. Die Folge dieser gewaltsamen, rechtlosen Tat war die, dass die Stadt mit allen ihren Bewohnern in den Bann getan wurde. Weil aber die Stadt sich entschuldigte und versicherte, dass sie durch jene Einrichtung keineswegs die Rechte und Ehren des geistlichen Standes habe antasten wollen, sondern jenen nur wegen seiner schweren und gräulichen Verbrechen habe aufhenken lassen, so erteilte schon im folgenden Jahr 1398 am 1. September Papst Bonifaz IX., im neunten Jahr seines Pontifikates, der Stadt die Absolution, und trug insbesondere dem damaligen Bischof von Havelberg, Johann von Wöpelitz, auf, den Bann wieder aufzuheben. In Neuruppin waren damals Schulze Burchard, ferner folgende sieben Schöffen: Nikolaus Grünefeld, Johann Palendorf, Nikolaus Butzow, Dietrich Rosstauscher, Nikolaus Schluwen, Konrad Gloden und Heinrich Bertekow, Bürgermeister Christian Tetzel, Gerhard Moß und Heinrich Pritzerbe, Propst Nikolaus von Möllendorf. Wir werden unten noch einmal auf die hier angeführten Schöffen und Bürgermeister zurückkommen müssen, da namentlich die Zahl der letzteren in der ganzen früheren Geschichte unserer Stadt unerhört dasteht.

Die Aufhebung des Bannes war natürlich besonders den Adeligen wenig erwünscht, da sie durch ihn nicht bloß berechtigt, sondern selbst verpflichtet gewesen waren, jeden Verkehr mit der Stadt zu hindern, die dahin geführten, daher kommenden Waren anzuhalten und mit Beschlag zu belegen, und überall unter dem Vorwand der Ausführung des päpstlichen Bannspruches Gewalttaten zu verüben. Bonifaz IX. ließ demnach im April 1399 eine neue Absolutionsbulle ergehen, ohne größeren Erfolg. Eine dritte vom 11. Oktober 1401 an Ratmannen, Richter und Schöffen, sowie an die ganze Gemeinde der Stadt Neuruppin gerichtete Bulle desselben Papstes gestattete diesen abermals, frei und ungehindert ein- und auszufahren. Aber noch bedurfte es einer vierten vom 1. August 1403 durch Papst Bonifaz IX. im vierzehnten Jahr seiner Regierung ausgefertigten Bulle, welche an die Bischöfe von Havelberg und Brandenburg und an den Dechanten zu St. Nikolai in Stendal, Halberstädtischer Diözese, gerichtet war und aufs Neue verordnete, dass die Bewohner unserer Stadt allenthalben sicher ein- und ausgehen sollten. Wir sehen hieraus zu gleicher Zeit, dass die Bewohner einer exkommunizierten Stadt von allem Verkehr und Handel ausgeschlossen waren. So vieler Verordnungen des päpstlichen Stuhls bedurfte es, um den Aussprüchen desselben Anerkennung zu verschaffen. So wenig vermochten unsere Grafen die Bürger ihrer Stadt gegen Bedrängungen, Bedrückungen und Beeinträchtigungen sicherzustellen.

Und doch trugen sie auf der anderen Seite wenig Bedenken, sich in mannigfache äußere Fehden zu verwickeln, ja sogar mit den erklärten Feinden der Mark nicht zur Abwehr der Gefahr von ihren Landen, sondern zum gemeinsamen Angriff auf andere Teile der Mark sich zu verbinden. Zwar hatten sich noch im Jahr 1398 am Dienstag St. Lambertus zu Brandenburg mehrere der angesehensten Lehnsbürger unserer Grafen, als Deneke von Gühlen, Hermann von Gadow, Nikolaus von Wuthenow, Jakob von Deetz, Hermann von Neukammer, Albrecht von Quast, Georg Poppentin, Peter von Wuthenow, Nikolaus von Zieten, Johann von Rönnebeck, Johann von Wildberg, Christian von Redichsdorf, Beteko von Kalenberg, Friedrich von Brunn, Friedrich von Gühlen, Nikolaus von Rathenow, Friedrich von Rathenow, Hermann von Redern, Friedrich von Redern, Dietrich von Stechow und Arnold von der Groeben, ingleichen die Ratmannen der Städte Neuruppin, Wusterhausen und Gransee für sich und ihre Nachkommen und die ganzen Gemeinden der genannten Städte verpflichtet, dass die Edlen Grafen Ulrich IV. und Günther V., ihre gnädigen Herren, dem hochgeborenen Fürsten Herrn Jobst, Markgrafen zu Brandenburg, Markgrafen und Herrn zu Mähren, so wie sie sich gegen ihn verschrieben und verbrieft hätten, ihm und seinen Erben und Nachkommen zu dienen, und mit ihren Landen und Leuten fürbass beständig zu sein, und wider sie nichts zu tun, als was die von ihnen gegebenen Briefe eigentlich auswiesen.[123] Dass unsere Grafen so auch wirklich dem Markgrafen Jobst und der Herrschaft zu Brandenburg ganz und unverrückt zu Ende auszuhalten und vollführen sollten, das versprachen sie nach ihrem Vermögen, und im Fall die Grafen oder die ihrigen dies überträten, und gar die Markgrafen, seine Erben oder Nachkommen oder der Mark Güter angriffen und beschädigten, dass dann die genannten Edlen und Ratmannen sogleich dem Markgrafen, seinen Erben oder Nachkommen oder ihren Amtleuten behilflich sein sollten.[124]

Dessen ungeachtet aber finden wir schon wenige Jahre darauf die Grafen Ulrich und Günther im offenen Krieg gegen die damaligen Statthalter der Mark, die Herzöge Johann und Ulrich von Mecklenburg, wir wissen nicht, aus was für Ursache hierzu bewogen. So schworen und gelobten sie 1402 dem entthronten König von Schweden, den Herzögen Bernhard I. und Heinrich I. von Braunschweig-Lüneburg, Johann II. und Ulrich I. von Mecklenburg-Stargard, Herzog Johan IV. von Mecklenburg sowie den Herzögen Barnim VI. und Wartislaw VIII. von Pommern-Wolgast, die zu Boitzenburg im vergangenen Winter[125] getroffene Vereinigung zu halten und im Fall ihrer Aussöhnung mit der Mark wenigstens neutral zu bleiben,[126] und noch in demselben Jahr bemächtigten sie sich in Verbindung mit Herzog Swantibor III. von Pommern-Stettin nebst dessen beiden Söhnen Otto II. und Kasimir V. und den Herzögen Barnim und Wartislaw von Pommern-Wolgast der ganzen Uckermark und des Schlosses Bötzow, in welchem damals Gericke von Holtzendorff wohnte. Am St.-Jakobi-Tag rückten die Grafen hierauf mit Dietrich von Quitzow auf St.-Matthäi-Tag vor die Stadt Strausberg, steckten diesen Ort durch hinein geschossene

Brandpfeile in Brand, und zogen dann, nachdem sie die Stadt eingenommen, von dannen.[127]

Die Stände der Mark vertrugen sich 1404 mit den Grafen von Lindow und den Edlen von Quitzow, und machten dadurch den Mord und Brand in der Mark selber ein Ende. Wenige Jahre nachher nahmen die Grafen von Lindow, die von Rochow, Quitzow und von der Schulenburg den Herzog Johann von Mecklenburg-Stargard, eben da er auf einer Reise zu Jobst von Mähren begriffen war, bei Liebenwalde gefangen, im Jahr 1409 oder 1410, und hielten ihn geraume Zeit in ihrer Haft, aus welcher er erst durch Markgraf Friedrich I. aus dem Haus der Burggrafen von Nürnberg gegen ein Lösegeld von 3.000 Schock Böhmischer Groschen entlassen wurde.

2.18 Albrecht VIII. und die Übernahme Brandenburgs durch die Hohenzollern

Umso enger schlossen sich die Grafen von Lindow, als die Mark aus den Händen Jobsts nach dessen Tod in die des König Sigismunds rückgefallen war, und dieser den vortrefflichen Burggrafen Friedrich VI. als seinen Statthalter in die lange verwaiste Mark sendete, an diesen an, während andere edle Geschlechter, wie die Quitzow, die Putlitz etc. diesem hinter ihren festen Schlössern den Gehorsam versagten. Wenn man auch weit davon entfernt sein muss, diese edlen und mächtigen Familien in die Kategorie gemeiner Wegelagerer und Straßenräuber zu setzen, und die Fehden, welche das ganze nördliche Deutschland durchtobten, mit bloßen Raubzügen zu vertauschen, wenn es im Gegenteil sehr wohl entschuldigt werden kann, Männer von solchem Gewicht, wie Dietrich von Quitzow und Kaspar Gans Edler von Putlitz die Ankunft eines ihnen noch unbekannten, fremden Statthalters, eines Süddeutschen, mit Unwillen und Missvergnügen betrachteten, so verdient es doch von Seiten unserer Grafen umso mehr Anerkennung, dass sie gleich in Friedrich den rechten Mann sahen, dem Wohl der Mark selbst ihrer alten Verbindungen zum Opfer brachten, und nach Kräften zur Beruhigung des Landes mitwirkten.

So wissen wir, dass 1414 Graf Ulrich IV. dem Burggrafen bei der Belagerung und Eroberung des festen Schlosses Friesack, in welches sich Dietrich von Quitzow geworfen hatte, treffliche Dienste leistete,[128] dass er eben demselben mit einem Gefolge von 12 Personen zu der großen Kirchenversammlung nach Konstanz folgte.[129] Als dort König Sigismund im Jahr 1415 die Mark Brandenburg förmlich an Friedrich abtrat, mit samt ihrer Kurwürde, dem Erzkammermeister-Amt und vielen anderen ihren Zugehörungen, Würdigkeiten und Rechten, so wies er unter anderem auch den Edlen, Graf Ulrich IV., Grafen zu Lindow und Herrn zu Ruppin, wie es in der noch jetzt erhaltenen, zu Konstanz im Jahr 1415 nach Christi Geburt am Himmelfahrtstage ausgefertigten Urkunde heißt, ausdrücklich an den genannten Fürsten, sagte ihn von dem Gelübde und der Huldigung, damit er ihm selber als einen Markgrafen von Brandenburg verbunden gewesen, los, und hieß, befahl und gebot ihm ernstlich und festiglich durch jenen Brief, dem neuen Markgrafen die gewöhnliche Gelübt und Huldigung zu leisten.[130]

Graf Ulrich, von dem unsere Grabschrift in der hiesigen Klosterkirche noch besonders zu rühmen weiß, dass er dem Konvent gewisse Einkünfte aus dem Dorf Nietwerder und das Recht der freien Fischerei in dem Ruppiner See verliehen habe, starb im Jahr 1420, und zwar gegen Ausgang dieses Jahres, da er noch am Dienstag nach Bartholomäi zugleich mit Albrecht VIII., dem Sohn seines Bruders Günther V., eine Urkunde ausstellte.[131]

Auch unter Albrechts Regierung wurden in derselben Weise, wie von seinen Vorgängern, die Einkünfte des gräflichen Hauses durch mancherlei Veräußerungen mehr und mehr geschmälert. Schon im Jahr 1425 verkaufte er 2 Pfund Brandenburgischer Pfennige von der Bede in Buskow für 13 Schock Böhmischer Groschen an Johann von Redern, Pfarrer zu Neuruppin, und die Vorsteher der Pfarrkirche dieses Ortes.[132] Jene Summe hatten ihm die eben erwähnten Männer vorgestreckt, als er ihrer, wie er selber in der betreffenden Urkunde sagte, im Dienst seines gnädigen Herrn, des Markgrafen Friedrich, bedurfte. Im Jahr 1457 belieh er die von Wuthenow zu Segeletz für 50 Rheinische Gulden, welche er ihnen schuldete, mit zwei sintfreien Wiesen im Barsikoweschen Luch und mit der freien Hütung auf der

Kühlung.[133] Aus dem Jahr 1441 befand sich vor dem großen Brand auf dem hiesigen Rathaus ein Diplom über 4 Schock, welche der Rat unserer Stadt aus dem hiesigen Zoll sollte zu heben berechtigt sein.[134] Für 1.100 Rheinische Gulden verkaufte Albrecht 1445 an den Pfarrer Johann Ackermann zu Bellin 6 Wispel jährlicher Kornpächte aus dem Städtchen Wildberg und dem Dorf Walchow;[135] ferner 1447 der ehrlichen Frau Elisabeth, Thilo Reiches seliger nachgelassener Witwe, dem jungen Nikolaus Frese zu Kyritz für 100 Schock guter alter Böhmischer Groschen 6 Schock gewöhnlicher Münze, 2 Pfund auf ein Schock berechnet, aus der Urbede zu Neuruppin;[136] ferner 1450 an den alten Nikolaus Frese und seinen rechten Erben aus der Urbede zu Wusterhausen für 80 gute Rheinische Gulden 2 Schock und 40 Groschen jährlicher Rente,[137] ebenso 1448 1 Wispel Gerste, belegen auf einem Hof zu Wuthenow an Wichmann Glöden und seine Hausfrau für 11 Schock gewöhnlicher Münze.[138] Ja selbst das Schloss Neustadt mit den Dörfern Groß- und Klein-Sieversdorf, Köritz, Bückwitz, zwei Höfen in Kampehl und der wüsten Feldmark Gühlitz, Besitzungen, welche beim Erlöschen des Hauses unserer Grafen denen von Quitzow gehörten, scheinen um dieselbe Zeit durch Verpfändung der gräflichen Herrschaft entzogen zu sein.[139] Von wie viel anderen Veräußerungen würden wir hören, wenn uns ein größerer Vorrat von Urkunden aus jener Zeit erhalten wäre.

Im Jahr 1435 erklärte Graf Albrecht VIII. von Lindow in einem zu Leipzig am Donnerstag St. Matthias ausgestellten offenen Brief, dass ihm Markgraf Friedrich I. von Brandenburg für 500 Schock Böhmischer Groschen das Schloss *Frideßtorp* (Fretzdorf) und alle seine Zubehörungen (mit Ausnahme der Urbede zu Kyritz und Perleberg) recht und redlich verschrieben habe, sodass er und alle seine Erben das genannte Schloss nutzen und genießen solle, von niemand gehindert, bis dass Seiner Gnaden, seine Erben oder Nachkommen, das ehe genannte Schloss mit all seinen Zubehörungen um die oben beschriebene Summe wieder lösen würden.[140] Sobald Ihre Gnaden solche Lösung tun wollten, so sollten sie das acht Tage vor oder nach Weihnachten dem Grafen oder seinen Erben zu wissen tun, und dann 14 Tage vor oder nach dem heiligen Osterfest die Summe ohne Arg und ohne alles Gefährde ausrichten und bezahlen. Überdies solle das Schloss dem Markgrafen oder allen seinen Erben und Nachkommen zu allen ihn von Nöten, Kriegen und Geschäften wider aller männiglich ein offenes Schloss sein, und weder Graf Albrecht noch seine Erben ihn vor Gnaden an solcher Öffnung verhindern, und endlich sollen der Pfandinhaber von Fretzdorf und keine besondere Fehde noch Krieg machen ohne des Markgrafen Wissen, Willen und Erlaubnis in keiner Weise. Aber schon nach wenigen Jahren verkaufte Graf Albrecht, der bei dieser Gelegenheit »Wohlgeboren«, »Unser Rat« und »lieber Getreuer« von dem Markgrafen genannt wird, das Schloss Fretzdorf mit allen und jeglichen Zugehörungen und Gerechtigkeiten und folgenden Dörfern und Dorfstätten, als Klein-Dosse, Teetz, Wulkow, Tramnitz, Tornow, Bantikow, Wutike, Barenthin, die ganze Selchow, Herzsprung, Rägelin, Karnzow und Bork an Konrad von Lintorff, Bischof von Havelberg (ordiniert 1427, gestorben 1460), und dem Gotteshaus daselbst, und diesen Kauf bestätigte Markgraf Friedrich II. zu Berlin 1438 am Sonntag vor St. Martin dem Bischoftum im Gotteshaus zu Havelberg, sodass Bischof und Kapitel die genannten Güter behalten, und gleich anderen eigenen Gütern in Frieden und unbekümmert vor den Markgrafen Friedrich I., vor allem seinen Brüdern, sowie vor ihm selber und sonst vor aller männiglich ewiglich besitzen und gleich anderen eigenen Gütern nutzen und nach ihrem besten Vermögen gebrauchen sollten, ohne Arg und ohne alles Gefährde.[141] Als Zeuge dieser Verhandlung unterschrieb sich Graf Albrecht selber. Von diesen Gütern verlieh Bischof Konrad 1439 am Tag Timothei und Apollinaris zu Wittstock den Wall und die Schlossstelle zu Fretzdorf und das Dorf daselbst nebst anderen Gütern daselbst in demselben Gebiet gelegen an Lüdeke, Johann und Bernhard geheißen Tarnstedt zu einem rechten Erblehnen, ferner das halbe wüste Dorf Klein-Dosse mit Äckern, Wassern, Weiden, Wiesen, dagegen er alle anderen Dörfer und Güter, welche sonst zur Vogtei und zum Schloss Fretzdorf gehört hatten, der Kirche zu Havelberg vorbehielt, sodass die von Warnstedt in ihnen keine Rechtigkeit haben sollten, als etwa eine solche, die sie schon vor langen Zeiten vor Gebung dieses Briefes innegehabt hätten.

Trotzdem, dass im Verlauf der Zeit sowohl der Umfang der Besitzungen als auch die Einkünfte der Grafen von Lindow manche

Beschränkung erlitten hatte, waren und blieben diese doch die angesehensten und mächtigsten unter allen Vasallen der Markgrafen. In den Urkunden, welche, wie wir glauben, immer wahrgenommen zu haben, in dergleichen Dingen keineswegs ungenau sind, werden sie daher immer unmittelbar nach den hochgeborenen Fürsten des Reichs und den Bischöfen genannt, in der Regel vor dem Johanniterordensmeister und den Pröpsten jener Stifte, sowie vor den Äbten der Klöster zu Lehnin und Chorin. In diesen Urkunden erblicken wir denn auch häufig unseren Grafen Albrecht an dem Hoflager der Markgrafen, des ersten wie des zweiten Friedrich, so, als 1421 von brandenburgischer Seite das Leibgedinge für die Prinzessin Hedwig von Polen, bei Gelegenheit ihrer Vermählung mit dem Prinzen Friedrich, dem späteren Kurfürsten Friedrich II., festgesetzt wurde.[142] Im Jahr 1427 wurde unser Graf mit Bischof Stephan von Brandenburg nach Neustadt Eberswalde vorausgeschickt, um hier mit den pommerschen Räten wegen der beiderseitigen Ansprüche auf die Uckermark Unterhandlungen anzuknüpfen, worauf in der Tat noch in demselben Jahr durch die persönliche Zusammenkunft Friedrichs I. und seines ältesten Sohnes Johann mit den Herzögen Kasimir und Otto von Pommern der Friede zu Neustadt Eberswalde abgeschlossen wurde, welchen brandenburgischerseits die Bischöfe Stephan von Brandenburg und Christoph von Lebus, ferner Albrecht, Graf zu Lindow und Herr zu Ruppin, Hans und Friedrich, Herren zu Bieberstein, Storkow und Beeskow mitunterzeichneten.[143] In demselben Jahr wohnten bei dieser Gelegenheit eben daselbst Graf Albrecht VIII. einer Verhandlung bei, durch welche Markgraf Johann an Herrn Balthasar von Schlieben, des Ordens St. Johannes des Heiligen Hospitals zu Jerusalem, in der Marken zu Jerusalem, Brandenburg, in Sachsen, in Wendlanden und in Pommern Meister und gemeiner Gebieter das Schloss Sonnenburg zum erblichen Eigentum des Ordens überließ.[144] Als wenige Jahre nachher 1430 Erzbischof Günther von Magdeburg mit dieser seiner Stadt in Fehde geriet, und Kurfürst Friedrich ihm Beistand leistete, blieb Graf Albrecht VIII. umso weniger zurück, da er von dem Erzstift, nämlich von dem Domkapitel die Herrschaft Möckern zu Lehen hatte. Dagegen nahm sich eben derselbe 1433 der Stadt an, als das Hochstift ihr die bessere Befestigung verwehren wollte.[145] Freilich wurde er darüber 1434 mit des Kurfürsten ältesten Sohn, dem Markgrafen Johann, mit Herzog Heinrich von Braunschweig und anderen Städten, welche den Magdeburgern hatten ihre Unterstützung zuteilwerden lassen, in den Bann getan worden. Doch scheint er von diesem Bann noch in demselben Jahr wieder losgesprochen zu sein, da er in demselben die Ratmannen von Berlin und Frankfurt einlud, in Brandenburg einem Vergleich mit dem Domkapitel des Erzstifts mit beizuwohnen.[146] Im Jahr 1437 treffen wir unseren Grafen abermals in Neustadt Eberswalde, zugleich mit den Bischöfen Stephan von Brandenburg und Peter von Lebus, dem Johannitermeister Balthasar und viel anderen Edlen und Herren, da Markgraf Friedrich II. der Junge zugleich mit seinen Brüdern, Markgraf Friedrich dem Jüngsten der Prinzessin Elisabeth, der dritten Tochter seines Bruders Johann, bei ihrer Vermählung mit Herrn Joachim, zu Stettin, Pommern, der Kassuben und Wenden Herzog, ihr Leibgedinge bestimmte;[147] und im folgenden Jahr 1438 zu Perleberg, als hier Friedrich der Junge die Verleihung des Schlosses und der Stadt Putlitz an die Gebrüder Johann und Balthasar von Putlitz bestätigte.[148]

Nach allen diesen Beweisen von der Tätigkeit und Tüchtigkeit des Grafen Albrecht von Lindow darf es uns durchaus nicht verwundern, wenn Markgraf Friedrich II. im Jahr 1440 noch der Meinung und dem Gutachten seiner Räte und der Hauptstädte des Landes an jenen, den er in der Urkunde seinen Rat nennt, die Hauptmannschaft der Neuen Mark zu Brandenburg übertrug.[149] Die später so genannte Neumark, früher gewöhnlich die Mark Landsberg genannt, war damals noch in den Händen des Ordens der deutschen Ritter, von dem sie Friedrich II. zurückkaufte. Er verpflichtete ihn, dass er diesem seinem Amt getreulich vorstehen, sie bereiten und handhaben, Land und Leute mit Fleiß nach allem seinem Vermögen schützen und schirmen, und in allen Geschäften des Markgrafen und des Landes Bestes handeln, werben und ausrichten und auch tun solle, doch, wo er den Markgrafen erlangen möge, mit dessen oder dessen Räte in der Mark Wissen, Willen und Fulbort. Sollte Graf Albrecht während dieses seines Amtes in des Markgrafen oder des Landes Geschäften Unkosten haben oder Schaden nehmen, so wolle und solle der Markgraf und seine Erben und Nachkommen diese Unkosten und den Schaden dem Grafen und seinen Erben vergüten, ausrichten und entnehmen. Werde einer von des Markgrafen Lehnsmannen in dessen Sachen zu ihm entboten, so solle er demselben für Schaden stehen und ihm mit ziemlicher Notdurft Ausrichtung tun, so gut es redlich und möglich sei, und darüber dem Landesherren oder dessen Gewaltigen (Bevollmächtigten) eine redliche, kundliche Rechnung ablegen. Auch solle und möge der genannte Hauptmann alle Lehen, die vom Vater auf den Sohn erben, oder Lehen, die ungefährlich gekauft oder verkauft werden, ohne dass Irrung damit verbunden, und die auch nicht auf einen Leib stehen, in des Markgrafen Abwesenheit Frauen auf Leibgedinge leihen, bis auf die Entscheidung des Markgrafen, und die Lehnware zu seinen Händen fordern, und daran Rechnung ablegen. Übrigens solle er, es geschehe denn mit des Markgrafen Wissen und Geheiß und seiner Räte Einstimmung, Land und Leuten keinerlei Krieg oder Fehde zu ziehen, anheben oder machen. Sollte es dem Markgrafen, seinen Erben und Nachkommen oder dem Grafen selber nicht länger eben und bequem sein, dass er die Hauptmannschaft behielte, so solle der Markgraf dem Grafen oder dieser jenem mündlich vor den Räten oder schriftlich das Verhältnis aufsagen. Die Urkunde ist gegeben zu Berlin am Montag St. Thomas Anno domini 1440. Als Hauptmann der Neuen Mark bestätigte Graf Albrecht VIII. noch, in dem eben genannten Jahr, neben Bernhard von der Schulenburg, dem Hauptmann der Altmark, Hans von Arnim, dem Hauptmann im Uckerland, und anderen Edlen durch seine Namensunterschrift ein 1440 durch Friedrich den Jungen der Stadt Lychen im Land zu Stargard, welche dieser Fürst in offenbarer Fehde mit Hilfe des allmächtigen Gottes dem Herzog Heinrich von Mecklenburg abgenommen hatte, erteiltes Privilegium.[150] Wie lange Graf Albrecht der Hauptmannschaft vorgestanden habe, muss dahin gestellt bleiben. Als 1443 Kurfürst Friedrich II. zugleich mit seinem Bruder, Friedrich dem Dicken, dem Prämonstratenserkloster auf dem Berg vor der Altstadt Brandenburg einige Güter vereignete, finden wir ihn zwar unter den Zeugen der Verhandlung, aber nicht als Hauptmann der *Neuen Mark* aufgeführt.[151] Dagegen erblicken wir ihn 1452 wieder in dieser Würde.[152]

2.19 Der Schwanenorden

Es ist anderweitig zur Genüge bekannt, dass der edle, fromme und ritterliche Kurfürst Friedrich II. gleich in den ersten Jahren seiner Regierung 1443 den Schwanenorden, Unserer Lieben Frauen geweiht, stiftete, in welchem ehrenwerte und achtbare Männer und Frauen ritterlichen Standes aufgenommen werden sollten, einen Orden, welcher aus der Tiefe eines vollen, religiösen Gemüts hervorgegangen, die Bestimmung hatte, auch die Edlen des Landes von jener so verderblichen Lust an Fehden abzuziehen, und stattdessen zu gemeinsamer Andacht zu verbinden und zu einer gleichen gottergebenen Gesinnung zu führen.[153]

Das Ordenszeichen enthielt das Bild der heiligen und reinen Jungfrau und einen Schwan, und wurde an einer Kette um den Hals getragen. Der Schwan aber war gewählt, damit jedes Mitglied des Ordens, so wie dieser Vogel seinen Tod vorher wisse und durch Gesang verkündige, so sich beim Anblick desselben auch seines Todes erinnere und der Unsicherheit des irdischen Lebens und stets zum Hingang bereit halte. Jeder Ritter und jede Dame aber sollte gewisse Gebete halten, die der heiligen Mutter Gottes geweihten Tage mit Gottesdienst begehen, Almosen geben, und der verstorbenen Brüder und Schwestern gedenken, denen alljährlich im Stift Unserer Lieben Frauen vor Brandenburg auf dem Berg sollte ein feierliches Ehrenamt gehalten werden. Besonders aber sollte jedes Mitglied der Gesellschaft sich nach seinem Staat ehrlich und füglich halten, und sich vor offenbarer schämlicher und schändlicher Missetat, Unfug und Unehre treulich bewahren.

Unter dem Markgrafen, welcher selbst in eigener Person dieser seiner Lieblingsstiftung Vorstand, waren als Schaffer und Schiedsleute die wohlgeborenen, gestrengen und tüchtigen Herren, Albrecht VIII., Graf zu Lindow und Möckern und Herr zu Ruppin, Matthias von Bredow in der Neuen Mark, Bernd von der Schulenburg für die Alte Mark, und Vielow von Bülow für die lüneburgischen Lande bestellt.[154] Der Propst auf dem Berg vor Brandenburg versah das Amt eines Schatzmeisters des Ordens. Unter den Frauen, welche in die Ordensgemeinschaft aufgenommen wurden, befand sich unter anderen auch Margarethe, Gräfin zu Lindow, wie wir weiter unten sehen werden, die damalige Gemahlin unseres Grafen. Wir dürfen aus dieser Stellung des Grafen Albrecht eben sowohl auf seine hohe politische Geltung in der Mark als auf seine auch anderweitig bezeugte Frömmigkeit schließen.

Auch in der folgenden Zeit finden wir den trefflichen Mann fast unausgesetzt in des Markgrafen Dienst tätig. Schon 1444 bediente sich der Kurfürst seiner, um einen zwischen dem Stift und dem Stadtrat zu Quedlinburg ausgebrochenen Streit gütlich auszugleichen.[155] Wie er schon 1442 bei der Aussöhnung der Städte Berlin und Cölln mit dem Kurfürsten tätig gewesen war,[156] so war er auch 1448 zugleich mit Stephan, Bischof von Brandenburg, Adolf I., Fürsten von Anhalt, Nikolaus Tierbach, dem Johanniterordensmeister in der Mark und den Bürgermeistern und Ratmannen der Städte Brandenburg, Frankfurt und Prenzlau zu einer neuen Versöhnung der unruhigen Städte mit ihren Landesherren behilflich.[157] Im Jahr 1452 war er mit unter den Bevollmächtigten, welche die streitigen sächsischen und brandenburgischen Grenzen bestimmen sollten.[158] In eben dem Jahr wurde, als Kurfürst Friedrich seiner Gemahlin Katharina von Sachsen zur Wiedererstattung der von ihr eingebrachten Morgengabe die Schlösser und Städte Spandau, Stadt und Schloss mit dem Klosterdienst daselbst, Trebbin, Schloss und Städtchen, Treuenbrietzen, Beelitz, Bernau, Mittenwalde, Oderberg und Liebenwalde als Leibgedinge aussetzte, »Graf Albrecht von Lindow und Herr zu Ruppin, der Wohlgeborene, unser Hauptmann, Rat und lieber Getreuer« dazu bestimmt, die genannte Fürstin in diese Städte einzuweisen.[159] Vier Jahre nachher vereinigten sich Graf Albrecht und Bischof Konrad von Havelberg, einander mit Ausnahme des Erzbischofs von Magdeburg, der Markgrafen von Brandenburg und des Hauses Anhalt, sich gegen jedermann allen Beistand zu leisten.[160]

2.20 Die Bede

Fast um dieselbe Zeit, in welcher die Städte Berlin und Cölln sich zu wiederholten Malen gegen den Kurfürsten auflehnten, geschah es auch, dass Graf Albrecht VIII. mit seiner Stadt Neuruppin in Misshelligkeiten geriet. Es ist schon oben davon die Rede gewesen, dass die Städte, wie Wohlstand und Reichtum zunahmen, ihr Haupt selbst gegen ihre rechtmäßigen Herren stolzer und kühner zu erheben wagten. Die ihnen innewohnende Kraft hatten sie mehr und mehr kennen und schätzen gelernt, je weniger die Grafen und Markgrafen oft zu ihrem Schutz zu tun vermochten, je mehr sie also auf sich selbst hingewiesen waren. Auch von unserer Stadt erzählte Hafftiz vielleicht mit Bezug gerade auf Albrechts VIII. Regierungszeit: »Aller Güte ungeachtet sind die Neuruppiner den Grafen immer zuwider gewesen, haben von ihnen wollen Zoll haben, wenn sie haben aus der Stadt Bier holen lassen, darüber sie dann endlich bewogen, ein Fass ruppinisch Bier mit samt dem Wagen im Tore stehen zu lassen, bis endlich Bier und Wagen eingegangen. Einst schickten die Grafen einen adligen Hofjunker in die Stadt, um dem Rat etwas vermelden zu lassen; da sind sie de facto zugefahren, haben ihn auf dem Markt geführt, und ihm ohne alle Barmherzigkeit den Kopf abschlagen lassen. Darüber sind die Grafen heftig erzürnt, und haben ihnen, weil sie sich sonst nicht an ihnen rächen können, ihre Mühlen, wiewohl mit ihrem großen Schaden, verboten. Dadurch sind sie endlich gezwungen worden, dem Grafen zu Fuß zu fallen, und auf Unterhandlung etlicher von Adel ihnen gerecht zu werden. Es haben auch die Grafen, da sie einstmals auf einen Herrentag ziehen wollten, dem Rat zu Neuruppin für inländisch Tuch die Gerichte abzutreten sich erboten, welches sie doch nicht haben tun wollen, da sie wohl 3.000 Reichstaler darum gegeben hätten, wenn es ihnen so gut hätte werden können; es ist also an ihnen wahr geworden, was der weise Heide sagt: praesentem fortunam odimus, sublatam ex oculis quaerimus invidi.«[161] Wir werden unten Veranlassung haben, noch einmal auf diese Erzählung des Hafftiz zurückzukommen und sie einer näheren Prüfung zu unterwerfen. So viel wenigstens ist gewiss, dass um das Jahr 1448 die Stadt Neuruppin insonderheit wegen der Bede mit Graf Albrecht VIII. so zerfallen war, dass beide Parteien dahin übereinkamen, sich dem schiedsrichterlichen Ausspruch des Fürsten Adolf II. von Anhalt-Köthen, des Schwiegersohnes Graf Albrechts, zu unterwerfen. Adolf zog hierzu mehrere ganz unparteiische Männer hinzu, als Otto von Gladow, Pfarrer zu Neuruppin, Otto von Alem, Pfarrer zu Wusterhausen, Nikolaus von Bassute, Propst des Jungfrauenklosters zu Lindow, Thilo von Lo, Marschall, Nikolaus von Gühlen und Liborius von der Groeben.[162] Die Bürger von Neuruppin hatten sich lange Zeit geweigert, dem Grafen zu seinen Sachen Hilfe zu leisten und Bede zu geben, wie doch von den anderen Mannen, Städten und Untersassen desselben geschehen war.

Dem Ausspruch des Fürsten Adolf gemäß versprachen sie nun anstatt der bisher verweigerten Bede ein für allemal 1.300 Rheinische Gulden zu zahlen, von welchen 1.000 Gulden bei dem Rat zu Neuruppin der Tochter des Grafen Albrecht, Frauchen Anna, zu Gute stehen bleiben und nicht eher sollten ausgegeben werden, als bis das genannte Fräulein heiraten würde. Die übrigen 300 Gulden wollten sie dem Grafen auf nächsten Martini geben. Von jetzt an aber bis das Fräulein heiraten oder mit Tode abgehen würde und fünf Jahre hernach sollte die Stadt von aller Bede befreit sein. In Notsachen aber, die Land und Leute beträfen, sollten die von Neuruppin dem Grafen binnen und auch außer Landes, wozu er sie heischen werde, nachfolgen und Beistand tun, gleich anderen seinen Landen und Leuten ohne alle Widersprache. Zugleich wurden noch andere zweifelhafte Punkte in Betreff des Brauens, des Biermaßes, des Kornkaufs näher bestimmt, und festgesetzt, dass kein Korn dürfe außer Landes gefahren, kein Korn auf den Stücken gekauft werden. Wir bemerken nur noch, dass diese Tochter des Grafen später an den Fürsten Georg I. von Anhalt verheiratet, und zwar dessen vierte Gemahlin wurde.[163]

Zum besseren Verständnis dieser ganzen Verhandlung wird es nötig sein, über die Bede noch einige allgemeinere Bemerkungen hier anzuknüpfen. Die Bede war in den ersten Zeiten der ballenstedtischen Markgrafen etwa bis zum Jahr 1280 eine außerordentliche, nicht in bestimmten jährlichen Terminen an den Landesherrn gezahlte Beisteuer gewesen, zu welcher Bürger und Bauern gar nicht wie zu Zins und Zehnten verpflichtet gedacht wurden, die daher auch den Namen Bede, *petitio, precaria,* führte. Gleichwohl war es keineswegs dem guten Willen der Zahlenden anheimgestellt, ob sie sie aufbringen wollten oder nicht. Ursprünglich mochte die Bede nur zu allgemeinen Landesbedürfnissen, zur Führung von Kriegen, zur Erbauung von Schlössern, bewilligt sein. Dann wurden die Forderungen häufiger, wenn die Fürsten oder ihre Prinzen in Gefangenschaft geraten waren, wenn sie zu den Kaiserwahlen und Krönungsfesten, zu ihrer Belehnung an das Hoflager des Kaisers reisten, wenn ihre Prinzen und Prinzessinnen sich vermählten, wenn sie oder ihre Prinzen feierlich zu Rittern geschlagen wurden. Unsere Grafen, wie oben gezeigt, mit allen landesherrlichen Rechten ausgestattet, erhoben die Bede gleich ihren Lehnsherren den Markgrafen. Nach welchen Grundsätzen und wie viel erhoben wurde, wissen wir nicht. Weil aber eine fortdauernd zu tragende Last stets leichter erscheint, als eine willkürlich aufgelegte, so wünschten gegen das Ende des 13. Jahrhunderts die zur Bedezahlung verpflichteten Untertanen, dass statt jener außerordentlichen Steuer eine jährliche ordentliche mochte erhoben werden. Der Abkauf der früheren Bede geschah in einem Teil der Altmark so, dass in drei Terminen zu Michaelis 1281, zu Ostern und zu Michaelis 1282 von einer jeden Hufe, welche dem Markgrafen ein Stück (d. h. entweder 1 Wispel Hartkorn oder 2 Wispel Hafer oder 1 Talent) zahlte, jedes Mal ein Vierding d. i. der vierte Teil einer Mark sollte entrichtet, dann aber von dem Jahr 1282 an die neue Bede in zwei Terminen alljährlich zu Walpurgis und zu Andreä gezahlt werden. Jene regelmäßige Steuer betrug von einem jeden Stück der bisherigen bestimmten Abgaben jährlich 2 Schillinge. Von dieser ordentlichen Bede waren nur die Vasallen der Markgrafen frei, aber auch diese mussten, wenn sie mehr als die ursprüngliche rittermäßige Hufenzahl unter ihrem Pflug hatten, hiervon die regelmäßige Bede entrichten. Es bedarf keiner Erinnerung, dass Bürger und Bauern nach verschiedenen Grundsätzen müssen besteuert gewesen sein. Dessen ungeachtet sollten aber auch in Zukunft noch außerordentliche Beden zur Auslösung eines Markgrafen aus der Gefangenschaft gefordert werden dürfen, und zwar für jedes Stück grundherrlicher Hufenabgabe ein halber Vierding, von Müllern und Kossäten nach Verhältnis ihrer fahrenden Habe von jedem Pfund 6 Pfennige. Bei einem eigentlichen Landesbedürfnis, z.B. bei der Führung eines Krieges, sollten vier ganz besonders dazu gewählte Ritter mit Hinzuziehung der Ältesten von der Ritterschaft beratschlagen, wie viel für die Provinz dem Markgrafen bewilligt werden sollte, und dieser sich hieran genügen lassen solle. Etwa nach denselben Grundsätzen mag auch in unserer Grafschaft die Bede in eine jährliche ordentliche Steuer, die wahrscheinlich nicht in zwei Terminen, sondern auf einmal zu Martini aufgebracht wurde, verwandelt sein, dagegen bei besonderen Veranlassungen noch außerdem die Beihilfe von Stadt und Land in Anspruch genommen wurde. Jene ordentliche Bede war es, welche in den Urkunden bald den früheren Namen Bede, *precaria*, fortführte, bald zum Unterschied der letzteren Urbede, *Urbaria*, bzw. *Urbura* = Bedezins genannt wurde. Wann jene Verwandlung vorgenommen wurde, wissen wir nicht, doch ist es wahrscheinlich, dass sie etwa um dieselbe Zeit geschah, in welcher sie in der ganzen übrigen Mark vor sich ging.

Da durch die ordentliche Bedesteuer nun den Bedürfnissen der Landesherren auf eine gründliche und dauernde Weise abgeholfen werden sollte, so wurde festgesetzt und von den Markgrafen versprochen, dass sie dieselbe nicht wieder in derselben Weise, wie das mit Zins, Zehnten, Hofdiensten und dergleichen geschehen war, an andere veräußern wollten. Und in der Tat scheint es, als ob unsere Grafen mit der Urbede sparsamer umgegangen sind, als mit anderen Einnahmen. Nichtsdestoweniger muss auch sie zum Teil wenigstens schon früh in andere Hände gekommen sein, wie ja Graf Albrecht VIII. im Jahr 1425 am St.-Lucien-Tag (13. Dezember) an Johann von Redern, Pfarrer zu Neuruppin, Heinrich Kremer und dem jungen Nikolaus Frese, Gotteshausleute und Vorstände derselbigen Kirche, für 13 Schock guter Böhmischer Groschen, die die ehegenannten Kirchherren und Gotteshausleute ihm wohl zu Dank an einer Summe bereitet und bezahlt hatten, und die er im Dienst des Markgrafen verzehrt, 2 Pfund Brandenburgischer Pfennige in der Bede des ganzen Dorfes Buskow, die da fallen von den Höfen und Hufen, so von alters her Bede gegeben, zu einem rechten Kauf verkaufte.[164]

Seit viel längerer Zeit war die Urbede in dem Städtchen zu Lindow aus den Händen der Grafen in die der von Quitzow übergegangen. Diese Urbede zum Betrag von 10 Mark Brandenburgischen Silbers hatten Wedego von Quitzow, Lüdecke von Quitzow, Propst zu Havelberg, und Nikolaus von Quitzow an Agnes, Äbtissin des Jungfrauenklosters zu Lindow, und den ganzen Konvent desselben für

100 Schock guter Böhmischer Groschen wiederkäuflich zediert. Im Jahr 1436 am Tag Johannis des Täufers trat Klaus von Quitzow, zu *Rutstede wohnhaftig*, wie er selber sagte, Wedego von Quitzows Sohn, gegen eine neue Zahlung von 42 ½ Schock die genannten 10 Mark Silbers der Äbtissin Luitgard und dem ganzen Konvent des Klosters zu Lindow zu einem ewigen Kauf ab, in Gegenwart Ottos von Gladow, Pfarrers zu Neuruppin, Nikolaus' von Bassute, Propsts zu Lindow, der Edlen Thilo von Lo, Johann von Wildberg, Nikolaus von Bellin, Nikolaus von Alem, und folgender Bürger von Neuruppin: Nikolaus Frese, alte Nikolaus Gerber, alte Wichmann Glöden und Heinrich Kremer.[165]

Auch von der Urbede zu Neuruppin waren nicht unbedeutende Summen verkauft worden. In einem alten Stadtbuch auf dem hiesigen Rathaus fand sich ein Verzeichnis von folgenden Kornpächten und Pfennigpflegen, welche allein von dem Grafen Albrecht VIII. oder mit dessen Bewilligung an unsere Stadt auf Wiederkauf waren verhandelt worden: 3 Wispel Korn waren von ihm aus dem Dorf Wuthenow für 30 Schock gewöhnliche gangbare Münze, 1 Pfund Pfennige in Bechlin für 6 Schock, 6 Wispel Korn in Wildberg und Walchow, 4 Pfund Pfennige in Manker für 20 Schock Groschen und 2 Schock an Pfennigen, 30 Scheffel Korn eben daselbst für 17 Schock guter Böhmischer Groschen, 2 Wispel Korn für 15 Schock, gleichfalls aus Manker, 1 Schock und 8 Groschen Zins vom Rathaus zu Neuruppin aus der Urbede für 19 Schock, endlich aus Wutenow 11 Scheffel hartes Korn, 6 Scheffel Hafer und 9 Schillinge für 30 Schock. Bei dem letzten Punkt ist das Jahr 1457 angegeben. Und nach einem anderen Verzeichnis waren, wahrscheinlich nur um etwas später, teils an den hiesigen Stadtrat, teils an die Schöffen, teils an geistliche Stiftungen und geistliche Personen, teils endlich an Privatpersonen (mit Ausnahme von 3 Mark sämtlich wiederkäuflich) aus der Urbede zu Neuruppin nicht weniger als 50 Mark, die Mark gerechnet zu 1 Schock und 8 Groschen, verkauft worden. Wir könnten noch viele andere Beweise dafür aufzählen, wie diese wichtige nur für die Bedürfnisse des Landes bewilligte Abgabe versplittert wurde. Für jetzt mögen die von uns aufgestellten genügen.

Es ist einleuchtend, dass es wegen Zahlung dieser Bede zwischen

Graf Albrecht VIII. und seiner Stadt Neuruppin nicht füglich zu Streitigkeiten kommen konnte, da dieselbe schon seit länger als 150 Jahre herkömmlich alljährlich auf Martini bezahlt wurde, und zum großen Teil anderweitig verkauft war. Eine offenbare Ungerechtigkeit derart können wir den Bürgern unserer Stadt, an deren Spitze wackere und ehrenwerte Männer standen, zum Teil rittermäßigen Standes, so wenig als überhaupt den Städten unseres Landes zutrauen. Bürgerliches Selbstgefühl fehlte den Städten jener Zeit keineswegs, und gegen den Willen des Landesherrn sich aufzulehnen, waren sie durchaus nicht so abgeneigt, zumal, da keine stehende bewaffnete Kriegsmacht sie schreckte. Aber diese ihre Widersetzlichkeit ging selten oder nie aus einer Unzufriedenheit mit dem, was Jahrhunderte bestanden, hervor, sondern brach nur dann aus, wenn die Landesherren irgendeine Neuerung einzuführen beabsichtigen, etwa eine Burg in oder bei einer Stadt zu bauen, oder neue Auflagen zu fordern, oder in die städtische Gerichtsbarkeit willkürliche Eingriffe sich zu erlauben.

So mag denn auch jene Spannung zwischen unserer Stadt und dem Grafen entstanden sein, während welcher jene dem letzteren, wie natürlich die Zahlung der außerordentlichen Bede verweigerte, wofern nicht diese Geldforderungen selbst die erste Ursache der Misshelligkeiten waren. Die Zahlung der Urbede an diejenigen, welche zu deren Erhebung berechtigt waren, litt gewiss keine dauernde Unterbrechung. Es werden daher auch in dem schiedsrichterlichen Erkenntnis des Fürsten Adolf von Anhalt durchaus keine Bestimmungen wegen derselben getroffen, sondern nur festgesetzt, dass die Stadt für die mehrere Jahre verweigerte außerordentliche Beihilfe jetzt 1.300 Rheinische Gulden zahlen, dafür aber bis auf eine bestimmte Zeit von aller Bedezahlung befreit sein, es sei denn, dass eine ganz besondere Notsache den Grafen nötige, die Hilfe der Stadt in Anspruch zu nehmen. Damit nun aber nicht etwa bei der Verheiratung der Gräfin Anna, der noch unvermählten Tochter des Grafen Albrecht, die Grafschaft mit einer neuen außerordentlichen Bede, die auch wohl den Namen der Fräuleinsteuer führte, beschwert würde, so bestimmte Fürst Adolf, dass von jenen 1.300 Gulden 1.000 auf dem Rathaus zu Neuruppin stehen bleiben und deren Zinsen der eben genannten Gräfin zugutekommen sollten, bis sie würde verheiratet sein, wo dann natürlich die Auszahlung des Kapitals erfolgen musste.

2.21 Leibgedinge und Morgengabe

Graf Albrecht VIII. starb im Jahr 1460. Die Verfasser der Grabschrift haben für gut befunden hinzuzusetzen: »welcher die eben erwähnte Schenkung des Grafen Ulrich bestätigte.« Wenn es in der Grabschrift dann weiter heißt: »bei ihm ruhen die Gebeine der Frau Käthe von Lobbin und der Frau Anna von Sagan, welche bis jetzt seine Gemahlinnen gewesen«, so sieht man daraus, dass jene Verfasser, welche sonst die Todesjahre der regierenden Gräfinnen wo möglich nicht anzugeben unterließen, mit denen der genannten Frauen selbst unbekannt gewesen sein müssen. Eine dritte Gemahlin unseres Grafen war jene Margarethe von Stettin, welcher Graf Albrecht im Jahr 1437 in einer von dem Markgrafen Friedrich dem Jüngeren bestätigten Urkunde ihr Leibgedinge und ihre Morgengabe bestimmte.[166] Es wurde in jener wichtigen Urkunde festgesetzt, dass ihr als Leibgedinge die eine Hälfte des Schlosses zu Alt Ruppin mit allen und jeglichen desselbigen Schlosses Herrschaften, Freiheiten, Rechten, Gnaden, Zubehörungen, Nutzen und Nießbrauch (nur mit Ausnahme der halben Fischerei und des Brennholzes, das man zur Küche der anderen Hälfte des Schlosses bedürfte), ferner die Urbede zu Neuruppin, und in besondere zur Morgengabe die Urbede zu Gransee sollte überwiesen werden. Im Fall jedoch der genannte Graf Albrecht eher als seine Gemahlin von Todes wegen abginge, so solle die Frau Margarethe die Hälfte des Schlosses Alt Ruppin, und von allen Zubehörungen, Rechten, Gnaden, Nutzen und Nießbrauch, ingleichen von der Urbede zu Neuruppin die eine Hälfte, Graf Albrechts Lehnserben dagegen die andere Hälfte besitzen und gebrauchen, die Urbede von Gransee aber ihr auf jeden Fall bis an ihr Ende ganz und ungeteilt verbleiben. Wolle jedoch die Gräfin dann aus dem Land ziehen, einen anderen Herrn nehmen und das Leibgedinge nicht länger behalten, so solle sie die Lösung des Leibgedinges fordern (doch, nicht eher, als bis ihre Kinder 12 Jahre alt geworden) und alsdann von ihren Kindern ein Jahr nach der Aufkündigung 5.000 gute Rheinische Gulden nach Alt-Stettin oder Garz hin ausgezahlt empfangen, die Urbede von Gransee aber ihr Lebtag gebrauchen und einnehmen. Im Fall Graf Albrecht kinderlos stürbe, und die Grafschaft also an die Markgrafen von Brandenburg zurückfiele, sollten die Markgrafen das Recht haben, ihr zu Weihnachten das Leibgedinge zu kündigen, und übers Jahr für 10.000 gute Rheinische Gulden, deren Auszahlung in Stettin oder Garz erfolgen solle, all ihre Ansprüche an die Grafschaft mit Ausnahme der Urbede zu Gransee an sich zu bringen. Wir sehen aus dieser Urkunde, dass Graf Albrecht VIII. der einzige noch übrige Spross des gräflich arnstein-lindowschen Hauses war, und die Markgrafen schon damals nicht ohne Hoffnung waren, durch seinen kinderlosen Tod in den Besitz unserer Grafschaft zu gelangen, eine Hoffnung, die freilich diesmal noch vereitelt, und deren Erfüllung noch um fast hundert Jahre hinausgerückt wurde. Eben aus diesem Grund bedurfte es auch der Bestätigung des Leibgedinges durch den Markgrafen, da dieser in jenem Fall eine ohne Mitwissen und Genehmigung des nächsten Lehnserben, und das war hier der Lehnsherr selber, abgeschlossene Verfügung schwerlich würde als gültig anerkannt haben. Die Aussetzung des Leibgedinges und der Morgengabe war aber in jener Zeit gleich bei der Vermählung üblich, und umso wichtiger, da Margarethe gewiss nicht ohne eine bedeutende Aussteuer an den Grafen Albrecht verheiratet war.

Bei der Vermählung der Töchter von Fürsten und Edlen setzte der Vater oder nächste Verwandte der neu vermählten Frau eine bestimmte Summe Geldes als Morgengabe aus, wozu der Gemahl oder sein Vater eine gleiche Summe entweder in barem Geld oder an liegenden Gütern und sicheren Einkünften hinzufügte. Beide zusammen bildeten das Leibgedinge der Frau. Von diesem Leibgedinge erhielt dieselbe, wenn sie ihren Mann überlebte, natürlich nur die Hälfte, ihr Eingebrachtes, und zwar entweder in barem Geld zurückgezahlt und dann zu weiterer freier Verfügung, oder in angemessenen Leibrenten, welche, wie sich von selbst versteht, mehr betrugen als die Zinsen ihrer Aussteuer, dagegen aber auch das Kapital zugleich mit ihrem Absterben denen, welche die Leibrente zahlten, verfallen war. Wahrscheinlich hatte die Aussteuer der pommerschen Fürstentochter etwa 5.000 Rheinische Gulden betragen, eine für jene Zeit gar nicht unbedeutende Summe.

Die ihr als Morgengabe ausgesetzte Urbede zu Gransee sollte ihr auf jeden Fall bis an ihren Tod ohne Ablösung ungehindert verbleiben. Ohne Zweifel war die Vermählung des Grafen Albrecht mit Margarethe im Jahr 1437 oder doch ganz kurz vorher gefeiert worden. Wahrscheinlich also war er schon früher mit einer der beiden anderen, vielleicht auch mit beiden verheiratet gewesen, ohne dass eine dieser Ehen mit männlichen Nachkommen wäre gesegnet gewesen. Denn nach jenem Leibgedingsbrief zu schließen, kann Graf Albrecht bei seiner Verheiratung mit Margarethe von Pommern-Stettin unmöglich schon Söhne gehabt haben. Dagegen Töchter, da 1448 Fürst Adolf I. von Anhalt als Schwiegersohn des Grafen und Gemahl der Gräfin Cordula von Ruppin,[167] die zweite Tochter Anna aber in einem Alter erschien, in welchem man an jedem Tag ihrer Vermählung gewärtig sein könne.[168] Wir wollen hier nur bemerken, dass dieses Fräulein Anna ganz gewiss der Gräfin Anna aus dem Haus Sagan Tochter war; ob Cordula ihre rechte Schwester oder die Tochter der Gräfin Katharina von Niederschlesien-Liegnitz gewesen, müssen wir anderen zur Beurteilung und Entscheidung überlassen. War Margaretha Albrechts dritte und letzte Gemahlin, die den Grafen Albrecht überlebte, und vielleicht nach ihres Gatten Tod nach Pommern zurückkehrte, so erklärt sich leicht und natürlich unsere Grabschrift, welche nur von zweien bei ihm begrabenen Gemahlinnen redet, und die dritte, Margaretha, ganz unerwähnt lässt. Nach der von Raumer herausgegebenen Urkunde, auf welche sich schon Lenz berufen hatte, fällt übrigens der ungebührliche Zweifel Bratrings an dieser dritten Vermählung unseres Grafen als nichtig und grundlos in die Augen. Er hätte umso weniger zweifeln sollen, da eben diese Margaretha auch 1443 unter den edlen Damen genannt wurde, welche dem oben erwähnten Schwanenorden Unserer Lieben Frauen als Ordensdamen beitraten.[169]

2.22 Johann III. und Jakob I.

Graf Albrecht VIII. hinterließ sterbend die von ihm besessenen Lande seinen drei Söhnen Johann III., Jakob I. und Gebhard. Johann starb im Jahr 1500 am Vorabend des Tages der Zerstreuung der Apostel,[170]

Jakob im Jahr 1499 am Tag der Apostel St. Philippus und St. Jakobus.[171] Das Todesjahr des Grafen Gebhard ist uns nicht bekannt.[172] In einem alten Stadtbuch aber, welches aus Blättern bestand und die Ausgaben des Stadtrats von Neuruppin vom Jahr 1505 bis 1530 enthielt, fand sich fol. 131 folgende Nachricht: »Greve Geverde gegeben zehn Gulden up dath harnes dat sie ehn affköfften«, im Jahr 1517. Woraus mit Bestimmtheit folgt, dass er in unserer Stadt selbst oder doch in der Nähe derselben sich aufhielt, als jener Kauf geschlossen wurde. Es ist in der Tat im höchsten Grad auffallend, dass in einer Zeit, aus der uns so viele einzelne und zum Teil unbedeutende Nachrichten über die Grafen Johann und Jakob aufbehalten sind, Graf Gebhard fast gar keine Erwähnung fand. Allerdings erteilte er 1461 am Sonntag vor Palmarum unserer Stadt gemeinsam mit seinen Brüdern ein unten noch weiter zu berührendes Privilegium.[173] 1474 sehen wir ihn ferner bei König Christian I. von Dänemark, als dieser zum Rhein abging, um den Erzbischof von Köln mit dem Herzog und Burgund, Karl dem Kühnen, zu vertragen.[174] Dann aber verschwand er spurlos aus unserer Geschichte, bis auf jene zufällig erhaltene Notiz im Jahr 1517. Wir unsererseits müssen uns dieses Verschwinden nicht wohl anders zu erklären als durch die Annahme, dass er frühzeitig, vielleicht gerade zu Köln am Rhein, in den geistlichen Stand trat. Wenigstens stimmt hiermit ganz vortrefflich überein, dass Johann Ester, ehedem Pater und Prokurator des Dominikanerklosters zu Köln, später Kantor, der reformierten Gemeinde unserer Stadt zu erzählen pflegte: Er habe in jenem Kloster oft das Bild eines Klosterkochs von Ruppin, einen Wels in der rechten Hand haltend, mit der Unterschrift *Frater Nicolaus de Ruppins* abgebildet gesehen. Ingleichen, dass auch Graf Jakob dem Erzbischof gegen den Herzog von Burgund, wie er in unseren Urkunden heißt, zu Hülfe gezogen war. Der Stadtrat von Neuruppin berechnete im Jahr 1475 6 Gulden, dem Grafen Johann, »mynem Herrn« gegeben, die er dem Grafen Jakob nach Köln senden wollte; ferner noch in demselben Jahr 50 Gulden, geschenkt dem Grafen Jakob zu Hilfe gegen den Herzog von Burgund zum Krieg; ingleichen 6 Schock für ein Pferd, welches Graf Jakob mit sich nahm.[175] Von dorther mochte den Grafen Gebhard irgendeine Angelegenheit in die Lande seines Vaters zurückführen, wo er dem

Rat unserer Stadt einen Harnisch für 10 Schillinge überließ.

Graf Jakob war vermählt mit Anna von Stolberg, welche ihren Gemahl lange überlebte, und erst 1526 am sechsten Tag nach dem Fest der Elftausend Jungfrauen in unserer Stadt starb, wo sie den sogenannten Grafenhof bewohnte. Als Leibgedinge wurde für sie bei ihrer Vermählung mit dem Grafen Jakob unter Beistimmung des Grafen Johann das alte Schloss mit den zwei adligen Gütern zu Wildberg, ferner die Urbede aus Neuruppin, Gransee und Lindow, die Dörfer Viechel, Nackel und ein Teil von Ganzer, der Hufenzins aus Wildberg, Kerzlin, Ganzer, Schönermark, Bechlin, Gottberg, Walchow, Stöffin, der Wiesenzins aus Lindow, Gransee, Alt Ruppin, Herzberg, Krangen, Molchow, Zechow, Lichtenberg, Grieben, Zermützel, Vielitz, Schönberg, Nietwerder, Wuthenow, Gnewikow, Radensleben, Banzendorf, Dierberg, Zühlen, Kraatz, Wulkow, Mutz und Rüthnick, das Dienstgeld aus Ribbeck, Pfennigspflege aus Viechel, Manker, Radensleben, Nietwerder, Wulkow und Nackel, 6 Wispel jährlicher Roggenpacht aus der Mühle zu Wustrau, ferner aus Wildberg, Wuthenow etc., endlich die freie Axt in der Alt Ruppiner Heide, endlich ein freier Fischerkahn auf dem Rhinsee ausgesetzt.[176] Mit Recht war Bratring über die außerordentliche Höhe des Leibgedinges erstaunt, aber man darf hierbei durchaus nicht vergessen, erstens, dass die Urbede in jenen Orten zum großen Teil in anderen Händen war,in Lindow wenigstens 10 Mark zu einem ewigen Kauf an das Kloster daselbst abgetreten, in Ruppin gleichfalls. Im Jahr 1522 waren es nur 15 Schock weniger 2 Groschen, welche sie zu Martini von dem Magistrat unserer Stadt aus der Urbede empfing, von welcher, wie wir oben geschahen, im vorigen Jahrhundert über 57 Schock größtenteils wiederkäuflich in andere Hände gelangt waren.[177] Zweitens, dass die Gräfin Anna, oder, wie sie auch wohl genannt wurde, Jakobine, nach ihres Gemahls früheren Tod von dem bei der Vermählung bestimmten Leibgedinge nur die Hälfte bezog. Drittens endlich, dass sich die Höhe des Leibgedinges keineswegs nach der Willkür des Gemahls, sondern nach dem Eingebrachten richtete, da nach damaliger Sitte der Bräutigam durchaus bei der Vermählung eine der Aussteuer der Braut gleiche Summe, oder, wenn er die Morgengabe gleich an sich nahm, das doppelte derselben entweder bar oder in Gütern nachweisen musste. Und so wundern wir uns durchaus nicht über des guten Grafen Johann Einfalt, der so verderbliche Ehepakten aus Liebe zu seinem Bruder unterzeichnete, sondern mehr darüber, dass Bratring und andere einem so ausgezeichneten und erfahrenen Mann, wie es Graf Johann III. muss gewesen sein, eine solche Beschränktheit oder Verkehrtheit haben Zutrauen können.

Graf Johann war zweimal verheiratet. Seine erste Gemahlin, Ursula von Barby, wurde ihm laut unserer Grabschrift im Jahr 1484 durch den Tod entrissen. Seine zweite Gemahlin Anna, Herzog Johanns IV. von Sachsen-Lauenburg Tochter, überlebte ihn, und verheiratete sich wieder an den Grafen Friedrich von Spiegelberg.

Der Eid, welcher im Jahr 1461 den drei Gebrüdern geleistet wurde, war folgender: »Wir huldigen, geloben und schwören Herrn Johann, Herrn Jakob und Herrn Gevert, Gebrüdern, Grafen zu Lindow und Herren zu Ruppin, unseren gnädigen lieben Herren und ihren rechten Lehnserben eine rechte Erbhuldigung als unsern rechten natürlichen Erbherren, ihnen mit allen Sachen getreu, gewärtig und gehorsam zu sein, alle Zeit ihr Frommen zu wahren und ihren Schaden zu wenden, und sollten sie ohne männliche Leibeserben abgehen, was Gott lange abwenden möge, so wollen und sollen wir bleiben und halten an unsern gnädigen lieben Herrn Markgrafen Friedrich, Kurfürsten pp. und an Seiner Gnaden Erben und Nachkommen und an der Markgrafschaft zu Brandenburg und an niemand anders, getreulich und ohne alle Gefährde, so wahr uns Gott helfe und seine Heiligen. Actum Neuruppin am Mittwoch Unserer Frauen Tag Annunciationis Ao. 1461.«[178] An demselben Tag bestätigten die drei Grafen urkundlich unserer Stadt die ihr bis dahin erteilten Privilegien, und ihr Eigentum an Äckern, Waldungen, Seen, Mühlen, Wiesen und Weiden, die Unverletzlichkeit ihrer Grenzen, in Gegenwart des Markgrafen Friedrich von Brandenburg, des Grafen von Hollach und des Ritters Nikolaus von Pfuel, ferner von der Grafen Leuten des Nikolaus von Bassute, Propstes zu Lindow, Peters von Ziethen, Valentins von Klepzig, Propstes zu Neuruppin, Konrads von Schwanebeck, des ersten Notars der Grafen, ferner der tüchtigen Dienstmannen: Stellentin von Kröchern, Nikolaus von Wuthenow, Liborius von der Groeben, Otto von Arnsberg und anderer zuverlässiger Männer.[179] Die Urkunde, auf welche sich diese unsere Angabe bezieht, ist uns nicht mehr vollständig erhalten, und wir sind daher nicht recht im Stande, zu beurteilen, inwiefern unserer Stadt durch dieselbe magdeburgisches Stadtrecht sollte verliehen worden sein.

Auch die Grafen Johann und Jakob erschienen am Hof der Markgrafen immer noch als die bedeutendsten unter allen brandenburgischen Vasallen und fast im beständigen Dienst ihres Lehnsherrn. Beide unterzeichneten schon 1462 als Zeugen eine Urkunde, kraft welcher Friedrich II. dem Ulrich Kuchmeister erklärte und bewilligte, dass er nur vor ihm, dem Markgrafen, solle verklagt werden können;[180] 1463 eine Ehestiftung, welche zwischen Herzog Johann IV. von Sachsen-Lauenburg und der Markgräfin Dorothea von Brandenburg abgeschlossen wurde.[181] Dann erblicken wir den Grafen Johann III. im Jahr 1465 zu Worms auf dem Reichstag, wo er im Namen seines Herrn, des Markgrafen, dem Kaiser das Zepter vortrug, in demselben Jahr, in welchem zwei Grafen von Lindow, doch gewiss Johann und Jakob, mit dem neugewählten Bischof Johann von Magdeburg in seinen schönen Bischofssitz eintraten.[182] Als Kurfürst Friedrich II. das Katharinenkloster zu Stendal bestätigte, im Jahr 1469, waren gleichfalls Johann und Jakob als Zeugen mit zugegen.[183] Bei der Huldigung des Grafen Heinrich von Stolberg-Wernigerode waren zwei Grafen von Lindow, Ludwig und Jakob, gegenwärtig. Eines Grafen Ludwig aber wurde nirgends in der Geschichte gedacht, überdies ist dieser Name in dem ganzen Geschlecht unserer Grafen unerhört, und wir vermuten daher, dass hier ein Irrtum obwaltete, und statt Ludwig jedenfalls Johann müsse geschrieben werden. Diese Huldigung war im Jahr 1472.[184]

In einem alten, zur Zeit des großen Brandes verloren gegangenen Rechnungsbuch des hiesigen Stadtrats finden wir oft erwähnt, wie viel die Ratmannen verzehrt, wenn sie mit dem Herrn, wobei, wenn kein weiterer Zusatz dabei ist, immer Graf Johann zu verstehen, auf Reisen waren.[185] Wir sehen daraus die überaus große Regsamkeit und Geschäftigkeit des genannten Herrn, welche ihn oft in einem und demselben Jahr weithin nach geradezu entgegengesetzten Richtungen führte. So hatten die Ratmannen 1 Schock und 12 Schillinge verzehrt, als sie mit dem Herrn nach Loburg zum Tag waren. Dann haben in demselben Jahr 1471 die Knechte, welche ihn nach Strelitz begleiteten, der Stadt 3 Schillinge verzehrt; 30 Schillinge hat es die Ratmannen gekostet, welche ihm dann nach Berlin folgten. Gleich darauf war er wieder zu Alt Ruppin. Dort erschienen die Räte von Wusterhausen, von Gransee, ingleichen die von unserer Stadt. Freilich kostete es ihnen wieder 21 Pfennige. Abermals sehen wir ihn auf einem Tag gegen Herzog Albrecht von Mecklenburg, und die Ratmannen unserer Stadt, welche ihn dorthin begleiten, berechneten der Stadt dafür 8 Schillinge. Und gegen Ende des Jahres verursachte es der Stadtkasse abermals eine bedeutende Ausgabe, 2 Schock und 12 Schillinge, da die Ratmannen mit Graf Johann in Magdeburg waren. So aber ging es von einem Jahr ins andere. Schon am Heiligedreikönigstag 1472 mussten die Ratmannen mit dem Grafen zum Tag nach Berlin, sollte es auch die bedeutende Summe von 3 Schock und 2 Schillingen kosten. Auf dem Tag zu Magdeburg war er in demselben Jahr mit unseren Ratmannen (Kosten 3 Pfund und 2 Schillinge). Im Jahr 1473 haben unsere Ratmannen bzw. Bürger, heißt es im Stadtbuch, 10 Gulden und 10 Schillinge verzehrt, da sie dem Grafen nach Havelberg nachritten. Das folgende Jahr zeigt uns Graf Johann zu Hause. Er feierte Kindelbier; der Rat gab ihm dazu zwei Viertel Bier zu Hilfe, welche 1 Schock und 8 Schillinge kosteten. Später verehrte er dem lieben Herrn noch einmal zwei Viertel. Gleichwohl mussten die Ratmannen ihn auch in diesem Jahr zum Bischof begleiten. Dann aber war 1473 Graf Jakob zu Köln am Rhein im Krieg gegen Burgund, doch hielt ihn das nicht ab, noch in demselben Jahr zugleich mit seinem ältesten Bruder zu Anklam dem Beilager des Herzogs Magnus von Mecklenburg mit der Sophie von Pommern beizuwohnen. Diesem Fest folgte 1476 ein anderes zu Alt Ruppin auf der Burg. Dort erschienen die Herzöge von Sachsen-Lauenburg, von Mecklenburg, viel andere Herren, und es fehlte an nichts, trotzdem, dass das Volk über Teuerung schrie, der Weizen 14, der Roggen 10, die Gerste 9 und der Hafer 6 Silbergroschen galt. Dann ritt Graf Johann nach Berlin, Graf Jakob nach Neubrandenburg auf Herzog Albrechts Behuf. Nach Storbeck fuhr die gnädige Frau nach Wilsnack zur wundertätigen Hostie. Dann war Graf Johann wieder in Wittstock, indes der Stadtknecht Achim von seinetwegen nach Magdeburg und Möckern ging. Es war dasselbige Jahr, in welchem die

Grafen mit ihren Mannen bei dem Markgrafen zu Crossen standen. Wahrscheinlich zu derselben Zeit, in welcher die Gräfin von Lindow nach Wilsnack gefahren war, waren dort Herr Johann zu Sachsen, Westfalen, Engern, Herr Magnus zu Mecklenburg, Herzog und Fürst zu Wenden, Albrecht, Markgraf zu Brandenburg, des Heiligen Römischen Reichs Erzkämmerer und Kurfürst, Bischof Wedego von Havelberg aus dem edlen Geschlecht der Gänse von Putlitz, Woldemar, Fürst zu Anhalt und Graf zu Askanien, Herr Johann Gans von Putlitz, Herr Burchard von Alvensleben, Hauptmann in der alten Mark, Herr Nikolaus von Pfuel, Ritter, und gewiss auch unsere Grafen von Lindow nebst vielen anderen Edlen und Herren versammelt. Dort war es, wo am Dienstag nach Margarethen Markgraf Albrecht die Irrnisse beilegte, in welchen Kurfürst Friedrich II. mit dem Erzstift Magdeburg wegen des Schlosses und der Stadt Möckern mit ihren Zubehörungen gestanden, und die Wohlgeborenen Johann und Jakob, Grafen von Lindow und Herren zu Ruppin, unsere Räte und lieben »Getreuen« für immer an das Erzstift als alleinigen rechtmäßigen Lehnsherren wies.

Das Jahr 1477 war bewegter als die vorhergehenden. Die Grafen mit ihren Mannen standen bei Crossen, dorthin brachte ein Stadtknecht Karsten Geld für die Heerleute, gleich nach Pfingsten. Die Ratmannen von Wusterhausen und von Gransee waren schon vorher mit denen von Ruppin in der letzten Stadt zusammen gewesen. Inzwischen nahmen im eigenen Land Unsicherheit und Gefahr überhand. Den Bewohnern unserer Stadt wie dem Grafen wurden von den Kahlenbergen und der Lietze die Pferde gestohlen, und es war umsonst, dass die Bürger selber den Feinden nachgingen und nachjagten. Die Kuhburg wurde wieder in besseren Stand gesetzt, Schwefel und Salpeter von Magdeburg her gekauft, ein Bote auf Kosten der Stadt nach Magdeburg geschickt, um sich dort das Recht wegen des Geleits zu holen.

Im Jahr 1478 stand Graf Jakob I. in Frankfurt, dann in Beelitz. Indes Graf Johann III. bezeugte in einer Urkunde, dass Markgraf Johann Cicero der Stadt Brandenburg einen Zoll und die Obergerichte verkauft habe, und zum Hauptmann der Prignitz ernannt wurde,[186] wie er denn in der Tat noch 1487 unter den Hauptleuten mitgenannt wurde, welchen der Markgraf während seiner Abwesenheit die Leitung des Landes übertrug. Die Stadt Neuruppin bewilligte allein dem Grafen eine Beihilfe von 1.200 Gulden, außer anderen kleineren Unterstützungen. Die Stadtknechte waren überdies stets auswärtig zu Heerfahrten, bald nach Frankfurt, bald nach Crossen, bald nach Mirow, bald nach Beelitz. Für ihre Zehrung musste die Stadt Sorge tragen. In den städtischen Rechnungen wurden Nägel und Latten für die Kuhburg, wurde selbst das Bier erwähnt, welches diejenigen tranken, die die Landwehr bei der Neuen Mühle neu aufgruben. Auch das folgende Jahr 1479 sah den Grafen Johann bald hier, bald dort. Die Hofleute zogen mit ihm erst nach Heiligengrabe, dann nach Zechlin, nach Plau in Mecklenburg. Am Ende des Jahres begleiteten ihn die Ratmannen bis Wusterhausen, als er nach Havelberg zog. Dann waren die Stadtknechte wieder bei ihm, als er bei Menz der Jagd pflegte. Indes kam es in diesem Jahr doch endlich zum Frieden von Prenzlau, bei dessen Abschluss ein Mann wie Graf Johann III. als Zeuge unmöglich fehlen durfte.[187]

Nichtsdestoweniger ließ die Stadt Neuruppin einen Büchsenmeister von Brandenburg, einen von Stendal holen, an Pulver und Armbrüsten wurde nichts gespart. Der Büchsenmeister erhielt 1480 für die Büchsen 34 Gulden und überdies 1 Schock und 5 Pfund. So wenig war die Ruhe ganz wieder hergestellt, dass 1480 sogar Gransee von den Bürgern Prenzlaus besetzt und der Graf auf dem Weg von Alt Ruppin nach Gransee auf offener Heerstraße angefallen wurde.[188]

In diesem Jahr wurden auch unsere Grafen zu dem Gericht über die widerspenstigen altmärkischen Städte nach Berlin berufen, doch scheint nur Graf Johann diesem Ruf gefolgt und unter den Richtern gewesen zu sein, welche die Sache entschieden.[189] Auch unsere Ratmannen begleiteten den Grafen zu dem Tag und setzten dafür 4 Schock 6 Schillinge in Rechnung.

Erst im Jahr 1481, scheint es, erfolgte die Versöhnung zwischen dem Grafen und der Stadt Gransee. Es waren die Ratmannen unserer Stadt, welche die Sache vermittelten und beilegten, und bei dieser Gelegenheit um Michaelis 6 Schillinge 4 Pfennige zu Lindow und Gransee verzehrten. War es vielleicht die Freude über das glückliche Ereignis, welche die Stadt bewog, den Räten des Herrn und anderen guten Männern, zu Gallen eine Tonne Biers zu Alt Ruppin in des Fiedlers Hause zu verehren?

Seitdem sehen wir Graf Jakob I. noch einmal unter den markgräflichen Räten in einem Prozess der von Redern 1482, den Grafen Johann III. dagegen 1484 als einen der Richter des Thomas Blankenfelde zu Berlin und 1485 bei einer Klage der Stadt Cölln an der Spree wider den Thomas Sonnenberg. Beide Brüder halfen 1491 einen Prozess der Gebrüder Bernd, Lippold und Heinrich von Arnim gegen den markgräflichen Fiskus entscheiden.[190] Johann allein war 1492 unter den Räten des Markgrafen zu Königsberg.[191] Dann besuchte er 1495 abermals den Reichstag zu Worms, um von König Maximilian I. für seinen Herrn den Markgrafen Johann Cicero die Belehnung zu empfangen.[192] Ebendort hatte er 30 Jahre früher Kaiser Friedrich III. das Zepter vorgetragen.

Nun, nachdem er die ganze Zeit seiner vieljährigen Regierung im treuesten Dienst des Markgrafen hingebracht, und drei Herren, Friedrich II., Albrecht Achilles und Johann Cicero, nach Kräften gedient hatte, konnte er ruhig sein Haupt niederlegen, und die Sorgen und Mühen seines Amtes seinem Sohn Joachim überlassen. Gewiss lebte das Andenken an ihn lange nach seinem Tod fort, wie noch 1506 Kurfürst Joachim I. in einer die Instandhaltung der Deiche betreffenden, an Albrecht von der Schulenburg, damaligen Hauptmann der Altmark, gerichteten Verordnung sich auf eine früher durch Graf Johann III. von Ruppin und andere dazu bestellte Räte getroffene Bestimmung berief.

2.23 Joachim I. und Wichmann

Das einst so blühende, gliederreiche Geschlecht der Grafen von Arnstein schien seinem Ende nahe. Graf Joachim I. war der einzige Nachkomme und Erbe so vieler edler, durch Tapferkeit, Frömmigkeit, Treue gleich ausgezeichneter Grafen. Geboren aller Wahrscheinlichkeit nach im Jahr 1474, muss er der Sohn von Johanns III. erster Gemahlin, der Gräfin Ursula von Barby, gewesen sein. Seine Gemahlin wurde Margarethe von Hohenstein, die Tochter des Grafen Heinrich XI. von Hohenstein und der Susanna von Riekenbach.[194] Graf Joachim starb schon 1507 drei Tage vor Aschermittwoch,[195] seine

Gemahlin folgte ihm 1508 am Sonntag nach dem Fest des Heiligen Dionysius nach.[196]

Drei unmündige Kinder, Wichmann (geboren 1503),[197] Anna[198] und Apollonia,[199] waren es nun allein, auf welchen die letzte Hoffnung des edlen Geschlechts ruhte. Die Huldigung, welche schon 1500 erfolgte, kam unserer Stadt auf 30 Schock zu stehen, brachte ihr aber dafür auch von Graf Joachim die Bestätigung der von seinen Vorfahren der Stadt erteilten Privilegien.[200] Im Jahr 1501 erhielt er von dem Erzbischof Ernst von Magdeburg die Belehnung wegen Schloss und Stadt Möckern,[201] im folgenden Jahr wegen seiner brandenburgischen Lehen die Bestätigung durch Kurfürst Joachim I.[202] Als die Gräfin Anna, Johanns zweite Gemahlin, sich wieder verheiratete, und Graf Joachim hierdurch genötigt wurde, seiner Stiefmutter ihr Eingebrachtes wieder heimzusteuern, so sagten ihm die Städte 3.000 Gulden zu, Ruppin allein 1.000, die von der Stadt, laut Quittung Joachims vom Montag nach Katharinen des Jahres 1502, den Bevollmächtigten des Hochgeborenen Fürsten und Herrn Magnus, Herzog zu Sachsen, Engern und Westfalen, »Unseres lieben Ohms«, zum Behuf der Heimsteuer und des Leibgedinges der Hochgeborenen Fürstin und Frau, Frau Anna, geborenen Herzogin von Sachsen, »Unserer lieben Frau Mutter«, nach Perleberg überantwortet waren.[203] Natürlich musste den Städten viel daran liegen, dass diese so bedeutende Summe nicht etwa zu anderen Zwecken verwendet, und dann aufs Neue gefordert wurde, daher sie sie unmittelbar in die rechten Hände beförderten. Leider hatte diese Vorsicht der Städte nur zu guten Grund in der Art und Weise, wie die Landesherren oft mit dem mühsamen Erwerb der Bürger haushielten. Wirklich waren noch nicht drei Jahre vergangen, als die Städte abermals neue Summen aufbringen und die Stadt Neuruppin allein wieder 1.000 Gulden zahlen musste.[204]

Die Vormundschaft für den jungen Grafen Wichmann wurde wahrscheinlich auf Betrieb des Kurfürsten Joachim I. dem damaligen Bischof von Havelberg, Johann V. von Schlabrendorf, übergeben, und von diesem Mann, der mit einem ritterlich-edlen Sinn eine wahrhaft christliche, milde und fromme Gesinnung verband, und überdies wegen seiner Kenntnis des Rechts ausgezeichnet war, bis an seinen Tod 1520 geführt. Als Vormund verkaufte er schon 1507 einige Mühlengefälle an Peter von Schönermark,[205] und belieh 1508 die von Redern aufs Neue mit ihren Gütern in der Grafschaft Lindow.[206] Wenn auch die Stadt Neuruppin im Jahr 1508 einmal 500 Gulden zur Tilgung der Schulden ihrer jungen Herrschaft aufbringen musste,[207] so scheinen doch im Allgemeinen die Lasten der Städte viel geringer und die außerordentlichen Beisteuern viel niedriger gewesen zu sein, als in den vorigen Zeiten.

Es werden in den Rechnungsbüchern des hiesigen Stadtrats weder Zehrungskosten für die Stadtknechte, die mit dem Herrn auf der Jagd gewesen, noch für Heerfahrten aufgeführt;[208] war es einmal, dass der Stadtrat beim Bischof verklagt wurde, so kostete es ihn wohl einmal zwei Kannen Met für 8 Groschen und zwei Kannen Wein für 12 Schillinge. Auch mussten die Ratmannen häufig nach Wittstock hinüber, wohin sie der Bischof bestellte, oder nach Alt Ruppin, auch wohl einmal nach Wittenberge zum Bischof, und Kosten machte das der Stadt allerwege. Aber diese Ausgaben waren unbedeutend gegen die, welche früher auf ihren Schultern lasteten.

Gleichwohl scheint man mit des Bischofs Landesverwaltung nicht so unbedingt zufrieden gewesen zu sein. Und um sich das Wohlwollen des obersten Richters in der Mark, Seiner Kürfürstlichen Gnaden, zu sichern, focht es die Stadt selbst nicht an, ihm zu Lichtmess 1511 1 Wispel Hafer und zwei Viertel Bier zu verehren, welche ihr bar 2 Schock 12 Schillinge zu stehen kam, und 1517 der Markgräfin 3 Tonnen Bier zu schenken, welche Jakob Palzow der Stadt für 2 Gulden geliefert hatte. Ein anderes Mal erhielt der Kurfürst einige Seiten Speck und 4 Tonnen Bier zum Geschenk von der Stadt, von der es überhaupt fast scheint, als ob sie schon jetzt angefangen hatte, mehr dem Markgrafen unmittelbar als der jungen Herrschaft sich zuzuwenden. Gegen den Bischof »unsern gnädigen Herrn von Havelberg« finden wir unsere Stadt mehrere Jahre hindurch in Prozess begriffen, wahrscheinlich, weil sich die Ratmannen von Neuruppin nicht bei seiner Entscheidung irgendeiner Klage beruhigen wollten. Im Jahr 1513 wurde ein Bote nach der Universität Wittenberg geschickt, dort einen Advokaten zu suchen gegen den Bischof. Boten gingen zu wiederholten Malen nach Magdeburg, um dort sich nach dem, was Rechtens sei, zu erkundigen. Der Doktor von Wittenberg verursachte der Stadt allein 17 Schock Kosten (1515), und dennoch dauerte der Prozess noch immer fort, die Ratmannen sahen sich nach wie vor immer zu neuen Reisen nach dem Berlin genötigt, um dort in eigener Person ihre Klagezettel zu überreichen, und ihre Sache vor dem Kurfürsten zu führen.

Die äußere Sicherheit des Landes wurde während dieser vormundschaftlichen Regierung nicht minder häufig durch Räubereien besonders von Pferden gestört, als zu den Zeiten der Grafen Johann und Jakob, besonders um das Jahr 1512.[209] Da war es freilich abermals nötig, die Kuhburg aufs Neue in Stand zu setzen. Besonders aus den Jahren 1514, 1515 usw. finden wir Ausgaben in Rechnung gestellt, die für Fuhren bei der Kuhburg, für eichene starke Dielen zu den Toren derselben gemacht waren. Harnische und Armbrüste wurden gekauft und ausgebessert, ein eigener Harnischwischer anderswoher verschrieben. Fast scheint es, als ob in unseren sonst so friedlichen Mauern ein kriegerischer Geist eingezogen war.

2.24 Das Neuruppiner Turnier von 1512

Während der Minderjährigkeit des letzten Grafen von Lindow und Ruppin aus dem edlen Haus derer von Arnstein war unsere Stadt Zeuge von einem der glänzendsten ritterlichen Spiele, welche jemals innerhalb der Grenzen unserer Mark waren gefeiert worden. Noch einmal vereinigte sich hier die Blüte der märkischen und mecklenburgischen Ritterschaft, um unter den Augen der edelsten und erlauchtesten Fürsten des nördlichen Deutschlands die letzten Tage der schneller und schneller entschwindenden Zeit des Rittertums durch ein Fest zu verherrlichen, welches noch viele Menschenalter nachher in der Erinnerung der Bewohner unserer Stadt fortlebte.

Johann Schray, kurfürstlicher Rat und erster Hofrichter Joachims I., hatte auf seines Herrn Befehl das Turnier in deutscher Sprache beschrieben. Publius Vigilantius Arbilla, Professor der Beredsamkeit zu Frankfurt an der Oder an der dort vor sechs Jahren neu errichteten Universität, überarbeitete jene Beschreibung in das Lateinische, wurde jedoch schon vorher auf einer Reise nach Italien zwischen

Wimpfen und Ravensburg am 12. Juli 1512 das Opfer eines Meuchelmords, ehe er noch die letzte Hand an sein Werk legen, und dasselbe seinem Wunsch gemäß dem Bischof Dietrich II. von Lübeck zueignen konnte.[210] Wir wollen aus dieser allerdings überladenen Darstellung des Vigilantius einige Stellen herausheben, weil sie uns einen nicht undeutlichen Blick in das Leben und die Sitten der ersten Stände jener Zeit tun lässt, und die Geschichte ohne Zweifel die Bestimmung hatte, vor unseren Augen ein längst dahingeschwundenes Leben vorüberzuführen.

Es war am 22. Februar am ersten Tag der Fasten nachmittags 3 Uhr, dass Joachim I., Kurfürst des Heiligen Römischen Reichs und Markgraf zu Brandenburg, mit seinem Bruder, dem Markgrafen Albrecht, und einem Gefolge von 300 Reisigen in feuerroter Tracht in Neuruppin einritt. In einem vergoldeten, mit golddurchwirkten Decken behangenen Wagen folgte ihnen Elisabeth, die Gemahlin Joachims, des Königs Johann I. von Dänemark Tochter. Viele stolze Freiherren und Ritter in weithin blitzenden Rüstungen umgaben den Wagen zu beiden Seiten. Viele edle Frauen und Jungfrauen, durch Schönheit und Geburt gleich ausgezeichnet – drei unter ihnen waren an Grafen verlobt – schlossen in 12 schönen, mit Purpur verzierten Wagen den Zug.

Eben war der Kurfürst mit Bruder und Gemahlin in der für sie bereitgehaltenen Wohnung abgestiegen, als der laute Klang von Hörnern, Flöten und Pauken die Ankunft der Herzöge Heinrich V. und Albrecht VII. von Mecklenburg mit 20 in Purpur gekleideten Rittern ankündigte. In einem purpurroten Wagen, gefolgt von anderen Wagen mit Frauen und Jungfrauen, saß die erlauchte Fürstin Katharina von Mecklenburg, die damals noch unverheiratete Schwester der beiden Herzöge.

Abermals schmetterten die Trompeten. Die erlauchten Fürsten Johann der Beständige und Heinrich der Fromme, Herzöge von Sachsen, Markgrafen von Meißen und Landgrafen von Thüringen, in ihrem Gefolge Philipp I., Herzog von Braunschweig-Grubenhagen, die Edlen von Gleichen, zwei Grafen, viele in Gold geharnischte Ritter und 150 berittene Schützen zogen in die Stadt ein. An Größe, Kraft und Tapferkeit ragte vor allen Johann hervor, ihm fast gleich war sein Vetter Heinrich, derselbe, der die unbändigen Friesen bezwungen. Das Gefolge der Herzöge von Sachsen war aschgrau gekleidet.

Nachdem sämtliche Gäste auf des Kurfürsten Kosten reichlich bewirtet waren, versammelten sich alle auf dem Rathaus in der Mitte der Stadt. Unzählige Fackeln und Lichte erhellten das nächtliche Dunkel. Unter anständigen und ehrbaren Tänzen verging der Abend schnell. Am Schluss des heutigen Festes trat dann ein Herold vor, und lud die versammelten Ritter und Herren förmlichst für den folgenden Tag zu dem Kampfspiel ein, welches Punkt 12 Uhr auf dem an das Rathaus stoßenden zum Turnierplatz eingerichteten Markt beginnen sollte. Wer an dem Ritterspiel teilzunehmen wünschte, der sollte zu der bestimmten Zeit sich an den Schranken einfinden, dort seine Waffen und Rüstungen durch die von den Fürsten bestellten Wappenkönige prüfen lassen, dann in den Platz einreiten und sich den Zuschauern zeigen. Die Waffen sollten gleich sein, das Schwert aber nicht zum Stoß, sondern allein zum Hieb gebraucht werden, niemand sollte seinem Gegenkämpfer das Schwert zu entreißen oder ihn von dem Pferd zu stoßen suchen, niemand, wenn dem anderen Helm oder Panzer, Armschienen oder Handschuhe entfallen wären, den Kampf fortsetzen. Dagegen sollte aber auch niemand in seinen Handschuhen eiserne Haken haben, durch welche unmöglich gemacht werde, ihm das Schwert aus der Hand zu schlagen. Wer auf das Pferd seines Gegners stoße oder schlage, musste ihm dessen Verlust ersetzen. Ebenso wenig sollte man die Stirnstücke seines eigenen Pferdes mit Stacheln versehen, um dadurch beim Anrennen das des Gegners niederzuwerfen. Den zur Handhabung der Sicherheit und Ordnung Bestellten war jedermann augenblicklichen Gehorsam schuldig. Auf ihren Befehl musste dem Kampf augenblicklich ein Ende gemacht werden. Der Ungehorsame wurde mit Schimpf und Schande vom Platz gejagt. Die Preise wurden von der Kurfürstin Elisabeth und der Prinzessin Katharina an die Sieger verteilt, und für den, welcher beim ersten Anrennen seine Lanze auf dem Schild des Gegners zerbrochen, oder, wenn dies niemandem gelingen sollte, wer sonst an dem Leib des Gegners dieselbe versplittert hatte, in einer goldenen Lanze von alter Arbeit und einem Kranz von grünen Blättern bestehen. Wer dem ersten Sieger im Lanzenstechen sich gleich bewiesen, würde einen goldenen Degen und einen grünen Kranz, wer im letzten Lanzenstechen den Sieg errungen, einen kleinen goldenen Schild, dem eisernen ähnlich, welcher, um beim Anrennen die Hand zu decken, an der Lanze befestigt zu sein pflegte, und einen aus duftenden grünen Blumen gewundenen Kranz, wer beim letzten Schwertkampf sich vor allen ausgezeichnete, einen goldenen Handschuh und einen grünen Kranz als Preis empfangen. Nachdem der Herold diese Kampfordnung vorgelesen hatte, ging die Versammlung auseinander. Unter Fackelschein und Flötenspiel kehrten die Herren und Damen in ihre Wohnungen zurück.

Während nun am nächsten Vormittag auf dem Platz des Turniers die Stammbäume der erlauchten Fürsten und die viele Jahrhunderte lang aufbewahrten Bilder ihrer Vorfahren aufgestellt, und die an den Kampfplatz stoßende Wand des Rathauses mit einer langen Reihe schön bemalter Schilde und prangender Helme geschmückt wurde, unter denen sich vorzüglich der Schild des Kurfürsten mit seinen vier Feldern auszeichnete, setzte sich der Zug von Herren und Damen, auf das Mannichfaltigste und Reichste geschmückt, dieser in goldgewirktem, jener in silberstrahlendem, ein anderer in seidenem Gewand, jener mit Gold und Edelsteinen, dieser mit Perlen, ein anderer mit schweren goldenen Ketten bedeckt, in die Pfarrkirche unserer Stadt in Bewegung, hörte hier die Messe und kehrte von da in des Kurfürsten Wohnung zurück, wo seiner ein glänzendes Frühstück wartete, die Tische mit Gold beladen, die Zimmer mit den reichsten Vorhängen geziert, die aufwartende Dienerschaft im reichsten Staat. Scherz und Witzreden erheiterten das Mahl, bis die Stunde, in der das Turnier sollte eröffnet werden, den einen einlud, sich auf die für die Zuschauer bestimmten Plätze zu begeben, den anderen, den Waffenschmuck anzulegen.

Von Seiten der Herzöge Heinrich und Albrecht von Mecklenburg waren mit der Kampfordnung beauftragt: Nikolaus von Lützow, Rudolph von Bünow, Sigismund von Witzleben, Astwin von Schweichold, Hartnack von Bibow und Dietrich von Bevernest, dagegen zum Streit gerüstet: Rudolph Schenk von Tautenburg, Stephan von Bülow, Joachim von Hahn, Kaspar von Oertzen, Georg von Finck, Johann von Loser, Nikolaus von Oldenburg, Parn von Dannenberg, Friedrich von

Wolfrath, Otto von Sebich, alle in stählernen Rüstungen, die bunten, wogenden Straußenfedern auf dem Helm.

Von brandenburgischer Seite begleiteten die Kurfürsten als Waffenrichter: Christian von Borck, Landeshauptmann der Neumark, Albrecht von der Schulenburg, Landeshauptmann der Altmark, Heinrich von Roder, Hauptmann zu Cottbus, Heinrich von Flanß, Johann von Belling und Bernhard von Rohr. An dem Kampf selbst nahmen Anteil: Burchard von der Schulenburg, Johann von Beerfelde, Burchard von Alvensleben, Heinrich von Krosigk, Gebhard von Alvensleben, Werner von der Schulenburg, Berthold von Flanß, Lüder von Quitzow, Johann von Schlabrendorff, Ebel von Krummensee, Wolf von Borck.

Kurfürst Joachim eröffnete das Turnier, indem er seinem Waffenträger die starke und gewichtvolle Lanze abnahm, sie mit Leichtigkeit über dem Haupt hin und her schwenkte, und dann mit ihr den Schild des Herzogs Heinrich berührte. Heinrich, durch den Herold hiervon in Kenntnis gesetzt, eilte alsbald herbei, und berührte seinerseits gleichfalls seines Gegners Schild. Beim dritten Schmettern der Trompeten sprengen beide mit vorgestreckter Lanze aufeinander ein. Der Kurfürst stach vorbei, Heinrich dagegen traf mit seiner Lanze den Helm Joachims so, dass derselbe an der Schläfe eingebogen wurde. Dem Kurfürsten wurde es dunkel vor den Augen. Bald aber ermannte er sich wieder. Der Kampf war, da des Herzogs Lanze nicht zerbrochen war, noch unentschieden. Beide griffen zum Schwert. Da wurde der Herzog entwaffnet. Herzog Albrecht von Mecklenburg und Burchard von der Schulenburg waren mit dem Schwert einander gleich. Beim Lanzenstechen aber hatte Herzog Albrecht seine Lanze glücklich an seines Gegners Harnisch durchbrochen. Rudolph Schenk von Tautenburg und Johann von Beerfelde, Burchard von Alvensleben und Stephan von Bülow rannten mit den Lanzen vorbei; mit dem Schwert waren sie einander gleich. Heinrich von Krosigk traf zwar den Schild Joachims von Hahn, leider jedoch ohne die Lanze zu zerbrechen; Joachim siegte mit dem Schwert. Die folgenden Kämpfer waren einander gleich. Dann folgte noch ein gemeinsamer Kampf der brandenburgischen und mecklenburgischen Ritter, in welchem der Kurfürst den Herzog Heinrich entwaffnete, Burchard von der

Schulenburg dem Herzog Albrecht das Heftlein seines Helmes entzwei hieb, Berthold von Flanß seine Lanze an des Georg von Finck Brust zerbrach und ihn dann beim Schwertkampf vom Pferd stürzte, Johann von Beerfelde den Schenk von Tautenburg wehrlos machte, Ebel von Krummensee zwei Schwerte entzwei hieb, von den übrigen keiner sich besonders hervortat. Die Waffenrichter beendeten den Kampf. Noch einmal ritten die von Schweiß und Staub bedeckten Kämpfer im Kreis innerhalb der Schranken umher und kehrten dann nach Hause zurück, um sich der schweren Rüstung zu entkleiden und dann im leichteren Prunkkleid auf das Rathaus zu begeben. Hier überreichte die Kurfürstin Elisabeth dem Herzog Albrecht VII. von Mecklenburg den ersten Preis. Den zweiten empfing der Kurfürst aus den Händen der Prinzessin Katharina. Den dritten überreichte die Tochter des Edlen Kaspar Gans von Putlitz an Johann von Schlabrendorff, den vierten die Gemahlin des Johann von Alvensleben an den Herzog Heinrich V. von Mecklenburg. So wie jeder seinen Preis empfangen, führte er die Dame, aus deren Händen er ihn entgegengenommen, zum Tanz. So endete der erste Tag des Turniers.

Nachdem an dem folgenden Tag die beiden Herzöge von Mecklenburg die übrigen anwesenden Fürsten und Herren auf das glänzendste bewirtet hatten, begann das Turnier aufs Neue, diesmal aber nicht mit leichteren, sondern schweren, baumartigen, unzerbrechlichen Lanzen, bei denen es sich nicht darum handelte, sie bei der Gewalt des Anlaufs an des Gegners Schild oder Panzer zu zersplittern, sondern vielmehr durch die Heftigkeit des Stoßes den Gegenmann vom Pferd zu stoßen. Da warf der Kurfürst den mecklenburgischen Rittmeister Joachim von Hahn vom Pferd, ohne dass er selber getroffen wäre. Doch würde der Sieger bei der Gewalt des Anrennens gleichfalls gestürzt sein, wären nicht die Seinen hinzugeeilt, um ihn zu halten. Herzog Heinrich V. verfehlte den Burchard von der Schulenburg, wurde dagegen von diesem zur Erde geworfen. Aber die Gewalt des Stoßes brachte des Siegers Streitross gleichfalls zum Sturz. Berthold von Flanß besiegte den Parn von Dannenberg, ohne im Geringsten zu wanken. Rudolph Schenk von Tautenburg und Georg von Kaphengst stießen zum ersten Mal anrennend in die Luft. Dann warf dieser jenen, stürzte aber zugleich mit ihm. Ein Gastmahl und Tanz auf dem

Rathaus beschloss den zweiten Tag des Turniers.

Am dritten Tag eröffneten mit derselben Art von Lanzen Herzog Heinrich V. von Sachsen und Burchard von der Schulenburg das Lanzenstechen. Während Burchard sich vergebens bemühte, den Helm des Herzogs gerade da zu treffen, wo er mit dem Brustharnisch verbunden war, und so seinen Gegner ganz verfehlte, traf dieser mit gewaltigem Stoß die Mitte von Burchards Schild, warf ihn zu Boden, und sprengte selber fest auf dem Pferd vor dem Daliegenden vorüber. Philipp I. von Braunschweig-Grubenhagen und Rudolph Schenk ritten dann in die Schranken. Jener verfehlte seinen Gegner. Schenk dagegen traf den Herzog so wohl, dass er sogleich vom Pferd sank. Herzog Albrecht VII. und Johann von Schlabrendorff stießen beide vorbei und ritten unwillig vom Kampfplatz. Dann folgten Ludwig Graf von Gleichen und Johann von Kospoth, Rittmeister des Herzogs von Sachsen, beide trafen, beide stürzten. Ebenso Albrecht von Schlegel und Heinrich von Ende, ferner Heinrich von Krosigk und Lüder von Quitzow. Noch kämpften gegeneinander Johann von Beerfelde und Johann von Loser, Dietrich von Bern und Kaspar von Oertzen, Lüder von Quitzow und Wolf von Borck. Für den folgenden vierten Tag wurde von dem Herold ein Gesellenstechen ausgerufen und die Kampfgesetze bekannt gemacht.

An dem vierten Tag eröffnete Hermann von Hof und Nikolaus von Droschwitz mit einem Einzelrennen das Turnier. Beide stürzten durch den gegenseitigen Stoß. Gleichen Erfolg hatten Ernst von Groß und Balthasar von Atzendorf, Johann von Schlabrendorff und Werner von der Schulenburg. Das Gesellenstechen begann. Mecklenburgischerseits kämpften Herzog Albrecht, Rudolph Schenk, Johann von Loser, Wolfrad von Bentz, Joachim von Bülow und Johann von Deven. Von den brandenburgischen Rittern Johann von Dohna, Burchard von der Schulenburg, Johannn von Beerfelde, Friedrich von der Schulenburg, Georg von Kaphengst und Sigismund von Kahlenberg. Der Kampf dauerte von 3 Uhr bis gegen Abend. Sechsmal hatte Herzog Albrecht andere vom Pferd geworfen, war dagegen selber siebenmal gestürzt. Georg von Kaphengst, welcher zehnmal gesiegt hatte, und nur viermal vom Pferd geworfen, erhielt nach Beendigung des Kampfes den wohlverdienten ersten Preis aus den Händen der Jungfrau Hedwig von Kahlenberg, der Verlobten des Berthold von Flanß. Elisabeth, die Gemahlin des Wedego von Maltzahn, überreichte den zweiten an Johann von Beerfelde, die Gemahlin Georgs von Leipzig den dritten endlich an Wolfrad von Bentz.

Der fünfte und letzte Tag des Turniers begann mit einem Einzelstechen Johanns von Schlabrendorff und Ludolphs von Bismarck, welchen Lüder von Quitzow und Lüder von Hahn folgten. An dem nunmehr folgenden Gesellenstechen nahmen Wenzel von Wartenberg aus Böhmen, Gabriel Pogortzky aus Polen, Ebel von Krummensee und Wiprecht von Barby der Jüngere Anteil. Ein schöner Kranz und ein wertvoller Ring waren der Preis des Kampfes. Ihn empfing Ebel von Krummensee, welcher, unerschütterlich fest auf seinem Ross, siebenmal andere herabgeworfen hatte.

Tags darauf brachen zuerst die Gevettern Johann und Heinrich, Herzöge von Sachsen, wieder nach Hause auf, dann verließen auch die Herzöge von Mecklenburg mit ihrer Schwester unsere Stadt; endlich noch an demselben Tag der Kurfürst mit den Seinigen. Und, fügte Vigilantius Arbilla hinzu, besondere Erwähnung verdient, dass so viele Gastgelage, Spiele, so verschiedene Kämpfe bei einer so großen Menge von Menschen, durch keinen Lärm, keine Verwirrung, keine Feindschaft gestört worden sind. Es kann nicht auffallen, dass man in unserer Stadt noch viele Jahre nachher dieses glänzenden Festes gedachte, ja noch im vorigen Jahrhundert sich gern die Plätze zeigte, an denen die Ritter sich zum Kampf vorbereitet, und die, an denen das eigentliche Turnier gehalten worden. Unsere Stadt hatte übrigens von dem Turnier durchaus keine Kosten. Wenigstens hatten die Ratmannen in ihren Rechnungsbüchern von diesem Jahr keine Ausgaben behufs jenes Festes in Rechnung gebracht, es müsste denn etwa jemand beziehen wollen, dass Georg Halle nach Bernau 3 Schillinge verzehrte, um das Bier herüber zu schicken, dass die beiden Wagen nach Bernau 8 Schillinge zur Zehrung gebrauchten, und dass es endlich 6 Schillinge kostete, dass Bernauische Bier auffüllen zu lassen. Der Kurfürst selber hatte wahrscheinlich das Bier geliefert. Auf seine Einladung hatten sich die erwähnten Fürsten und Edlen in Neuruppin versammelt. Er war es daher auch allein, der die Kosten des Festes trug. Es war das letzte in dieser Art, welches in dem nördlichen Deutschland gefeiert wurde. Zum Andenken an dieses Turnier wurden noch nach Jahrhunderten auf dem hiesigen Rathaus ein vollständiger Heroldsanzug von schwarzem Atlas mit gelbem Taft gefüttert, mit starken goldenen Tressen besetzt, ferner zwei große sehr scharfe zweischneidige Heroldsschwerter, zwei saubere Feuerröhre von schwarzem Ebenholz, 18 große Ritterschwerter, und an Kopf-, Brust- und Beinharnischen, auch für den Unterleib Kettenpanzer, von jeder Art wohl 40 Stück, endlich zwei schwarz und weiße seidene Fahnen aufbewahrt.

Von einem Auflauf der Bürger unserer Stadt erzählt uns gleichfalls ein schon oben erwähntes Rechnungsbuch des Stadtrats. Christian von Rohr zu Schrepkow hatte von dem Rat unserer Stadt ein Pferd gekauft, und es wurde Wienkop getrunken. Zwei Bürger von Neuruppin, Paul Metzmacher und Nikolaus Bellin, taten Einspruch und verursachten einen Auflauf, sodass die Sturmglocke geläutet ward. Von allen Seiten strömten nun die Bürger zum Markt und wollten wissen, wessen es da gebräche. Hans Voss, wahrscheinlich einer der Ratmannen oder sonst ein angesehener Bürger, sagte zu den Hofleuten, Hermann von Gühlen, sie sollten in Gühlens Haus gehen, die Bürger hätten getrunken, damit kein fernerer Streit entstände. Das geschah. Bald aber hieß es, die Bürger wollten Hermanns Haus stürmen und ihn mit den anderen drinnen beschädigen. Doch kam es zu keiner offenbaren Gewalttätigkeit. Was nun weiter geschah, wissen wir nicht. Wahrscheinlich entfernten sich Christian von Rohr und die übrigen Hofleute in höchstem Unwillen über die Bürgerschaft, welche, wie sie meinten, es habe auf ihr Leben abgesehen gehabt. Ohne Zweifel hatten die Ritter Mittel genug, sich durch Feindseligkeiten, Plünderungen, Störung des Verkehrs, an der Stadt zu rächen, bis im Jahr 1513 ein Versuch gemacht ward, die Sache gütlich zu vertragen. Christian von Rohr, Bernhard von Rohr, Engelbert von Warnstedt, Engelbert von Barsdorf, Nikolaus von Wuthenow und andere ritten in unsere Stadt ein. Der Rat erklärte, dass die Sturmglocke ohne ihr Wissen und Willen geschlagen sei, und dass sie nicht wüssten, wer das den Türmer geheißen, würden sie es nachmals noch in Erfahrung bringen, er sollte nicht unbestraft bleiben. Die Bürger aber, welche auf den Ruf der Glocke zusammen gelaufen wären, hätten nichts verbrochen, da sie dies von Alters so gehalten hätten, so oft die Glocke geschlagen wäre. Sie also könnten nicht in Strafe genommen werden. Christian von Rohr wurde hierdurch jedoch keineswegs zufrieden gestellt, sondern sagte, er wolle die Sache noch weiter in Überlegung ziehen. So blieb also die Sache unentschieden, obwohl die Stadt es sich hatte 2 Schock für Speisen und Getränke kosten lassen. Weiter haben wir die Sache nirgends erwähnt gefunden.

2.25 Graf Wichmanns Tod 1524

Graf Wichmann, als sein trefflicher Vormund im Jahr 1520 starb, war erst 17 Jahre alt. Dennoch wurde er durch den Markgrafen für mündig erklärt, und trat also selber die Verwaltung seiner Lande an. Noch in demselben Jahr Donnerstag nach Jakobi empfing er von Joachim I. die Belehnung und begleitete diesen Fürsten 1521 auf den Reichstag zu Worms.[211]

Aber noch ehe er das Alter erreicht hatte, in welchem es ihm möglich gewesen wäre, selbstständig für das Wohl von dem ihm anvertrauten Land zu wirken, starb er ganz plötzlich. Als er nämlich eines Tages mit seinem Leibjäger Christian Neuen der Jagd gepflegt, kehrte er krank auf die Burg von Alt Ruppin zurück. In unserer Stadt wohnte damals weder ein Arzt noch ein Apotheker. Man heizte das Zimmer des Kranken stark, reichte ihm Wein und Met. Das hitzige Fieber wurde immer heftiger. So starb er im Jahr 1524 am Sonntag Oculi.[212] Sonntags darauf (Quasimodogeniti) wurde er in dem Begräbnis seiner Ahnen in der hiesigen Klosterkirche beigesetzt, und zugleich mit ihm, dem letzten männlichen Spross des edlen Geschlechts, nach damaliger Sitte Helm und Wappenschild mit in die Gruft gesenkt.

Hafftiz in dem schon oben erwähnten Manuskript rühmte, da er Wichmanns Tod berichtete, die Grafen zu Lindow als gütige und gnädige Herren, die ihren Untertanen alles Gute und Liebe erzeigt, den Rat und die vornehmsten Bürger zu Ruppin mit ihren Weibern und Kindern oft bei sich zu Gast geladen, und in Friede und Vergnügen unter den Eichen zwischen Alt und Neuruppin sie bewirtet, auch wohl Tänze mit ihnen aufgeführt. Simon Grimme, welcher 1619 zum

Diakonat nach Ruppin berufen worden, hatte in seinem Tagebuch, nachstehende alte Reime verzeichnet, welche von den Mönchen auf diesen Todesfall sollen auf der Gasse abgesungen sein:[213]

Will gy hören wie das geschah,
Allwo der edle Herr ümb syn Leben ward gebracht,
Der edle Landesherre?

Der edler Herr Wichmann zog Jagen aus,
Eine falsche Frau ließ er zu Haus
mit ihren vergüldeten Ringen.

Er sprach: Kersten lieber Jäger mein,
Mir ist von Herzen allso weh, mir ist so weh,
Ich kann nicht länger reiten.

Sie machten ihm eine Stube allso heiß,
Und darin ein Bette so weich,
Darin sollte der Herr ruhn.

Sie schenkten ihm Wein und auch die Mede,
Das nahm dem edlen Herrn sein Leben,
Dem edlen Herrn Wichmann.
Er sprach: Hätt' ich Pferde und Wagen,
Die zu dem Berlin wollten eingahn,
Die mir wollten Apotheker und Aerzte holen.

Alltho hend sprach der Rothbart:
Wenn solchem Herrn ein Finger thut weh,
So soll man Apotheker und Aerzte holen.

Auch sprach der Graubart:
Hier ist kein Geld zu dieser Fahrt,
Womit sollen wir die Aerzte lohnen.
Er sprach: Schickt zu Ruppin in meine liebe Stadt,
Da haben mein Freund ein verborgen Schatz,

Sie werden mir hundert Gulden senden.

Ach Fräulein Plöne liebe Schwester mein,
möchtest du hier in meinen Letzten sein,
Das Land Ruppin das solt dein sein.

Ach das ich von euch scheiden soll,
Das macht der bittere Tod,
Wie gern ich woll euch noch zum Troste leben.

Bartholomäus lieber Landreuter mein,
Steck in mein Mund ein Tüchelein,
Und kühl doch meine Zunge.

Als der Herr verschieden was,
Da weinet alles was auf dem Hause was,
We das befroden kunte.

Sie legten ihn auf ein beschlagnen Wagen,
Sie führten ihn zu Ruppin in seine Stadt,
Sie begruben ihn in das Kloster.

Sie schossen ihm nach sein Helm und Schild,
Da sprach die alte Gräfin: O weh, mein liebes Kind,
Dass ich hier die letzte bin.

Es kann nicht gerade Wunder nehmen, dass man den Tod des letzten Grafen mitten in der Blütezeit seines Lebens wohl auch anderen außerordentlichen Ursachen zuschrieb, und namentlich von Vergiftung redete. Das ganze Leben des Kurfürsten Joachim I. ist der schlagendste Beweis dafür, dass auf ihm nicht der geringste Schein eines Verdachtes derart haften kann. Wenn wir dem eben von uns mitgeteilten Lied Glauben beimessen dürften, so scheint es fast, als ob unter der falschen Frau, die Graf Wichmann zu Hause zurückgelassen, mit ihren vergoldeten Ringen, niemand als Wichmanns Schwester Fräulein Apollonia (*Plöne*) könne gewesen sein, dieselbe nach der sich der sterbende Bruder vergebens sehnte, dass sie in seinen letzten Stunden möchte bei ihm sein. Mag man es ihr allerdings sehr verargt haben, dass sie den Bruder allein ließ, der Verdacht einer Vergiftung kann, wenigstens wie uns die Verhältnisse beider Geschwister bekannt sind, darum doch nicht auf sie fallen. Merkwürdig aber bleibt es immer, dass ein 1598 geschriebenes, sonst auf dem Rathaus unserer Stadt befindliches Buch mit dem Titel: »Kurzer Bericht von dem seligen Absterben der Herrschaft und hohen Obrigkeit dieser Stadt Neuruppin« das bedeutungsvolle Wort Philipp Melanchthons als Motto führte: *Maltae hylendidae familiae perenut propter Majorum libidines et alia Soetera.*[214]

2.26 Der Übergang der Herrschaft Ruppin an Brandenburg

Die ältere Schwester des Grafen Wichmann, Anna, war seit 1525, in welchem Jahr die Stadt Neuruppin vielleicht zur Aussteuer des Fräuleins 300 Gulden an den Herrn aufbrachte an Gangolph II., Herrn zu Hohen-Geroldseck und Sulz im Ober-Elsass, verheiratet, und hinterließ von diesem ihrem Gemahl zwei Kinder, Quirin Gangolph und Anna Magdalena, welche an Joachim von Lupfen, Landgrafen zu Stühlingen und Herrn zu Höwen, vermählt wurde. Quirin Gangolph und Joachim von Lupfen erhoben geraume Zeit nach Wichmanns Tod bei dem Reich Ansprüche auf die von diesem besessenen Lande, insonderheit auf die Herrschaft Ruppin, welche an die Mark zurückgefallen war. Joachim II. aber, damals Markgraf von Brandenburg, wies urkundlich nach, dass zu der Zeit, da Graf Wichmann verstorben, dessen Schwager Graf Gangolph II. als Gemahl der Anna von Lindow und Graf Hoyer von Mansfeld als Fräulein Apolloniens Vormund sich bereits mit Joachim I. eingelassen und vertragen, ihm als dem Landesfürsten und Lehnsherrn hätten die Schlösser und Häuser folgen lassen, und ihn solcher Erbschaft halber frei, ledig und los gesprochen, auch darüber dergestalt quittiert, dass der Kurfürst und seine Erben hinfüro deshalb nicht sollten angelangt noch angefochten werden, weder mit noch ohne Recht.[215] Überdies hätten sich Herr Gangolph zu Hohen-Geroldseck und Graf Hoyer verschrieben und verpflichtet, den Kurfürsten und desselben Erben sothaner Erbschaft halben zu vertreten und schadlos zu halten, auch alle, von Wichmann hinterlassenen Schulden zu bezahlen. Und so wäre seit 1524 sowohl Joachim I. als auch er selber in geruhiger Besitzung solcher Häuser und Schlösser verblieben, die fahrende Habe dagegen war gleich nach des Grafen Wichmann Ableben an dessen nächste Erben verabfolgt.[216]

Überdies aber wies der Kurfürst nach, wie seit Jahrhunderten die Herrschaft Ruppin ein märkisches Lehen gewesen, wie die Grafen Günther II., Ulrich II., Adolf I. und Burchard dem Markgrafen Ludwig dem Älteren bei Gelegenheit der Verpfändung von Wusterhausen und Gransee diesem zugesagt, dass sie ihm als getreue Männer billig und zu Rechts dienen wollten, wie ihre Eltern seinen Vorfahren gedient hätten, wie in demselben Jahr 1334 Ludwig alle von Adel, so in den Weichbilden der genannten Städte besessen an die Grafen zu Lindow und Herren zu Ruppin gewiesen. Ferner hätte derselbe Markgraf Graf Ulrich von Lindow und seinen Sohn Ulrich mit Graf Adolfs von Lindow, ihres Vettern, Lehnsgut beliehen, und dem Grafen darum diese Gnade getan, dass sie und ihre Erben ewiglich von seinem und seiner Erben und Nachkommen Dienst nicht scheiden sollten (1347 zu Brandenburg). Ferner hätte der oft erwähnte Markgraf den Grafen Ulrich von Lindow mit Erlassung seiner Pflicht an Ludwig den Römer und Otto, Markgrafen zu Brandenburg, seine Brüder verwiesen, dass er diesen den Eid der Treue und Untertänigkeit tun solle (Luckau 1351 am Christabend). Im Jahr 1371 habe überdies Graf Albrecht VI. von Lindow auf Befehl des Markgrafen Otto auf dessen Todesfall seinen Brüdern Stephan und Johann Erbhuldigung getan, dagegen Otto ihm verschrieben, dass er ihm bei allen seinen Rechten und Freiheiten lassen wolle. Ferner hätten Ulrich und Günther zu Brandenburg 1398 dem Jobst von Mähren angelobt, der Herrschaft zu Brandenburg fürbass treulich zu dienen und beständig zu sein. Endlich hätte Kaiser Sigismund 1415 zu Konstanz den Grafen Ulrich ausdrücklich an den ersten Ahnherrn der jetzigen kurfürstlichen Familie gewiesen, dass er ihm Huldigung tun sollte, und so wäre es mit allen folgenden Markgrafen bis auf Joachim I. gehalten worden. Es sei demnach nicht im Geringsten an dem Recht des Markgrafen zur Einziehung des erledigten Lehens zu zweifeln.[217] Ob, wie wir bemerkt gefunden, der kaiserliche Hof die Absicht jemals gehegt habe, über die erledigte Herrschaft zu seinen Gunsten zu verfügen, können wir nicht mit Bestimmtheit angeben. Dass aber ist gewiss, dass Joachim I. mit dem vollsten Recht von der Herrschaft Ruppin Besitz genommen hat.

Die Grafschaft Lindow, welche Graf Albrecht VI. wiederkäuflich an das Haus Anhalt abgetreten hatte, blieb demselben, obgleich Kurfürst Joachim II. ernstlich daran dachte, sie gegen Zurückzahlung der 1.700 Mark Brandenburgischen Silbers wieder an die Mark zu bringen. Es wurde unter andern bei dem hierüber geführten Schriftwechsel die Frage aufgeworfen, was denn eigentlich eine Mark feinen Brandenburgischen Silbers gewesen, und darüber die Gutachten einiger Schöffenstühle eingeholt. Joachim II. schob die Wiedereinlösung der Grafschaft noch auf vier Leiber hinaus, 1561, und erhielt dagegen noch 3.000 Taler ausgezahlt, welche bei dem dereinstigen Wiederkauf neben der Hauptsumme sollten zurückgegeben werden, und von deren völliger Erstattung die Fürsten von Anhalt das Haus um Amt nicht sollten abzutreten verpflichtet sein. Als sich aber 1577 Kurfürst Johann Georg mit Elisabeth, der Tochter des Fürsten Joachim II. Ernst von Anhalt-Köthen, verheiratete, belehnte er seinen Schwiegervater damit aufs Neue zu einem erblichen Mannlehen und sprach ihn zu gleicher Zeit von aller Verpflichtung zu ritterlichen Lehnsdiensten frei. Beim Verkauf der Grafschaft hatte Graf Albrecht VI. die Lehnsherrlichkeit über die von Redern in derselben nicht mit abgetreten, sondern sich und seinen Erben vorbehalten, daher noch im Jahr 1524 nach dem Aussterben des gräflichen Hauses am Sonntag nach Francisi die Gebrüder Georg, Andreas und Joachim von Redern ihre Lehnsgüter, namentlich das Dorf Zernitz in der Grafschaft Lindow, ferner die zwei Dorfmarken Seehausen und Klöden, 3 Hufen Landes zu Steckby, vier Höfe zu Gödnitz und einen Hof zu Gehrden vom Kurfürsten Joachim I. zu Lehen nahmen. In diesem Verhältnis zur Mark blieben sie bis 1609, wo am Tag St. Johannes des Täufers Joachim von Redern die oben genannten Güter an den Fürsten Rudolf von Anhalt-Zerbst verkaufte. Kurfürst Johann Sigismund bestätigte diesen Kauf 1610 den ersten April, belieh am folgenden Tag mit diesen Gütern wie mit dem Haus Lindow sämtliche fürstliche Gebrüder von Anhalt, und sprach sie von künftiger Lehnsempfangung sowohl wegen Lindow als auch wegen dieser Güter für alle Zeiten frei.

Das Haus Möckern fiel nach Wichmanns Tod an das Erzstift Magdeburg zurück, und wurde von demselben an die Junker von Barby, Erbsassen zu Loburg und Gisterbiß, an sich gekauft.

Das Schloss Goldbeck, welches die Grafen von dem Stift zu Havelberg zu Lehen getragen, wurde nun sogleich von dem Bischof Busso II. eingezogen;[218] ebenso die beiden Dörfer Schönhausen und Fischbeck an der Elbe, mit denen unsere Grafen von Seiten desselben Stifts waren beliehen worden.

An die Kurmark kamen 1524 nur das Haus Alt Ruppin mit dem angelegenen Städtchen, das Städtlein Wildberg, ferner die Städte Neuruppin, Gransee und Wusterhausen, nebst zehn Dörfern, und auch aus diesen waren die besten und sichersten Einkünfte großen Teils entweder durch Verpfändung oder durch Verkauf in die Hände von Privatpersonen übergegangen. Wir werden unten noch oftmals auf diesen Gegenstand zurückkommen Veranlassung haben.

Das Fräulein Apollonia, bei ihres Bruders Tod noch unvermählt, wurde an einen von Herstall verehelicht. Um sich vor etwaigen Reklamationen derselben sicher zu stellen, versprach Kurfürst Joachim II. im Jahr 1548, am Tag der Geburt Mariens, »der wohlgebornen und edlen unser lieben Getreuen Apollonia, geborenen Gräfinn von Ruppin und Frauen von Herstall auf ihre unterthänige Bitte und aus besonderen Gnaden, ihrem Sohne Anton und seinen männlichen Leibes-Lehns-Erben alle und jegliche Lehnsgüter, Geldrenten und Pachte, so die Ehrbare Mannschaft und vom Adel im Lande zu Ruppin von ihm zu Lehen trügen, zu rechtem Angefälle und Anwartschaft zu verschreiben.« Sollte einer vom Adel in Ruppin ohne Leibes-Lehnserben versterben, und dem Markgrafen als dem Landesfürsten dessen Güter zufallen, so solle sie gedachter Anton von Herstall und niemand anderes zu rechtem Mannlehen haben, empfangen, besitzen und genießen.[219] Übrigens verschwand dieser Anton von Herstall ganz aus der Geschichte, und von einer Erfüllung dieses Versprechens ist daher nie weiter die Rede gewesen.

3. Die Verhältnisse der Stadt Neuruppin unter den Grafen von Arnstein

3.1 Stadtgründungen

Nachdem wir so die Geschichte des edlen Geschlechtes der Grafen von Arnstein und Lindow durch einen Zeitraum von fast 400 Jahren verfolgt und es von seiner allmählichen Erhebung bis zu seinem gänzlichen Untergang begleitet haben, wendet sich unsere Darstellung zu der Betrachtung der Verhältnisse in den von ihnen beherrschten Landen, d.h. zunächst der Grafschaft Ruppin. Vor allem zieht hier das Städtewesen und dessen Entwicklung unsere Aufmerksamkeit auf sich.

Wir besitzen aus der Zeit der gräflichen Herrschaft, insbesondere über unsere Stadt, eine reiche Fundgrube urkundlicher Quellen, welche wir ohne den Vorwurf schnöden Undanks nicht unerwähnt lassen dürfen. Es ist dies eine außerordentlich reichhaltige Sammlung historischer Nachrichten, welche Herr Bernhard Feldmann, Doktor der Medizin, Kreis- und Stadt-Physikus und Senator unserer Stadt um die Mitte des vorigen Jahrhunderts mit unglaublichem, mühevollem Fleiß zu Stande gebracht hat, eine Sammlung von unschätzbarem Wert, deren nie ein künftiger Geschichtsschreiber des Landes Ruppin wird entbehren können, deren jetziger Besitzer aber, Herr Justiz-Direktor Goering hier, ihre Benutzung dem Verfasser dieser Geschichte mit wahrhafter Humanität gestattet hat.[220] Während das Feuer den größten Teil unserer Stadt und hiermit alle in den Kirchen, auf dem Rathaus und sonst aufbewahrten Urkunden vernichtete, war die gedachte Sammlung in Berlin, und wurde von dem letzten Geschichtsschreiber unserer Grafschaft, Herrn Bratring, sorgfältig benutzt, wie dieser treffliche Mann selbst in der Vorrede seines Werkes anerkannte.

Ein großer Teil dieser *Miscellanen* bezieht sich auf die Geschichte der bedeutendsten bürgerlichen Familien unserer Stadt, und ist für uns von geringerem Interesse. Hierzu gehören die langen Exzerpte aus den Kirchenbüchern. Dann aber hat Feldmann vermöge seiner Stellung in unserer Stadt Gelegenheit gehabt, eine unzählige Menge von Urkunden, geistliche und weltliche, Stadtbücher, Rechnungen usw. zu lesen und zu exerzieren, überall bei älteren Bewohnern unserer Stadt die etwa erhaltene Tradition zu Rate zu ziehen, in den Privatarchiven der benachbarten Edelsitze sich umzusehen, überall an Ort und Stelle nachzuforschen. Durch Reisen vielseitig gebildet, in den Niederlanden ein Schüler des weltberühmten Arztes Börhave, war er gewiss mehr als irgendein anderer fähig und berufen, die Bahn, welche er uns gebrochen hat, bis ans Ende zu verfolgen und der Welt ein Geschichtswerk zu liefern, welches den gediegensten an die Seite gestellt zu werden verdient. Er wandelte hinter den stummen Zeugen vergangener Zeiten einher, sein Blick war für das Kleinste und Unbedeutendste nicht gleichgültig. Es ist eine fast rührende Begeisterung, mit der er unermüdet bei unbekannten Handwerkern nachgefragt und das, was er aus ihrem Mund vernommen, genau und sorgsam seinen Miscellanen einverleibte. Fuhr er über Land, so verschonte er selbst den Postillion nicht mit seinen Fragen. Das Andenken solch eines Mannes soll nicht der Vergessenheit übergeben werden. Sein geräuschloser, stiller, begeisterter, forschender Fleiß verdiente ein dauerhafteres Denkmal, als wir ihm in diesen Blättern zu setzen vermögen. Ihm also verdanken wir es, dass wir bei der Geschichte unserer Stadt etwas mehr als dürftige Chroniken-Notizen zu geben im Stande sind.

Im Allgemeinen nun ist zwischen den Städten der klassischen Welt des Altertums und denen der neueren Zeit der Unterschied sichtbar, dass jene gleich den von keiner Menschenhand gepflanzten oder gepflegten Bäumen des Waldes emporwuchsen, diese dagegen durch die freie Willensbestimmung des Menschen in das Dasein gerufen wurden. Überhaupt wurzelte das Altertum ganz in Naturverhältnissen. Aus dem Schoß der Familie, des Geschlechts, des Stammes sind so auch jene Städte hervorgegangen, welche innerhalb ihrer Ringmauern eigentlich nur Personen desselbigen Stammes vereinigten und durch eben jene Mauern zugleich die Ausschließung alles Fremdartigen andeuteten. Alle die in solch einer Stadt wohnen, erkennen und fühlen sich als Verwandte und dies Gefühl sucht sich in der Mythe von einem gemeinsamen Ahnherrn, dem Begründer der Stadt, meist dem Sohn eines Gottes oder eines Heroen, auszusprechen. Ganz anders bei unseren Städten, welche man ganz mit Recht als gepflanzt betrachten kann (*privilegia primae plantationis Civitatis Neo-Ruppinensis*). Ihr Ursprung liegt nicht in der Natur, sondern in der menschlichen Freiheit. Von allen Seiten, oft aus weiter Ferne her, sind die ersten Bürger in die neuen Mauern zusammengeflossen. In ihren Namen, welche sehr häufig ihre Heimat oder ihren früheren Aufenthaltsort andeuten, sprechen sie es aus, dass sie einander fremd und nicht eines Stammes sind. Was sie zusammenhält, ist gleichfalls nicht das Band der Natur, sondern ihr eigener freier Entschluss, der Vorteil, den sie wahrgenommen, das Gesetz, welches ihnen gegeben. Das Recht, nach welchem ihre Prozesse entschieden werden, ist nicht ein von den Urahnen her vererbtes, durch des Alters Heiligkeit geweihtes Herkommen, sondern das in einer fremden älteren Stadt übliche Recht; eben dorther suchen sie in zweifelhaften Fällen die Entscheidung. Es ist ein Verein von Fremden, Einzelnen, die sich erst mit der Zeit aneinander gewöhnen und lieb gewinnen. Auch hier ist eine innere Organisation, aber nicht nach natürlichen Verhältnissen, nach Stürmen, Geschlechtern, Häusern, sondern nach dem von einem jeden gewählten Beruf in Gilden oder Innungen, also eine Organisation, die nicht schon mit der Geburt selber gegeben wird, sondern auf der freien Wahl der Einzelnen beruht. Und so ziehen sie auch ins Feld hinaus, wenn die Not die Bürger nötigt, das Schurzfell abzulegen, und Harnisch und den eisernen Hut zu nehmen und den Spieß zu ergreifen. So viel im Allgemeinen über das Verhältnis unserer Städte zu denen der klassischen Zeit.

Viele unter den deutschen Städten besonders am Rhein und im Süden unseres Vaterlandes haben ihre Entstehung den Römern zu verdanken. Andere sind bald neben einer landesherrlichen Burg, an wichtigen Heerstraßen, bei bequemen Stromübergängen, bald aber auch bloß aus dem Wunsch des Landesherrn entstanden, zum Besten des platten Landes und seiner landesherrlichen Kasse eine Stadt zu gründen. Oftmals wurde die Stadt nun an der Stelle eines schon länger dort befindlichen Dorfes oder neben demselben gebaut. Wie noch jetzt ein Teil von Stendal den Namen des alten Dorfes führt, und diesen Namen durch die Breite der Straße und die ehedem noch deutlicher erkennbare Biegung derselben auf beiden Seiten in der

Tat bewahrheitet. Nicht selten wurden mehrere benachbarte Dörfer in eine einzige Stadt zusammengezogen, wie z.B. Gardelegen, ohne Zweifel die älteste aller märkischen Städte, aus drei Dörfern, Stendal aus deren vier gebildet sein dürfte.

Ob an der Stelle unserer Stadt ehedem ein von ärmlichen Fischern bewohntes Dorf gestanden habe, lässt sich weder leugnen noch behaupten. Lächerlich aber wäre es, noch heutigen Tags auf die Träumereien derer zu hören, welche in grauer Vorzeit hier zwei Dörfer *Rep* und *Pin* glauben entdecken zu können. Gewiss aber war, mag nun an der Stelle unserer Stadt ehedem ein Dorf, mögen derer zwei da gewesen sein, mag die Stelle ganz unbebaut und nutzlos dagelegen haben, das Verfahren bei der Stiftung unserer Stadt kein anderes, als wir es aus den Stiftungsbriefen der Städte Prenzlau, Friedland, Neustadt, Salzwedel, Neubrandenburg, Lychen, Frankfurt, Landsberg an der Warthe, Müllrose und Berlinchen kennen lernen, deren Gründung zwischen die Jahre 1235 und 1278 fällt. Wie die Spezialgeschichten der einzelnen Städte die eigentliche Grundlage der allgemeinen Geschichte eines Landes bilden, und diese erst aus einer genauen Durchforschung jener Leben und Wahrheit gewinnt, so kann umgekehrt die Geschichte einer einzelnen Stadt des allgemeinen Lichtes nicht entbehren, welches über ein Land oder einen Zeitraum sich ausbreitet. Wissen wir nun auch von der Gründung unserer Stadt durchaus nichts Näheres, so ist doch wahrscheinlich, dass sie in derselben Weise entstanden sein muss, wie die übrigen Städte unseres Landes.

Das Verfahren bei der Anlage einer neuen Stadt war aber im Allgemeinen folgendes: Wollte der Landesherr irgendeine bis dahin noch nicht bebaute und also für ihn nutzlos daliegende Feldmark zu einer neu zu begründenden Stadt hergeben, so überließ er dieselbe, wie sich auch ohne weitere Erinnerung von selbst verstehen würde, nicht ohne eine bedeutende Kaufsumme dafür zu erhalten an einen oder mehrere Männer in der Regel aus dem Stand der Gemeinfreien, Männer von unbescholtenem Ruf *(bonae famae viri)*, welche überdies einem solchen Unternehmen gewachsen waren *(viri providi et discreti)*.

Die Höhe der Kaufsumme wurde in den Stiftungsbüchern und -briefen nach damaliger Sitte gar nicht weiter angegeben, eben weil diese Briefe nicht so sehr als Quittungen für das bezahlte Geld, sondern vielmehr als Stipulationen[221] für die zukünftigen Verhältnisse der zu begründenden Stadt und des Landesherrn zueinander angesehen wurden. Sehr voreilig und im höchsten Grad abgeschmackt hat man daraus geschlossen, der Grundherr habe jenen so ausgedehnte Landstrecken ganz umsonst eingeräumt.

Die Anzahl der für die neue Stadt bestimmten Hufen war verschieden, bei Prenzlau betrug sie 300, bei Neubrandenburg 250, bei Friedland 200, bei Lychen 150, bei Müllrose nur 114 Hufen. Von diesen wurde eine bestimmte Zahl als Weide ausgeworfen, gemeiniglich 50. Andere wurden als zinsfreie Hufen den Erbauern zu Ackerwerken überlassen, verschieden je nach der Höhe des Kaufpreises, in Müllrose 24, in Landsberg 64, in Prenzlau 80, anderswo noch mehr. Freilich hatten sich zur Erbauung der letztgedachten Stadt acht Männer miteinander verbunden, und gemeinsam das dem Herzog Barnim I. von Pommern zu entrichtende Kaufgeld aufgebracht. War nur einer der Unternehmer, so erhielt er allein diese sämtlichen Freihufen und mit ihnen das Stadtschulzenamt. Hatten noch andere sich dem Unternehmen angeschlossen, so standen sie zu dem Schulzen in demselben Verhältnis, wie in den Dörfern die Lehnsmänner zu den Lehnschulzen.

Die Erbauer suchten nun das ihnen überwiesene Land so vorteilhaft als möglich an die herbeiströmenden Fremden auszutun, und sich für die von ihnen selber dem Grundherrn gezahlten Gelder an dem schadlos zu halten, was sie von den neuen Bürgern für die diesen angewiesenen Hufen empfingen. Um die Erbauung einer Stadt zu befördern, aus der Fremde mehr Leute herbeizuziehen, wurde gleich in dem Stiftungsbrief eine Reihe von Freijahren festgesetzt, bei Prenzlau drei, bei Frankfurt sieben, bei Neustadt und Salzwedel acht, bei Landsberg gar zehn. Je größer die Zahl der Freijahre, desto besser konnten die Erbauer Hufen und Worten anzubringen hoffen, mithin auch ein desto höheres Kaufgeld zahlen, und umgekehrt der Landesherr eine umso größere Zahl von Freijahren bewilligen, je höher sich die ihm von den Erbauern ausgezahlte Kaufsumme betrug. Es musste nun natürlich den Erbauern durchaus daran liegen, die Stadt schon vor Ablauf dieser Freijahre mit Bürgern besetzt zu sehen.

Es versteht sich, dass, während die Erbauer durch einige aus ihrer Mitte, durch Boten und Briefe Einladungen an die benachbarten Städte und Dörfer ergehen ließen, der Umfang der neuen Stadt festgestellt, die Straßen ausgesteckt, die Felder abgeteilt wurden. In der Regel wird man in den Straßen derjenigen Städte, welche so von vornherein ganz neu hervorgerufen wurden, eine größere Ordnung und Regelmäßigkeit finden, als bei denen, die mehr durch allmähliche Ansiedlung entstanden sind. Für die Stelle in der Stadt, auf der jemand sein Haus baute, wird die Kaufsumme wohl im Ganzen nur gering gewesen sein. Es ist einleuchtend, dass eine Worte in der Mitte der Stadt nicht um denselben Preis konnte überlassen werden, wie eine solche an irgendeinem entlegenen Teil derselben. Für diese Baustelle nun zahlte der neue Bürger nach der Zahl der Ruten, welche sie nach der Straße zumaß, seinen Rutenzins oder Wortzins. Auch der Zins konnte für die einzelne Rute so wenig bei verschiedenen Städten als in den verschiedenen Straßen gleich gewesen sein. Diese Worten wurden, zumal wenn die Stadt nach einem großen Plan angelegt war, wie z. B. Stendal, nicht gleich alle besetzt, daher noch heutigen Tages eine, freilich etwas entlegene Straße, den Namen der wüsten Worte trägt. Die noch übrigen Hufen wurden dann, gleichfalls an die Bewohner der Stadt, ja nach deren Vermögen zu größeren, zu kleineren Ackerwerken ausgetan, und von ihnen der Hufenzins erhoben. Diese städtischen Hufen hatten aber umso größeren Wert, weil sie von dem auf den bäuerlichen Grundstücken haftenden Zehnten frei waren. Zur Einnahme und Ablieferung des Ruten- und Hufenzinses waren die Schulzen verpflichtet. Sie oder die Erbauer überhaupt, bei Prenzlau die acht, hatten in der Regel von diesem Zins sowie von anderen Emolenten den dritten Pfennig.

Ebenso war der Schulze der erbliche Richter der Stadt, und von den Gerichtsgeldern gebührte auch ihm der dritte Teil oder das niedere Gericht.

Das Recht Mühlen anzulegen, behielt sich an einigen Orten der Landesherr vor. Wo dieser es den Erbauern freistellte, dergleichen zu bauen, behielt er sich gemeiniglich zwei Drittel der Einkünfte vor. Das dritte mochten die nehmen, welche die Mühle anlegten. Gewiss bewilligte gemeiniglich nicht nur der Landesherr aus seinen eigenen

Forsten, sondern auch Privateigentümer der Nachbarschaft gern aus den ihrigen das nötige Bauholz, da die Anlage einer Stadt allen Umwohnenden für den Absatz ihrer Produkte und in anderen Beziehungen gar große Vorteile darbot.

Gleichwohl dürfen wir die Städte bei ihrem Ursprung uns keineswegs gleich als stolze Wohnsitze des Reichtums und der Pracht denken. Statt mit hohen Mauern und festen Türmen waren sie anfangs nur mit Erdwällen und hölzernen Planken umgeben, und also nicht sonderlich geeignet, im Fall eines Krieges den Bewohnern des platten Landes als sichere Zufluchtsorte zu dienen. Diese Planken versprach der Markgraf den Erbauern von Landsberg binnen vier Monaten um die Stadt herum aufzurichten, später aber dieselbe mit Wällen und anständigerer Umzäunung zu versehen, Mauern erhielten Wittstock erst 1244, Treuenbrietzen 1296, Guben 1311, Neustadt Salzwedel 1315, Spandau 1319.

Auch die Straßen waren wohl keineswegs alle gleich von Anbeginn gepflastert. »Steinweg« konnte die Hauptstraße unserer Stadt, welche das Bechliner Tor mit dem Alt Ruppiner verband und über den Markt führte, nicht füglich heißen, wenn alle Straßen gleichmäßig wären mit Steinpflaster versehen gewesen; eben daher auch an unzähligen anderen Orten die Steinstraßen und Steinwege.

Die Wohnhäuser waren gewiss zumeist und in aller Eile mit Holzbau aufgeführt, um aus den bewilligten Freijahren den möglichsten Vorteil zu ziehen. Massive Häuser scheint man mit Ausnahme von Kirchen, Klöstern, Rathäusern nur Personen rittermäßigen Standes für angemessen gehalten zu haben. Für bürgerliches Leben und bürgerlichen Sinn galt im Allgemeinen nur die Bauart mit Fachwerk als recht wohlgeziemend. In dieser Weise nun glauben wir uns auch die erste Gestaltung unserer Stadt denken zu müssen, wenn uns gleich keine Urkunde über die Zeit der Gründung, über die Männer, welche die Erbauung übernahmen, über die Anzahl der der Stadt überhaupt und den Erbauern insbesondere bewilligten Hufen, über die Zahl der Freijahre, die Höhe des Rutenzinses, des Hufenzinses und dergleichen belehrt. Der Verlust der verhältnismäßig bei Weitem meisten Stiftungsbriefe darf nicht im Geringsten verwundern, da dieselben eben nur Privatverträge des Erbauers mit dem Grundherrn und also keine der städtischen Gemeinde selber bewilligten Urkunden waren, welche in dem städtischen Archiv hätten können und müssen aufbewahrt werden.

In welche Zeit nun nach ungefährer Bestimmung der Bau von Neuruppin zu setzen sei, darüber werden wir durch keine auch noch so leise Andeutung unterrichtet. Gewiss ist nur, dass Ruppin im Jahr 1256 keine so ganz unbedeutende Stadt mehr sein konnte, da sie schon in ihrem Innern vollkommen organisiert, Ratmannen an der Spitze der Gemeinde, dem Stadtschulzen und dem Vogt gegenüber, ja mit diesem in Streitigkeiten verwickelt erschienen, da sie sich in dem genannten Jahr schon für eine uns nicht weiter bekannte Geldsumme in den Besitz mehrerer wichtiger Rechte und Einkünfte setzte. Es ist schon von einem alten und neuen Markt, von Weinhändlern und Weinverderbern etc. die Rede. Unter den Ratmannen dieses Jahres war der gräfliche Münzmeister Salomo. Der schon bedeutender gewordene Betrieb machte schon polizeiliche Maßregeln wegen richtigen Maßes und Gewichts notwendig. Zwar haben wir aus alter und neuer Zeit Beispiele genug, dass Städte binnen wenigen Jahren durch den festen Willen eines mächtigen Fürsten zur höchsten Blüte getrieben sind, und gleichsam durch Gewalt dahin mit Überspringung aller mittleren Stufen emporgerissen wurden, wohin andere mühevoller im Laufe von Jahrhunderten durch selbsttätige Kraftentwicklung sich hinaufarbeiten mussten. Solch eine Annahme ist aber bei unserer Stadt durchaus unzulässig, und wir werden daher kein Bedenken tragen anzunehmen, dass um das Jahr 1256 Neuruppin wenigstens schon ein halbes Jahrhundert müsse bestanden haben. In der Tat würde damit eine Inschrift der früheren Pfarrkirche hierselbst, welche sich oben an einem Pfeiler befand, und deren sich vielleicht noch jetzt manche der älteren Bewohner unserer Stadt erinnern, wohl stimmen: *Ao Domini M701 completum est hoc opus quarta feria post Judica.* Wenn nicht aus anderen Urkunden gewiss wäre, dass jenes Zeichen 7 geradezu 5 bedeutet hat, und dass gerade, um das Jahr 1501 an der Pfarrkirche große Bauten vorgenommen worden sind. Dessen ungeachtet halten wir die Angabe, welche wir an mehreren Orten gefunden haben, von der wir aber nicht wissen, auf was für Grundlagen sie sich stütze, dass nämlich der Anfang zum

Bau unserer Stadt im Jahr 1194 gemacht sei, für sehr glaubwürdig und der Wahrheit jedenfalls wenigstens sehr nahe kommend.

3.2 Die ersten Bewohner der Stadt Neuruppin

Nach dem, was wir soeben über die Entstehung der meisten unserer Städte entwickelt haben, kann man nichts anderes erwarten, als dass die Bewohner aus den benachbarten Städten und Dörfern, zum Teil jedoch auch aus entfernteren Gegenden werden eingewandert sein. Von diesen ihren früheren Wohnorten entlehnten sie nun auch meist ihre Namen. In der Regel führte jeder Bürger oder Bauer nur einen Namen, denjenigen welchen er in der Taufe empfangen hatte. Der Zusammenfluss vieler, welche denselben Taufnamen führten, machte einen unterscheidenden Zunamen nötig, der entweder von dem Geschäft hergenommen wurde. So finden sich in unserer Stadt ein Salomon Münzmeister, Hermann Schuster, Heinrich Schreiber, Wilhelm Gerber, Lorenz Knochenhauer, Luwe Schuhmacher, Heinrich Molner, Nikolaus Färber, Gerhard der Goldschmied, unzählige andere. Oder man setzte den Namen des Vaters in Genitiv hinzu, und sagte also Herbord Frankens, Johann Herbords, Johann Wedegos, Johann Gerkens, Matthias Fritzens, Simon Pauls, Johann Thieles, Christian Jakobs usw. Oder sie wurden nach ganz zufälligen Umständen näher bezeichnet, z.B. Hermann Witte, Berthold Plumbom, Heinrich Voß, Gerhard Lus, Johann Hohn u. a. m. Oder endlich es wurde der frühere Wohnort bald mit dem Wörtchen »von« bald ohne dasselbe hinzugesetzt: So wurde 1256 ein Lambert von Möringen und etwas später ein Johann Möringen, doch gewiss dessen Sohn, unter den Ratmannen von Neuruppin erwähnt. Hierher gehören die Namen Johann von Schwalenberg, Heinrich von Jerichow, Eckard von Kyritz, Gerhard von Rheinsberg, Peter von Lindow, Albrecht von Aken, Johann von Gottberg, Dietrich von Pritzerbe, Burchard von Tryppehna, dessen Nachkomme einfach Jasper Tryppehna hieß, Nikolaus Walsleben, Nikolaus Hakenberg, Nikolaus Rosstauscher (i.e. aus Rostock), Gercke Blankenberg, Johann von Langen, derselbe, welcher sechs Jahre später schlechthin Hans Langen heißt. Im alten Schossregister finden sich Arndt Frankendorf, Matthias Tornow, Markus Vielitz, Peter Papenbrock, Nikolaus Barsikow, Jasper Zechow, Paul Storbeck, Balthasar Rägelin, Jasper Sternberg, Hermann Buskow, Nikolaus Dannenfeldt, Joachim Lögow, Johann Sommerfeld, Johann Manker, Johann Stüdenitz, Heinrich Nietwerder, Ladewich Löwenberg, Hermann Netzeband, Johann Rüthnick, Johann Wulkow, Johann Wuthenow, Nikolaus Polzow, Steffen Schulzendorf, Matthias Menz, Borsius Trieplatz, Johann Bantikow, Jakob Katerbow, und es werden wenige Dörfer sein, deren Namen sich nicht in den Bürgerlisten aus jener Zeit nachweisen ließen.

Die von uns angeführten mögen genügen. So, wie der Name des früheren Wohnortes, welcher nur der Unterscheidung wegen beigesetzt war, in einen bleibenden, förmlichen Zunamen übergegangen war, was in der Regel schon bei Sohn oder Enkel geschehen musste, wurde das Wörtchen »von« allmählich ganz weggelassen. Das unbedeutende Wörtchen hat es damals gewiss nicht ahnen können, zu wie unglückseligen Verirrungen hier kindischer Missgunst, dort törichten Übermutes es später die Losung sein sollte. Anerkannt ritterliche Personen bedienten sich in jener Zeit dieses Zusatzes noch nicht als eines ehrenden, sondern um dadurch wirklich ihren Wohnsitz oder ihren Geburtsort anzugeben. Sehr häufig ließen sie es bei ihren Unterschriften ganz weg. Wir hoffen, mit diesen unseren Erörterungen die Ansicht Bratrings gänzlich zurückgewiesen zu haben, welcher, durch jenen Zusatz verleitet, schon in den ersten Zeiten unsere Stadt mit einer großen Zahl ritter- oder knappenmäßiger Geschlechter bevölkert sein ließ. In der Tat begreift es sich in unseren Tagen gar wohl, was den adligen Familien den Aufenthalt in der Stadt angenehm und wünschenswert machte. Dagegen ist sehr schwer einzusehen, was in jenen Zeiten das Leben unter Bürgern und in bürgerlichen Verhältnissen für sie so sehr lockendes haben konnte. Wir sehen oftmals in Verträgen, dass Edle sich verpflichten mussten, im Fall eine Bedingung des Vertrages nicht erfüllt werde, zur Bürgschaft in eine Stadt einzureiten. Da aber war es eben auch immer ein Zwang, dem sich jene Edlen so schnell als irgend möglich wieder zu entziehen suchten. Wohnten sie in der Stadt und wollten sie städtische Ämter z. B. das der Ratmannen bekleiden, so war das nicht anders möglich, wie wir glauben, als indem sie wirklich Bürger wurden, und sich in eine Innung aufnehmen ließen. Hierdurch aber gingen sie doch ohne Zweifel ihres rittermäßigen Standes verlustig. Ob aber städtische Ämter in jener Zeit diesen Verlust aufzuwiegen vermochten, möchten wir unsererseits durchaus bezweifeln. Bedenken wir überdies die Elemente, aus denen das städtische Leben erwachsen war, bedenken wir ferner die Abneigung des Landadels gegen die Städte, welche später in Hass und Verachtung ausartete, endlich die ganz entgegengesetzte Geistesrichtung der Bürger und der Edlen, so wird uns jene Ansicht von dem schnellen Hereinziehen so viel edler Geschlechter in unsere Stadt als höchst unwahrscheinlich vorkommen müssen.

Überdies ruhte der Adel keineswegs weder auf Vermögen noch Gutsbesitz, sondern auf einem besonderen Verhältnis vom Vasallen zum Lehnsherrn, und auf Waffentüchtigkeit. Jenes Lehnsverhältnis aber ließ sich nicht wohl mit den Pflichten eines Bürgers in Einklang bringen. Wollten wir jener Ansicht Bratrings huldigen, so würden wir mit demselben Recht auch in Stendal und Salzwedel eine auffallende Zahl bürgerlicher Familien aus edlem Stand vorfinden, während sie doch in der Tat nur von den Orten Goldbeck, Schönhausen, Billberge, Hämerten, Buchholz, Uenglingen, Packebusch, Diesdorf, Möringen, Rogätz, Steinfeld, Dobberkau, Schönebeck, Verchow, Thüritz, Bismarck, Burg, Zerbst, Leitzkau, Kalbe, Klötze, Uelzen, Lüchow, Arneburg, Jerichow, aus denen sie dort hinüber gezogen waren, ihre Namen trugen. Freilich wollen wir damit gar nicht leugnen, dass überhaupt adlige Familien sich in Städten niedergelassen haben, noch dass sich in diesen allmählich gewisse Familien, welche sich im Besitz der höchsten städtischen Ämter zu behaupten wussten, und ritter- oder knappenmäßige Güter in den benachbarten Dörfern erworben, zu einer Art städtischen Adels (Patrizier) bildeten, welcher dem Landadel an Geltung nur wenig nachstand, und endlich ganz in diesem aufging.

3.3 Die Juden

Es sind, wie wir glauben, noch nicht viele Jahre verflossen, seitdem sich Juden hier in unserer Stadt niedergelassen haben. Bis auf die ersten beiden Jahrzehnte dieses Jahrhunderts gab es solcher Orte genug in unserer Mark, in denen kein Jude wohnen durfte. Wir wissen es von anderen Orten her, wie sehr sich die Bürger sträubten, Juden in ihre Mitte aufzunehmen, und welchen Bedrückungen diese oft viele Jahre lang ausgesetzt waren, wenn es kein rechtliches Mittel gab, die unwillkommenen Fremden ganz von der Stadt auszuschließen oder wieder aus derselben zu entfernen.

So war es ehedem nicht, wo wir Juden in ziemlicher Menge unter den Bewohnern von Neuruppin antreffen, und zwar unter günstigeren Verhältnissen, als dies an anderen Orten der Fall war. Als im Jahr 1315 Graf Ulrich unserer Stadt die Gerichtsbarkeit über alle in der Stadt oder auf der städtischen Feldmark begangenen Exzesse übertrug, nahm er von dieser Übertragung ausdrücklich die Juden aus, deren Exzesse nur vor dem gräflichen Gericht selber unmittelbar sollten verfolgt und von diesem geahndet werden; eine höchst weise Bestimmung, wenn man den Hass bedenkt, mit welchem damals an gar manchen Orten diese Unglücklichen von ihren christlichen Brüdern behandelt wurden.

Eigentum an liegenden Gründen konnten die Juden mit demselben Recht wie die Christen erwerben. Im Jahr 1323 gestatteten die Grafen Günther und Ulrich, Adolf und Burchard denselben, wofern sie nur redlich ihren Schoss an die gräfliche Kasse entrichteten, Vieh zu schlachten, so viel sie bedürften, und was ihnen davon nicht gefalle, zu verkaufen.[222] Auch sollten sie Korn kaufen dürfen, so viel sie dessen bedurften zu ihrem Bier und zu ihrem Brot, von einer Neige zu der anderen. Kauften sie aber mehr, so sollten sie davon schossen gleich allen übrigen Bürgern. Ja selbst in den Besitz von Zehnten und Pächten konnten sie gelangen, ohne davon einen besonderen Schoss zu zahlen. Es ist aus diesen und anderen Nachrichten gewiss, dass die Juden ihr Schutzgeld für den ihnen bewilligten Schutz – daher selbst der Name Schoss – unmittelbar an den Grafen zahlten, und außerdem zu keiner weiteren Abgabe und also auch wohl nicht zur

Teilnahme an den städtischen Lasten verpflichtet waren. Aus dem Ende des 15. Jahrhunderts wissen wir, dass ein neu ankommender Jude der Stadt einen Gulden, dem Schreiber einen Groschen und den Rechtsdienern ebenso viel zahlte. Für die von der Stadt ihnen eingeräumten Wohnungen entrichteten 1472 ein Jude Namens Moses jährlich 1 Pfund, Salomon 1 Schock, ebenso viel Moses Isaaks Tochtermann, der alte Jude Jakob 1 Pfund, 10 Schillinge zu Ostern, 10 zu Michaelis, alle Juden insgesamt zu Michaelis eine Tonne Bernauer Biers.

Eine Straße von Neuruppin führte den Namen der alten Jüdenstraße *(plateo Judaeorum)*, ohne, dass wir jedoch ihr eine neue gegenüber zu stellen vermöchten, obgleich wir nicht daran zweifeln, dass es auch eine solche hier gegeben. In dieser alten Jüdenstraße befand sich im 14. Jahrhundert ein Haus und Buden der Juden, welche 1368 17 Pfennige Rutenzins zahlten, sowie gleich, wenn man in die Rossmühlenstraße eintrat, das nächste Haus an der linken Ecke das Judenbad war, mit einem Rutenzins von 3 Pfennigen. Wir wissen es nicht, ob jenes Haus in der Judenstraße dasselbe war mit der Synagoge oder Judenschule, welche nebst einem daran stoßenden, gleichfalls den Juden eingeräumtem Haus in jedem Quartal 1 Mark Silbers (später einen Gulden) und überdies alle Ostern 12 Schillinge an die Stadt entrichtete. Die Instandhaltung dieser Gebäude lag übrigens dem Rat ob, an welchen späterhin die Juden bei ihrer Aufnahme in die Stadt ihre Gebühren zu zahlen hatten. In dem Privilegium der hiesigen Knochenhauer geschah auch der Juden Erwähnung und war ausdrücklich bestimmt, was für Vieh und wie viel sie in jeder Woche schlachten, und in welchen Schranken sie sich zu halten hätten.[223] Wahrscheinlich erst in der Zeit nach dem Aussterben der gräflich-arnsteinischen Familie, in der letzten Hälfte des 16. Jahrhunderts wurden sie, wie aus der ganzen Mark, so auch aus unserer Stadt vertrieben, und erst durch die Gnade und Gerechtigkeit Friedrich Wilhelms III. ihnen der Zugang zu den so lange verschlossenen Städten wieder geöffnet.

3.4 Die ältesten städtischen Behörden

Von den Erbauern wurde einer mit dem Schulzenamt beliehen *(praefectus, praefectura civitatis, Schulzenambacht)*, und mit den dazu gehörenden Rechten und Pflichten. Das Schulzenamt war ein erbliches Lehen. Die Stelle des Fürsten wurde durch den unmittelbar von diesem ernannten Vogt *(advocatus)* vertreten, der sein Amt nur so lange, als es dem Landesherrn beliebte, verwaltete. Aus freier Wahl der Bürger wurden die Ratmannen *(consules)* ernannt, welche alljährlich wechselten.

Wir wollen versuchen, soweit es die Lückenhaftigkeit unserer Urkunden gerade über diesen Gegenstand gestattet, mit Vergleichung anderer Orte die Verhältnisse dieser drei städtischen Gewalten in unserer Stadt auseinanderzusetzen, und hoffen, dass die Entwicklung der städtischen Verfassung in den oft so unverständig verrufenen Zeiten des Mittelalters für den denkenden Freund der Geschichte von unendlich höherem Interesse sein werde, als die trockene und langweilige Aufzählung, wie oft das Korn wohlfeil oder teuer gewesen, Feuer, Pest und Krieg die Stadt verheert und dergleichen, wie wohl wir weit entfernt sind, uns diesem geistlosen Geschäft ganz entziehen zu wollen. Hier wenigstens zeigt sich fruchtbringendes geistiges Leben, dort oft scheinbar des Zufalls Spiel. Von hier aus werden wir sowohl für die alte als für die neueste Geschichte Anknüpfungspunkte zur Vergleichung gewinnen können.

Eine jede Stadt des Mittelalters war ein Ganzes, von einem eigentümlichen Leben durchdrungen und beseelt; und als solches verdient sie betrachtet zu werden. Gewiss aber ist die recht genaue und sorgsame Durchforschung eines auch noch so geringen Punktes der Erde, einer noch so unbedeutenden Stadt für die Bildung des historischen Sinns ebenso wichtig, als die Jahrtausende der Geschichte, in großen, lebendigen Umrissen umfasst zu haben.

3.4.1 Der Vogt

Da der Vogt insbesondere dazu bestimmt war, die landesherrlichen Gerechtsamen in den Städten wahrzunehmen, so wurden zu Vögten nie Bürger einer Stadt, sondern entweder Personen rittermäßigen oder solche knappenmäßigen Standes gewählt, welche auch gemeiniglich ihren Wohnsitz nicht in der Stadt selber, sondern auf einer benachbarten Burg hatten. Es ist natürlich, dass für zwei mit ihren Mauern aneinanderstoßende Städte, wie Altstadt und Neustadt Salzwedel, ein einziger Vogt genügte.

Noch zur Zeit der Abfassung des karolinischen Landbuchs 1375 finden wir hier neben dem Schulzen einen landesherrlichen Vogt erwähnt. Auch in Neuruppin wird 1256 in der ältesten uns erhaltenen Urkunde, in dem unserer Stadt vom Grafen Günther erteilten Privilegium, ein Vogt Namens *Symon Reinbart* genannt.[224] Im Jahr 1315 verwaltete ein Dienstmann des Grafen, Burchard, genannt von *Tryppehna,* dieses Amt.[225] Bald nachher scheint Burchard die Vogtei verloren und dagegen das Schulzenamt empfangen zu haben. In einer Urkunde vom Jahr 1323 heißt es nämlich: *isti Articuli per Petrum de Rynesberg et Borchardum perfectum* – wofür ganz offenbar *praefectum* zu lesen ist – *ad finem hunt placitati.*[226] War Burchard Schulze, so können wir uns Peter von Rheinsberg nur in dem Verhältnis eines gräflichen Vogtes denken, wenn auch schon wenige Jahre später, 1328, Heinrich Poppentin ausdrücklich als Vogt, freilich nicht mit dem ausdrücklichen Zusatz »von Neuruppin«, doch gewiss von unserer Stadt, erwähnt wurde.[227] Dass aber der 1323 als Schulze genannte Busso oder Burchard in der Tat der von Tryppehna gewesen, wird dadurch zur unumstößlichen Gewissheit, dass 1369 ein Burchard von Tryppehna ausdrücklich als Schulze der Stadt bezeichnet wurde.[228] Nach dem Jahr 1335 verschwanden Amt und Name eines Vogtes ganz aus den unsere Stadt betreffenden Urkunden, teils, weil die regierenden Grafen ganz in der Nähe derselben ihren Wohnsitz hatten, und daher das Amt eines Vogtes in hohem Grad überflüssig war, teils, weil die Ratmannen einen wichtigen Teil der früher vom Vogt geübten Gerichtsbarkeit an sich gebracht hatten.

Das Amt des Vogtes war kein erbliches Lehen, sonst hätten dafür auch auf jeden Fall Freihufen ausgeworfen werden müssen. Wir lassen es auch dahingestellt, ob mit demselben ein regelmäßiger anderweitiger Ertrag verbunden war, doch deutet schon der Name *advocatus*, Vogt, zur Genüge an, dass es keine ausdauernde Gewalt gleich der des Stadtrats, des Schulzen enthielt, sondern nur bei besonderen Gelegenheiten z. B. den großen alle 18 Wochen gehaltenen Gerichtssitzungen, in denen der Vogt Namens des Landesherrn mit Hinzuziehung des Schulzen in höchster Instanz die wichtigen dahin gehörenden Sachen richtete, ferner bei besonders groben Verbrechen, städtischen Unruhen, seine Gegenwart in der Stadt notwendig war.

3.4.2 Der Schulze

In einem ganz anderen Verhältnis stand zu Stadt und Landesherren der erbliche Schulze, daher sich auch in der Urkunde von 1256 der Schulze Hugo mit seinen Söhnen unterzeichnete. Ohne sein Wissen und Beistimmen konnten daher rechtlich weder von dem Landesherrn noch von den Ratmannen Bestimmungen gemacht werden, welche in seine bisherige durch das Herkommen und den allgemeinen Gebrauch festgesetzte Befugnis eingriffen. In der Regel war der Schulze nicht ritterlichen Standes, nicht einer der landesherrlichen Ministerialen, sondern aus dem Stand der Gemeinfreien. Gleichwohl scheint es, als ob auch Leute höheren Standes und edler Geburt es keineswegs immer verschmäht oder für ihrer unwürdig gehalten haben, entweder gleich von Anbeginn die Erbauung einer Stadt zu übernehmen, oder doch sich später mit dem gerade erledigten Schulzenamt belehnen zu lassen. So wurde unter den ritterlichen Zeugen unserer schon oft zitierten Urkunde vom Jahr 1256 ein Albrecht von Luge erwähnt, ohne Bedenken derselbe, dem im nächsten Jahr 1257 die Erbauung von Neu-Landsberg übertragen, und der bei dieser Gelegenheit von dem Markgrafen *fidelis noster*, unser lieber Getreuer, genannt wurde. Ähnlich in unserer Stadt, wo Burchard von Tryppehna, offenbar ein Mann knappenmäßigen Standes und als solcher das Amt eines Vogtes verwaltend, später das Schulzenambacht nicht anzunehmen verschmähte.

Wie groß die Zahl der zu dem hiesigen Schulzenamt gelegten Hufen gewesen sei, lässt sich bei dem gänzlichen Schweigen der Urkunden über diesen Punkt nicht bestimmen. Wahrscheinlich aber war es ein und dasselbe mit dem später erwähnten sogenannten Stadthof, über den später der Magistrat zu verfügen hatte, und von dem man ausdrücklich nach alter Überlieferung erzählte, dass er schon seit den ersten Zeiten von der Gründung der Stadt an dieser gehört habe; eine Angabe, die freilich auf einem leicht verzeihlichen Irrtum beruht und dahin zu berichtigen ist, dass die zu dem Stadthof gehörenden Grundstücke ehedem das allerdings gleich bei der Erbauung der Stadt eingerichtete Schulzenamt bildeten. Zu diesem Stadthof gehörten aber 1 ½ Hufen Ackerlandes, 2 Wörden, 2 Breiten, die Bullenwiese und noch eine andere Hufe, die vor etwa 100 Jahren ein gewisser Simon Churdes bewirtschaftete. Anderer vielleicht erst später vom Rat dazu erworbenen Grundstücke nicht zu gedenken; ein sehr geringes Gut, wenn wir damit die richtige, reichliche, ja verschwenderische Ausstattung der Stadtschulzen in anderen Orten vergleichen, und doch wieder nicht zu gering, da wir auch anderswo das Schulzengut nur aus etwa 2 Hufen bestehend finden. Dass des Stadtschulzen in unseren Urkunden so wenig gedacht wird, darf nicht eben befremden. Das städtische Leben hatte einen anderen Mittelpunkt, um den es sich bewegte, und von welchem aus es sich weiter und weiter entfaltete und zur Entwicklung trieb, den Stadtrat, das fortschreitende Element in der Bürgergemeinde, gegen welche das erblühte und eben deshalb an dem Alten, Bestehenden festhaltende Schulzenamt mehr und mehr in den Hintergrund zurücktrat, bis es allmählich ganz verschwand.

Es ist schon oben berührt, dass derselbe Burchard, welcher 1315 das Amt eines Vogtes versah, schon 1321 und nach unserer höchst wahrscheinlichen Verbesserung 1325 im Besitz des Schulzenamtes erschien. Notwendig muss zwischen den Jahren 1315 und 1321 das Schulzenamt erledigt gewesen sein, etwa durch das Aussterben der bisherigen Schulzenfamilie, worauf es von den Grafen an Burchard, den bisherigen Vogt, gegeben wurde. Ein Burchard war auch 1398, zur Zeit, da die Stadt Neuruppin von dem Bann losgesprochen wurde, in welchen sie sich durch die übereilte Hinrichtung eines Mannes von geistlichem Stand gestürzt hatte, als Präfekt oder Schulze aufgeführt, gewiss aus der Familie jenes Burchard von Tryppehna. Hiermit wissen wir nun aber nicht zu vereinigen, dass in einem sehr alten Codex des hiesigen Rathauses, welcher aus 85 Pergamentblättern bestand, auf fol. 14 folgende Notiz stand: *Anno domini 1402. Coppe Konighesberge. Claws tylen vrouwe. Cune Glude. Nicolaus Hagen. Arnoldus Buschow. Henningus praefectus et Johannes Ghus anno domini 1364 penthec.*[229] Weder im Jahr 1364 noch im Jahr 1402 kann dieser Henning das Schulzenamt im Besitz gehabt haben. Die Familie derer von Tryppehna besteht auch jetzt noch immer fort, bis über die Zeit des letzten Grafen hinaus. Im Jahr 1398 war sie offenbar noch im Besitz des ihr nicht als Eigentum übergebenen, sondern als Lehen übertragenen Gutes, welches sie demnach selbst beim besten Willen von ihrer Seite nicht hätte an eine andere Familie veräußern können. Dass aber dieser Henning selbst ein Glied jener Familie gewesen sei, halte ich für vollkommen unwahrscheinlich.

Der Stadtschulze hatte nun hier wie in anderen Städten die Verpflichtung, die Abgaben, welche die Bürger von Haus und Hof zu entrichten hatten, einzunehmen und an die gräfliche Kasse zu übersenden. Dafür aber hatte er auch den dritten Teil von, wenn auch nicht von allen, doch wenigstens einigen dieser Einnahmen z. B. von dem Zins des alten Marktes, des Ratskellers, der Fleischerscharren, der Wursttische, der Fischbänke, der Heringsbänke, dem Kaufhaus, dem Gerberhaus, und so wie wir nicht im Geringsten zweifeln, von vielen anderen, ja vielleicht von allen. Ebenso hatte der Schulze den dritten Pfennig von den Gerichtsgeldern als Vorsitzer des städtischen Gerichts. In dieser seiner Eigenschaft als Stadtrichter haben wir ihn hier noch näher ins Auge zu fassen.

3.4.3 Die Schöffen

Wie überall in den märkischen Städten, so waren auch in unserer Stadt die eigentlichen Urteilsfinder die Schöffen, *scabini*. Die Zahl der Schöffen war verschieden in den verschiedenen Orten, in Prenzlau 1287 nur fünf, in Berlin und Cölln 1307 sieben, in Stendal 1282 acht, in unserer Stadt Neuruppin 1398 gleichfalls sieben, nämlich folgende: Nikolaus Grünefeld, Johann Palendorf, Nikolaus Botzin, Dietrich Rosstauscher, Nikolaus Schluwen, Konrad Glöden und Johann Bartikow. Die Schöffen nun wurden entweder von der Gesamtheit der

Bürger erwählt, oder die Schöffen hatten das Recht, beim Abgang eines unter ihnen an die Stelle des ausgetretenen Gliedes ein neues zu wählen. Überall wurden sie nicht etwa auf ein Jahr oder mehrere, sondern auf Lebenszeit berufen, und bildeten hier ein für sich bestehendes unabhängiges Kollegium von Richtern, während dort die Schöffenbank von den Ratmannen selber besetzt wurde. Das letztere war in Kyritz, Prenzlau, Salzwedel und anderen Orten schon im 13. Jahrhundert der Fall. In Stendal wurde erst 1392 die Schöffenbank mit dem Stadtrat verbunden. In Ruppin scheinen beide länger voneinander getrennt gewesen zu sein. Im Jahr 1453, am Sonntag Jubilate, versprachen die Ratmannen unserer Stadt, aus der Urbede des Grafen der Schöffenbank alljährlich zu Martini, wo die Urbede überhaupt fällig war, 1 Mark Renten zu zahlen, welche der regierende Graf für sich und seine Nachkommen um 19 Schock gewöhnlicher Münze den Schöffen und ihren Nachfolgern verkauft hatte, und zu deren Wiederkauf er und seine Nachkommen berechtigt sein sollten, wenn sie zu Jakobi die Rente kündigten und am Martinitag dann die vorgestreckte Summe von 19 Schock, das Schock zu 2 Pfund gerechnet, wieder an die Schöffenbank zurückzahlten.[230] In der Tat finden wir diese Mark noch in den Auszügen aus den Rechnungsbüchern unseres Stadtrats vom Ende des 15. Jahrhunderts zu wiederholten Malen mit aufgeführt. Im Jahr 1479 wurden sie in einer Urkunde die Schöffenräte *(Schepenrede)* genannt, und von ihnen bemerkt, dass sie in der Pfarrkirche einen Altar Unserer Lieben Frauen vor dem Chor besaßen.[231] Diesem Altar vermachte Ludolf Frese, Priester im havelbergischen Stiftssprengel, zur Haltung noch eines Priesters und zur Vermehrung und Förderung des Gottesdienstes 6 Schock jährlicher Renten für ewige Zeiten, unter der Bedingung, dass seine Schwester Elisabeth, eheliche Hausfrau des Bellin zu Neuruppin, mit ihrer Stiefmutter 4 Schock, ihre beiden Töchter aber, die eine im Kloster zu Wanzka und die andere im Kloster Zehdenick, jede 1 Schock jährlicher Renten bis an ihren Tod beibehalten, dann aber nach dem Versterben des einen oder des anderen dessen Rente nicht an die übrigen Erben, sondern unmittelbar an den Altar Unserer Lieben Frauen, welchen die Schöffen besetzten, fallen sollte. Aus beiden uns erhaltenen Urkunden ersehen wir auf das Deutlichste, dass die

Schöffen in jener Zeit ein gesondertes Kollegium bildeten.

Da die Schöffen sich bis an die Mitte des 16. Jahrhunderts in der Regel nur des mündlichen Verfahrens bedienten, so ist es freilich nicht eben zu verwundern, dass wir bis dahin so sehr wenig über sie wissen, und daher fast nur aus der Vergleichung anderer Orte auf die Gerichtsverfassung in unserer Stadt zurückschließen können. Der Ort, an welchem die Schöffen zu Gericht saßen, war in der frühesten Zeit wohl immer unter freiem Himmel, in der Altstadt Salzwedel vor der Rathauslaube an der Krautbrücke, später erst in einem eigens dazu bestimmten Schöffenhaus, oder wo die Vereinigung der Schöffenbank mit dem Stadtrat erfolgt war, auf dem Rathaus, wie es im Jahr 1432 bei Berlin und Cölln heißt: Auf demselben Rathaus sollen Richter und Schöffen beider Städte Ding hegen und richten zu allen 14 Nächten, wenn dass die Zeit ist. In mehreren märkischen Städten findet sich noch jetzt der Upstal, die alte Dingstätte.

Zu Ruppin war während der Herrschaft der Grafen die Schöffenbank unter einem Schwibbogen des Rathauses oder vor demselben, wo sie an den gewöhnlichen Gerichtstagen unter freiem Himmel ihre Sitzungen hielten, dass jeder Bürger der Stadt ungehindert herantreten und den Verhandlungen zuhören durfte. Weil aber späterhin, wie es ausdrücklich heißt, die Bosheit zunahm und die Gerichtshändel sich mehrten, so überließ der Rat der Stadt dem Kurfürsten zu Gefallen den Schöffen einen Teil des alten Kaufhauses auf dem neuen Markt, mit der Erlaubnis, diesen nach ihrem Gefallen einrichten zu lassen, dafür aber auch stets in gutem baulichen Zustand zu erhalten. Die gewöhnlichen Rechtstage aber sollten nach wie vor unter den Vierscharren im Freien gehalten werden. Ohne den Rat zu fragen, ließen die Schöffen nachher dies alte Kaufhaus ganz niederreißen und zu ihrem Vorteil ein ganz neues stattdessen hinsetzen, unter welchem auch der Gerichtsknecht eine freie Wohnung hatte. Um nicht die Eintracht in der Stadt zu stören, wehrte ihnen das der Rat nicht. Einen Hofraum dazu wollte er ihnen jedoch nicht bewilligen, weil der neue Markt ein freier Platz bleiben sollte. Dies Schöffenhaus gehörte zu den Freihäusern unserer Stadt, und wurde späterhin ganz niedergerissen, als dem Stadtrat die Gerichtsbarkeit mit übertragen war. Die Gerichtssitzungen wurden in der Regel alle

14 Tage oder vielmehr, wie es nach der genaueren aus der ältesten deutschen Zeit herübergekommenen Ausdrucksweise heißt, über 14 Nächte gehalten unter dem Vorsitz des Schulzen. Nichtigere Sachen mussten in dreien Dingen zur Sprache kommen, wo dann bei dem dritten Ding der Vogt den Vorsitz führte, und unmittelbar unter ihm der Schulze. Große und sehr wichtige Angelegenheiten gehörten vor das rechte Ding, *judicium legitinum*, welches dreimal des Jahres, alle 18 Wochen, mit großer Feierlichkeit gehalten wurde, gleichfalls unter des Vogts Leitung, und bei welchem nach altem Brauch die ganze Gemeinde versammelt sein musste. Doch wurden später einige Städte von dieser lästigen Verpflichtung entbunden und z.B. 1337 der Stadt Kyritz erlaubt, dass zu diesen großen Dingen nur diejenigen Bürger zu erscheinen verpflichtet sein sollten, welche ausdrücklich dazu vorgeladen wären. Bei außerordentlichen Veranlassungen wurde auch außerordentlich die Gemeinde zu einem Ding durch Glockenton versammelt; so im Jahr 1397 zu Neuruppin, als einer der Kirchenräuber entdeckt war, noch dazu ein Mann geistlichen Standes, nicht etwa damit das Volk seine Stimme mit dazu abgäbe, sondern damit das Ding mit der gebührenden Form abgehalten würde. In den Fasten und in der Adventszeit wurde gar keine Gerichtssitzung gehalten. Ebenso wurde der gewöhnliche Gang dieser Sitzungen in Kriegszeiten unterbrochen, und der Stadt Stendal 1319 ausdrücklich durch den Markgrafen Woldemar die Erlaubnis erteilt, die Gerichtsfristen aufzuschieben. Von den Gerichtsgeldern gebührten 2 Pfennige dem Landesherrn oder dem, der die höchste Gerichtsbarkeit hatte, ein Drittel dem Schulzen. Es bedarf kaum einer Erinnerung, dass späterhin, als die Zahl der Prozesse zunahm und schriftliche Verhandlungen anfingen geführt zu werden, sowohl die Gerichtstage vermehrt als auch das ganze Verfahren bedeutend abgeändert wurde. Da die Schöffen nun Männer waren, welche nie eine eigentlich juristische Ausbildung genossen hatten, sondern aus der Gemeinde selber gewählt nach der Tüchtigkeit ihrer Gesinnung und der Kenntnis des alten Herkommens, so ist leicht zu begreifen, dass ein öffentliches Verfahren unumgänglich notwendig war, um eine lebendige Kenntnis des bestehenden Rechts unter den Bürgern zu bewahren, und die Fortpflanzung dieser Kenntnis von einem Geschlecht zu dem

anderen möglich zu machen. Der Schulze nun fand das Recht nicht, sondern legte der Schöffenbank die Sache vor und beauftragte dann einen der Schöffen, das Recht zu finden. Stimmten mit dem, was dieser als das Rechte gefunden, auch die übrigen Schöffen überein, so hatte der Schulze nur die Pflicht, das gefundene Urteil auszusprechen, ohne etwas hinzuzutun oder wegzulassen. Wurde das gefundene Urteil von der Schöffenbank verworfen, so weddete derjenige, welcher das Falsche gefunden, dem Richter ein Strafgeld von 4 Schillingen. Übrigens, wenn der eigentliche Inhaber der höchsten Gerichtsbarkeit, d.i. bei uns der Graf, zur Zeit der vierzehnnächtigen Gerichtssitzung da war, so hatte er als solcher das Recht, selbst die Leitung und den Vorsitz der Schöffenbank zu führen, und der Schulze war dann der erste unter den Schöffen. Freilich konnte weder von dem Vogt noch von dem Gerichtsherrn selber ein rechtes Ding ohne die Anwesenheit des Schulzen gehegt werden. Soweit eine Sache nun von Schulze und Schöffen allein konnte entschieden werden, ging das sideste Gericht. Was darüber hinaus lag, gehörte in die Sphäre des höchsten Gerichts. Nur derjenige freilich konnte das sideste Gericht übertragen, wer selber im Besitz des höchsten Gerichts war; daher eigentlich nur derjenige Grundherr ein rechtes Dorf oder eine Stadt auf seinem Grund und Boden konnte anlegen lassen, welcher entweder als Landesherr selbst der oberste Gerichtsherr war, oder diese Gerichtsbarkeit aus den Händen jenes empfangen hatte.

Worin die Einkünfte der Schöffen bestanden, und ob sie wirklich dergleichen hatten, darüber sind wir wie überhaupt so besonders bei unserer Stadt in großer Unklarheit. So viel ist gewiss, wenn unsere Schöffen dem Grafen Albrecht VIII. 19 Schock vorzuschießen, einen Altar in der Pfarrkirche zu unterhalten vermochten, so muss es eine Schöffenkasse gegeben haben, und diese nicht ohne Einkünfte gewesen sein. Aus dem Jahr 1490 wissen wir, dass die Richter (und Schöffen) einen geringeren Schoss gaben, als ihnen sonst würde zugefallen sein.[232] Hans Langen, heißt es, sollte für 180 Pfund Schoss geben, solange er Richter war. Kam er aber von dem Gericht, so schosste er für 300 Pfund. Von den Gerichtsgeldern wenigstens erhielten, wie oben bemerkt, zwei Drittel (*judicium supremum, duo denarii, nobis nostroque judici competentes*, sagte Markgraf Ludwig 1348 in einer

Urkunde) oder das obere Gericht die Grafen, wenigstens ursprünglich, ein Drittel der Schulze. Wir wollen hier lieber unsere Ungewissheit eingestehen, als durch unbegründete Vermutungen uns noch weiter von dem rechten Ziel ablenken zu lassen.

3.4.4 Die Ratmannen

Dem Schulzen standen, wie überall in den märkischen Städten, so auch in Neuruppin, die Ratmannen gegenüber, welche alljährlich aus der Bürgerschaft neu gewählt wurden und als deren Vertreter anzusehen waren. In den meisten märkischen Städten, wie in Gardelegen, Stendal, Salzwedel, Brandenburg, Prenzlau, Angermünde und anderen belief sich ihre Zahl auf zwölf, dagegen in Ruppin lange Zeit hindurch nur sechs erwähnt wurden. So habe ich in den Jahren 1291,[233] 1321,[234] 1323,[235] 1360,[236] 1362,[237] 1382,[238] 1393,[239] 1406,[240] 1423,[241] sechs Ratmannen aufgeführt gefunden. Wenn im Jahr 1256 deren nur fünf die Urkunde des Grafen Günther I. unterschrieben, so ist von der Abwesenheit des einen vielleicht nur Krankheit oder sonst ein anderes zufälliges, uns unbekanntes Ereignis die Veranlassung gewesen.[242] Nur in den Jahren 1311 und 1315[243] werden ihrer zwölf namhaft gemacht, nicht etwa, weil zu ein und derselben Zeit eine so große Zahl der Stadt vorgestanden, sondern ohne allen Zweifel aus dem Grund, weil die Verhandlung schon von den alten, zur Zeit schon abgetretenen Ratsherren angefangen, von den neuen nur zum Schluss geführt war, und daher die Unterzeichnung der Namen sowohl von den alten als von den neuen Ratmannen für nötig befunden wurde. Vom Jahr 1430 an treffen wir in unserer Stadt wie zu Wusterhausen in den Urkunden acht Ratmannen, so 1430,[244] 1434,[245] 1446,[246] 1453,[247] 1487,[248] 1490,[249] und herab bis in die Zeit, da unsere Grafschaft schon an den Markgrafen zurückgefallen war.

Es ist auch hier nichts als ein bloßer Zufall, wenn 1447 nur sieben aufgeführt wurden.[250] Wir wissen in der Tat keinen rechten Grund anzugeben, warum zwischen 1423 und 1430 die Zahl der Konsuln um zwei vermehrt worden war. Eine Vermehrung des Ratspersonals konnte, glauben wir, nur in einer Vermehrung der Amtsgeschäfte des Rats ihren Grund haben, und diese Vermehrung nur durch den Übergang des Schulzenamtes an die Ratmannen veranlasst worden sein. Offenbar musste den Konsuln der Städte nichts unangenehmer sein, als dass ihnen ein Mann mit ererbten, zum Teil längst veralteten, den Zeitumständen oft nicht mehr angemessenen Rechten gegenüberstand. Diese Rechte aber waren sowohl erworben, dass sie nur entweder durch das Aussterben der Schulzenfamilie oder mit deren und des Landesherrn Bewilligung kaufweise in andere Hände übergehen konnten. Das letztere scheint in unserer Stadt der Fall gewesen zu sein, da die Familie derer von Tryppehna, die übrigens im Verlauf von mehr als einem Jahrhundert eine rein bürgerliche geworden war, auch noch nach dieser Zeit in Neuruppin ansässig und in Ehren gefunden wird. Schon 1447 und 1453 finden wir einen Jasper Tryppehna als Ratsmitglied, was er doch nur sein konnte, wenn er Bürger im vollsten Sinne des Wortes geworden war. Zu ein und derselben Zeit hätte unmöglich ein und derselbe Mann Schulze und Ratmann sein können. Vor 1430 dagegen treffen wir in den zahlreichen Ratmannenlisten, welche uns vorliegen, und welche wir in unserem Urkundenbuch zur Kenntnis des gelehrten Publikums zu bringen hoffen, niemals einen Tryppehna an. Was ist also wahrscheinlicher, als dass die Stadt der Familie des Schulzen ihr Schulzenamt mit des Grafen Albrecht VIII. Zustimmung abkaufte, jene Familie nunmehr in die Zahl der achtbarsten bürgerlichen Häuser eintrat, das Kollegium der Ratmannen einen Teil der Schulzengeschäfte auf sich nahm und zu dem Ende zwei neue Mitglieder demselben hinzugefügt wurden. Nun konnten die Ratmannen auch ungehindert sich den ehrenhaften Titel, »Wir Bürgermeister und Ratmannen der Stadt Neuen Ruppin« beilegen, ein Titel, der solange es noch ein besonderes Schulzenamt gab, fast eine Verletzung des letzteren gewesen sein würde. Wir bemerken übrigens hierbei, dass nicht etwa zwei, wie im folgenden Jahrhundert, oder gar etwa ein Mitglied jenes Kollegiums, wie jetzt, den Namen Bürgermeister, die übrigen den der Ratmannen führten, sondern sämtliche Glieder des Rats hießen Bürgermeister und Ratmannen, in keinem anderen Sinn, als in welchem längst von Gildemeistern und dergleichen die Rede gewesen war. Finden sich doch auch nach dem Jahr 1430 noch Urkunden des hiesigen Stadtrats genug, in denen er sich bloß mit dem Namen Ratmannen der Stadt Neuruppin bezeichnete. So unsicher und unscheinbar die von uns aufgestellten Gründe einzeln sein dürften, ebenso sicher beweisen sie dagegen durch ihr auffallendes Zusammentreffen auf ein und dieselbe Zeit, dass das Schulzenamt erst kurz vor dem Jahr 1430 kann an die Stadt gekommen sein. Seit dieser Zeit findet es sich in den Urkunden von Neuruppin mit keinem Wort weiter erwähnt.

Das Amt der Ratmannen dauerte nur ein Jahr. Gleich nach Johannis in der Mitte des Sommers pflegten sie ihr Amt anzutreten, um von da an ein Jahr den städtischen Angelegenheiten vorzustehen. Von wem die Wahl vollzogen wurde, lassen wir dahin gestellt, doch scheint es uns unglaublich und unerträglich, dass die ausscheidenden Ratmannen sollten das Recht gehabt haben, selbst ihre Nachfolger zu ernennen. In der oft erwähnten Urkunde von 1230, deren Original natürlich, wie die bei weiteren meisten der von uns genannten, verloren gegangen ist, heißt es: *decrevimus ut Consules Consulibus substituendis computent, assumptis quibus tam discretioribus civitatis.* Hier ist eine andere Lesart, deren Authentie wir nicht verbürgen mögen: *Consulant*, und daraus haben neuere Forscher geschlossen, die alten Konsuln hätten die neuen gewählt. Aber gesetzt auch, es wäre *consulant* die richtige Lesart, so würde doch auch sie nur den Sinn enthalten können, dass die alten mit der Einführung der neuen beauftragt sein sollten, nicht aber mit deren Wahl. Übrigens ist *computent* gerade der stehende Ausdruck im Mittelalter von der Rechnungsabnahme, und danach hierbei nur an eine Rechnungsübergabe der alten Konsuln an die neuen zu denken. Die Wahl der Ratmannen war aber gewiss bei der Bürgerschaft. Die drückendste Oligarchie weniger bevorrechtigter Familie hätte sonst jedenfalls hiervon die Folge sein müssen. Der Ratsherreneid, den die neu antretenden Stadträte wahrscheinlich in die Hände der abgehenden ablegten, lautete folgendermaßen: »Ich schwöre zum Rate, darzu ich erkoren bin, dass ich kommen will, sobald ich dazu vorgeladen werde, und dass ich der Stadt Bestes will betrachten helfen und richten helfen Alles, was mir zu richten zukommt, wie ich das alte Recht weiß; davon will ich nicht lassen um Freundschaft, Gift oder Gabe noch um irgendeiner Frucht willen; auch will ich nicht melden der Stadt Heimlichkeit, und was im Rate verhandelt wird, so wahr mir Gott helfe und das heilige Evangelium.«

Zur besseren Führung der Geschäfte scheinen an manchen Orten die Ratmannen nicht sämtlich mit einem Mal, sondern alljährlich nur ein bestimmter Teil des Rates ausgeschieden zu sein. Dass aber in unserer Stadt der ganze Rat abtrat, dafür zeugt besonders, dass, wenn die alten und neuen Ratmannen zusammen erwähnt werden, ihre Anzahl gerade 12 betrug. Und noch sicherer würde dies aus zwei Listen aus zwei aufeinanderfolgenden Jahren 1446 und 1447 erhellen, in denen ganz verschiedene Männer genannt wurden, wenn nicht jene schon aus dem Januar 1446, diese aus dem September 1447 wäre, sodass die Ratmannen des Jahres Johannis 1446 bis Johannis 1447 zwischen beiden standen und uns leider unbekannt sind. Wahrscheinlich galt auch hier der Grundsatz, es dürfe keiner zum Rat erkoren werden, der schon während der beiden letztverflossenen Jahre in demselben gesessen, und die uns erhaltenen Listen stimmen damit ganz vollkommen überein. Wenn wir jedoch auf der anderen Seite berücksichtigen, dass es teils eines gewissen Grades von Bildung, Kenntnis des ungeschriebenen oder geschriebenen Rechts, einer genauen Bekanntschaft mit den Verhältnissen und der Geschichte der Stadt, ferner eines immer bedeutenden Wohlstandes bedurfte, um den durch die Ratsversammlungen erzeugten Zeitverlust nicht sonderlich schmerzlich zu fühlen, sowie um zu Reisen im Dienst der Stadt nach Alt Ruppin, nach Wittstock, nach Zechlin, nach Havelberg, nach Berlin, nach Magdeburg usw. stets fertig und bereit zu sein, so werden wir uns wenig darüber wundern, einige Familien häufiger als andere dieses Amt begleiten zu sehen. So war 1256 ein Lambert und 1291 Johann Möringen, wahrscheinlich dessen Sohn, einer der Ratmannen. 1311 und 1315 sind Heinrich von Jerichow, Jakob von Schladen, Johann von Stormann, Nikolaus Gürter, Eckard von Kyritz, Herbord Frankens Sohn, Johann Gherdanyk, in jenem ein Johann Clot, in diesem Johann Clot in den Ratsherrenlisten. 1321 und 1323 Konrad Ruschebom, Gerhard der Goldschmied, Johann Kraneput, 1323 ferner Johann Schadelant und Johann Appelmann, 1321 dagegen Johann Schadelant, Jakob und Heinrich Appelmann Mitglieder des Rats. Ein Johann Gottberg ist 1362 und 1395, Lorenz

Knochenhauer 1362 und Simon Knochenhauer 1406, Matthias Steven 1393 und 1406, Wichmann Glöden 1362 und Konrad Glöden 1395, Johann Palendorf 1382 und 1393, Nikolaus Walsleben 1382 1434 und 1446, Hermann Witte 1360 und Jakob Witte 1395 und 1406, Nikolaus Rosstauscher 1360 und Dietrich Rosstauscher 1382 und 1395, Konsuln. Ein Johann Meyenburg wird uns 1430, 1434 und 1446, Konrad Stolle in denselben Jahren, Gerke Blankenberg 1430 und 1434, in eben denselben Jahren Johann Wildelow und Heinrich Süring, Peter Simon 1434, 1446 und 1433, Nikolaus Storbeck 1446 und 1453, Johann Storbeck 1434, Otto Storbeck 1447, Johann von Langen 1447 und 1453, Jasper Tryppehna zu derselben Zeit, ein Nikolaus Botzin 1395 und ein Matthias Botzin 1453, ein Dietrich Pritzerbe 1360 und ein anderer Dietrich Pritzerbe 1487 in den Ratsherrenverzeichnissen erwähnt. Aus der Zusammenstellung dieser Listen, welche wir in der Urkundensammlung liefern werden,[251] wird man leicht in einer Übersicht die wichtigsten in unserer Stadt während jener Zeit ansässigen Familien kennenlernen können.

Offenbar bedurfte die Gesamtheit der Bürger ihrer Vertreter und Repräsentanten, denen sie die Sicherung ihrer Gerechtsame und Freiheiten anvertrauen konnte, und diese Vertreter mussten selbst aus der Mitte der Bürgerschaft genommen, mit deren Interessen bekannt, bei allem, was das Wohl oder Wehe der Gemeinde betraf, selbst beteiligt sein. Zu einer solchen Vertretung war weder der Vogt noch der Schulze geeignet, da der eine stets ein Dienstmann des Grafen und dieser durch seine Lehnsverhältnisse gleichfalls in einer höheren Abhängigkeit vom Grafen stand, als zur Wahrnehmung der städtischen Rechte und zur Vertretung derselben gegen Angriffe und Eingriffe von höherer Seite geeignet war. An diese Repräsentanten der Gemeinde wendete sich der Graf, wendete sich der Schulze, sobald sie etwas mit der Bürgerschaft zu vertreten hatten. Sie waren die Verwalter des städtischen Eigentums, sorgten für die Sicherheit des Lebens, des Gutes der Bürger wie der Fremden in der Stadt. Der Verkehr auf den Jahr- und Wochenmärkten, die Gewerbe und Handwerker waren ihrer Aufsicht übergeben. Nach vorher eingeholter Zustimmung der Grafen hatten sie das Recht, Gilden einzusetzen und Gilden niederzulegen, und von der Verwaltung ihres Amtes sind sie nur ihren unmittelbaren Nachfolgern zur Rechenschaft verpflichtet gewesen. Von ihnen hing es ab, das Bürgerrecht zu erteilen oder im Fall eines Verbrechens wieder zu entziehen. Ihnen schworen die neuaufzunehmenden Bürger, die Gildemeister den Eid des Gehorsams und der Treue. Verletzung dieses Eides, Ungehorsam gegen ihre Vorladung straften sie mit schweren Bußen, selbst mit Zurücknahme des Bürgerrechts. Wir wollen, den Urkunden folgend, näher ins Auge fassen, wie sich die Rechte des Stadtrats zu Neuruppin nach und nach erweitert und festgestellt haben.

Im Jahr 1256, unmittelbar nach dem Antritt seiner Regierung, erteilte Graf Günter I. den Ratmannen unserer Stadt einige besondere Vorrechte, wie sie die Markgrafen Johann I. und Otto III. der Stadt Stendal verliehen hatten, und zwar, wie es ausdrücklich in der sehr wichtigen Urkunde heißt, um aller Stänkerei und Streitigkeit vorzubeugen, welche zwischen Vogt und Schulzen auf der einen und den Ratmannen auf der anderen Seite sich erheben könnte, und wir dürfen ganz getrost hinzusetzen, wirklich erhoben hatte. Demnach sollte ein Bäcker, der überführt würde, schlechtes Brot gebacken zu haben, dafür 36 Schillinge an die Ratmannen, das heißt, an die Stadt, Buße zahlen. Seinen Wein sollte einem jeden, wo es ihm belieben würde, zu verkaufen gestattet sein. Von jeder der verkauften Kufe aber solle er den Ratmannen 4 Schillinge erlegen, seinen Wein vor dem Verkauf überdies von diesen prüfen lassen. Verfälschung des Weins durch Wasser oder falsches Maß zog gleichfalls eine Buße von 36 Schillingen nach sich. Dieselbe Buße sollte überdies jeder erlegen, wer sich bei irgendeiner Flüssigkeit eines falschen Maßes bediente, ferner jeder Fleischer, der in seinem Scharren unreines, verdorbenes Fleisch feilbot. Habe er schlechtes Fleisch in seinem Laden, so sollte er es verkaufen vor der Tür, damit jeder vor dem Kauf sich von der Beschaffenheit des Fleisches selber überzeugen konnte. So auch jeder Höker, der sich des Meinkops, der Überlistung des Käufers, schuldig machte, sollte in die nämliche Strafe verfallen, und, sollte er sich desselben Vergehens zu wiederholten Malen schuldig machen, auf dem Markt öffentlich mit Ruten oder sonst gepeitscht werden. Ingleichen wer sich falscher Elle, falsches Gewichtes, falsches Maßes bediente. Dem Weber, der trügliche Arbeit lieferte, sollte nicht bloß die gleiche Buße aufgelegt, sondern ihm auch das Zeug öffentlich auf dem Markt verbrannt werden. 36 Schillinge sollte auch derjenige erlegen, welcher ungesalzene, in Fäulnis übergegangene Fische auf dem Markte feilhielt – alles treffliche polizeiliche Maßregeln, bei denen am meisten die außerordentliche Höhe der Strafsumme unsere Verwunderung erregt. Was den Salzverkauf betreffe, so sollten die Rathmannen darüber ihre Maßregeln nehmen, jedoch ohne Kränkung der Rechte des landesherrlichen Zöllners. Eine ähnliche Aufsicht wurde den Ratmannen auch über die Neubauten und Baureparaturen, über die Anlage von Brunnen in der Stadt, von Gärten vor dem Tor anvertraut, in der Forst begangene Holzfrevel ihrer Bestrafung unterworfen, und zugleich ihnen der Zins von den Gärten angewiesen. Über die gräflichen Richter jedoch, d.h. über Vogt und Schulzen solle den Konsuln keinerlei Art von Jurisdiktion zustehen, überhaupt aber hatte der Stadtrat auch außer den in der Urkunde bezeichneten Fällen als polizeiliche Behörde für Ordnung, Ruhe und Sicherheit in der Stadt Sorge zu tragen, und das geschah freilich mit einer Strenge, die in unseren Tagen als unerhörte Bedrückung würde verschrien werden. Zu Salzwedel durfte, wenn die Nachtwächter die Straßen durchzogen, jeder, wer ohne Licht auf der Straße ging, festgenommen und so lange in bürgerlichen Gewahrsam gebracht werden, bis er vor den Richter, d.h. vor die Ratmannen konnte gestellt werden.

Bei allen Polizeivergehen dieser Art hatte ohne Zweifel nunmehr der Magistrat die Jurisdiktion, und die Strafe erfolgte auf der Stelle. Bestand die Buße in einer Geldstrafe, so wurde sie in die Stadtkasse gezahlt. Den Ratmannen für ihre Person kam davon nichts zugute. Ehe nun der Graf Günther dies wichtige Privilegium der Stadt erteilt hatte, wurde die Polizei ohne Zweifel von dem Schulzen geübt, und die Geldbußen, welche er einzog, flossen in seine Kasse. Es wird nun leicht einzusehen sein, warum es nötig war, dass nicht nur der Vogt, sondern auch der Schulze jenem Privilegium durch seine Namensunterschrift seine Zustimmung geben musste. Gröbere Vergehen, welche in der Terminologie jener Zeit unter dem Namen der Exzesse *(excessus)* zusammengefasst werden, z.B. Mord, Verwundung, böswilliger Angriff, Straßenraub, bis herunter zu dem gemeinsten Diebstahl, Fälschung, Verleumdung und dergleichen gehörten weder vor die Ratmannen noch vor das städtische Gericht, sondern unmittelbar vor das gräfliche Gericht, welchem daher auch ungeteilt die Besserungsgelder *(poenae correctionum)* eingezahlt werden mussten.

Im Jahr 1315 aber bewilligte Graf Ulrich I. von Lindow mit Hinzuziehung seiner beiden Söhne Ulrich II. und Günther II. den Bürgern seiner geliebten Stadt für die unausgesetzte und bereitwillige Unterstützung, welche sie ihm gewährte, dass mit Ausnahme der Juden, welche auch fernerhin bloß unter des Grafen Gericht stehen sollten, jedes in der Stadt, und auf deren Gebiet begangene Verbrechen, sei es ein Mord, eine Verwundung oder eine andere Verletzung, so wie jeder andere Exzess nur von dem städtischen Richter sollte gerichtet werden.[252] Es ist nicht unwahrscheinlich, dass der Graf diese Gerichtsbarkeit über die Exzesse hatte durch seinen Vogt ausüben lassen. Weil aber durch die Befugnis des Vogtes, im Falle eines Verbrechens nach Belieben Bürger einzuziehen und gefangen zu halten, die persönliche Sicherheit der letzteren immer gefährdet, weil ferner die Höhe der Korrektionsstrafe nicht durch Herkommen noch durch Gesetze, sondern allein nach des Grafen oder des Vogtes Gutachten festgesetzt wurde, weil überdies der Vogt gewiss die Verfolgung und Bestrafung der Schuldigen viel langsamer betrieb, und selbst der Bestechung viel zugänglicher war, als die in ihrer Sicherheit und in ihrem Verkehr gestörte Stadt, so suchten und erlangten die Städte allmählich von dem Landesherrn (aber gewiss nicht umsonst) das Recht, die innerhalb der städtischen Feldmark verübten Frevel vor ihr eigenes Gericht zu ziehen und zu bestrafen.

In demselben Jahr, in welchem Graf Ulrich I. unserer Stadt dies Recht verlieh, gestattete auch Markgraf Johann V. der Stadt Brandenburg, alle Verbrechen, welche in der Stadt bei Tag oder bei Nacht verübt, und bei denen der Verbrecher auf handhaftiger Tat gefasst würde, selber zu richten und mit einer entsprechenden Buße zu belegen. War demnach in der Stadt oder auf städtischem Gebiet ein Exzess verübt worden, und der Täter bekannt und in den Händen der Stadt, so wurde derselbe von den Ratmannen vor das Schulzengericht gestellt, und von diesem in der oben beschriebenen Weise der Spruch gefällt und die Strafe bestimmt, welche, wenn sie in einer

Geldbuße bestand, nunmehr wahrscheinlich der Stadtkasse zugutekam.

Wenn es nun in unserer Urkunde ausdrücklich heißt, dass der Graf die Entscheidung über alle und jede Exzesse, selbst über Todschlag, der Stadt übertrage und einräume, so ist kein Grund da, daran zu zweifeln, dass das Stadtgericht, freilich wohl immer nur unter dem Vorsitz des Vogtes, selbst das Todesurteil habe erkennen und vollziehen lassen dürfen.

Als Wahrzeichen dieser höchsten Gewalt über Leben und Tod dienten in mehreren märkischen Städten, wie in Kyritz, Perleberg, Stendal, Gardelegen, Tangermünde, Salzwedel die nun größtenteils niedergestürzten und auch aus der Erinnerung verschwundenen Rolandssäulen mit dem drohenden Schwert vor dem Schwibbogen oder der Rathauslaube *(lobium)*, in welcher die Schöffen zu Gericht saßen; dagegen anderswo wie in dem Dorf Buch bei Stendal zwar auch eine Rolandssäule stand oder vielmehr noch steht, aber nur ohne Schwert. Ich finde nirgends erwähnt, dass in unserer Stadt je eine solche Statue vorhanden gewesen. Gesetzt auch, sie wäre ganz aus dem Andenken der Bewohner derselben verschwunden, so hätte sich doch gewiss unter den so zahlreichen Nachrichten aus der Periode der gräflichen Herrschaft wenigstens eine wenn auch noch so leise Andeutung erhalten müssen.

Ein Prozess von der eben erwähnten Art war der über den verbrecherischen Priester vom Jahr 1397, dessen wir schon oben Erwähnung getan haben. Der Priester war überführt, seiner Schuld eingeständig. Es wurden die Bürger durch die Glocke zu einem außerordentlichen großen Ding versammelt. Schöffen und Richter verurteilten den Schuldigen zum Tod. Der Graf, heißt es, und seine Räte pflichteten bei. Zwei Bürger vollzogen die Exekution auf der Stelle. Die Stadt wurde mit dem Interdikt belegt, nicht weil das Urteil falsch gewesen, sondern weil sie einen Geistlichen vor ihr städtisches Gericht gestellt, wozu sie offenbar kein Recht hatte. Was es mit der eben erwähnten Zustimmung des Grafen für eine Bewandtnis habe, das wollen wir dahingestellt sein lassen. Auf jeden Fall ist es unbegreiflich, wie der Graf, wenn er die Schuld teilte, hätte vom Bann frei bleiben können, da gewiss dem römischen Hof wenig daran lag, einen

Grafen von Lindow zu schonen. Ob damals noch ein Vogt in der Stadt gewesen, wissen wir nicht, glauben es aber nicht, da sein Name so wenig als der des Schulzen *Busso* hätte unter der ersten und den folgenden Absolutionsbullen fehlen dürfen. Wir sind daher der Meinung, dass der Schulze und die Schöffen damals schon allein das große Ding abhalten durften, dass sie daher auch allein freilich vor den Augen der gesamten aufs Höchste erbitterten Bürgerschaft das Urteil sprachen, und die Ratmannen dasselbe durch zwei vom Los dazu bestimmte Bürger vollziehen ließen. Nach diesen Bemerkungen wird die Ansicht Bratrings über diesen merkwürdigen Rechtsfall keiner weiteren Widerlegung bedürfen. Die Stadt hatte auf jeden Fall die vom Papst Bonifaz IX. über sie verhängte Strafe des Bannes ganz vollkommen verdient.

Wenn die Stadt nun aber das Recht hatte, grobe Verletzungen ihrer Sicherheit und Ruhe vor ihrem Gericht zu ahnden, so ergibt sich daraus auch wohl die Befugnis, flüchtige Verbrecher zu verfolgen und deren Festnahme auch an anderen Orten des gräflichen, ohne Zweifel auch des markgräflichen Gebiets, ja vielleicht selbst über die Grenzen der Mark hinaus zu bewirken. Finden wir doch, dass im Jahr 1288 die Markgrafen alle ihre Untertanen, Ritter und Knappen, Schulzen, Bürger und Bauern aufforderten, den Stendalern beim Verfolgen und Einfangen der Brandstifter, welche ihre Stadt in Asche gelegt, behilflich zu sein, eine Aufforderung, durch welche ein den Bürgern jener Stadt ohnehin zustehendes Recht nur noch unterstützt werden sollte. Auch die Stadtknechte von Neuruppin, ja nicht selten die Bürger der Stadt, waren oft auf dem Nachjagen der Diebe begriffen, welche Pferde gestohlen hatten. Bis nach Schwerin, Mirow, Strelitz ritten sie ihnen nach, und nicht immer vergebens. In den städtischen Rechnungen vom Ende des 15. und vom Anfang des 16. Jahrhunderts wurden dann die Zehrungskosten mit aufgeführt, welche den Verfolgenden verursacht wurden. Auch die übrigen erlittenen Verluste wurden, wie wenn jemand seinen eisernen Hut im Getümmel verloren, seine Armbrust zugesetzt hat, wenn er lange von den erhaltenen Wunden darniedergelegen, von der Stadt redlich vergütet. Der Verbrecher, eingeholt und ergriffen, wurde dann natürlich vor das städtische Gericht gestellt, und von diesem über seine

Schuld oder Unschuld entschieden und die Buße festgesetzt.

Die Gerechtigkeit, nur ihren eigenen angeborenen Richtern Rede stehen zu dürfen, scheinen die Bürger unserer Stadt nicht gehabt zu haben. Es war auch im höchsten Grad der Billigkeit gemäß, dass im Fall eines Rechtsstreits mit einem Lehnsmann des Grafen oder einem anderen nicht dem städtischen Gericht unterworfenen Mann sich der Bürger gleichfalls einem Gericht unterwerfen musste, welches, parteilos über den streitenden Parteien stehend, viel zuverlässiger sein musste, als eine bloß von Bürgern besetzte Schöffenbank. Doch versprach 1315 Graf Ulrich I. der Stadt, dass, wofern ein Bürger wegen eines Exzesses oder irgendeiner anderen Ursache bei ihm verklagt würde, er ohne Gefährde seiner persönlichen Sicherheit bei ihm erscheinen und seine Verteidigung führen dürfe. Im Jahr 1323 fügten die Grafen Günther II. und Ulrich II., Adolf I. und Burchard noch die Bestimmung hinzu, dass, wenn ein Bürger unserer Stadt jemand bruchhaftig geworden, der Bruch nirgends anders sollte gerichtet werden, als vor dem Gericht des Ortes, wo er geschehen war.[253] Ingleichen versprachen sie dem Bürger, der an einen der gräflichen Mannen oder Vasallen eine gültige vom Richter anerkannte Forderung habe, zu einem Pfand aus seinem Hof oder aus seinem Gut behilflich zu sein. Es würde sich ohnehin von selber verstehen, dass der Rat als Repräsentant der ganzen Gemeinde *(communitas)* nun vor dem gräflichen Gericht konnte belangt werden. In der Tat finden sich aber in den Rechnungsbüchern genug Beispiele, dass die Ratmannen, von diesem oder jenem selbst einzelnen Bürger verklagt, in Alt Ruppin vor dem Grafen, oder vor dem Bischof Johann von Havelberg, als Vormund des jungen Grafen Wichmann, bald eben dort, bald zu Wittstock, bald zu Zechlin erscheinen mussten, um sich von wegen der Anklage dieses oder jenes Mannes zu verantworten.

Ob die Ratmannen auch zugleich auf der Schöffenbank haben sitzen können, ist eine Frage, die wir unbedenklich bejahen können. Der Rat konnte als solcher nicht vor dem städtischen Gericht verklagt werden. Mithin konnte aus dieser doppelten Stellung keine Kollision entstehen. Wirklich finden wir auch im Jahr 1398 unter den damaligen Schöffen Männer, welche, wenn auch nicht in dem nämlichen Jahr, so doch kurz vorher oder gleich nachher unter den

Ratmannen mit aufgeführt werden. So ist Johann Palendorf im Jahr 1393, Johann Bartikow in demselben Jahr, Nikolaus Botzin und Dietrich Rosstauscher 1395 Konsul gewesen, Nikolaus Schlieben wurde es 1406. Warum hätte man nicht Männer, welche der Stadt vielleicht Jahre lang als Richter treulich gedient, auch für ein Jahr in den Rat rufen sollen, ohne dass sie deshalb genötigt gewesen wären, die Schöffenbank zu räumen? Auffallender ist, dass in eben diesem Jahr nur Christian Tetzel, Gerhard Muß und Heinrich Pritzerbe als Bürgermeister namhaft gemacht werden, während doch in allen früheren und späteren Ratsherrenlisten bei Weitem mehr genannt wurden. Wir gestehen, dass wir uns diese Abweichung nicht anders als durch die Annahme zu erklären wissen, es müssen die drei übrigen Ratmannen des Jahres 1398 auch zugleich Schöffen gewesen und daher nicht zum zweiten Mal als Konsuln aufgeführt sein. Wer übrigens von jenen sieben Schöffen im Jahr 1398 auch Ratmann gewesen, wird, glauben wir, niemand so unverschämt sein wollen, mit Bestimmtheit angegeben zu sehen.

So lange das Kollegium der Ratmannen alljährlich neu besetzt wurde, kann von keiner bedeutenden Einnahme derselben die Rede sein. Es war ein Amt, zu welchem der Bürger durch das Vertrauen der Gemeinde berufen wurde, und die Ehre, in diesem Amt zu stehen, galt mehr als irgendeine Besoldung. Gleichwohl waren den Ratmannen auch einige ökonomische Vorteile bewilligt z. B., dass sie nur die halbe Bede entrichteten, dass sie überdies während ihres Amtes bzw. Amtsjahres von Nachtwachen und Torwachen ganz befreit waren. Ferner hatten sie, wie wir schon oben gesehen haben, die Verpflichtung, den Wein vor seinem Verkauf zu proben, wobei der Weingärtner es dann den Ratmannen und dem Notar nicht an einem guten Essen fehlen ließ. Überdies erhielten sie von der Kufe Weines zwei Kannen, von denen die eine der *Kannewye*, die andere aber der *Settewye* hieß. Für die Kellerlage jedoch empfing die Stadt 6 Schillinge.

Was ferner von Christen für die Erteilung des Bürgerrechts, von Juden für die Erlaubnis, in der Stadt zu wohnen, gegeben wurde, gehörte gleichfalls zu den Akzidenzien der Ratmannen, ebenso die Gebühren, welche bei der Überweisung von städtischem Eigentum an Bürger von diesen auf der Ratsstube gezahlt wurden z. B. von den Fleischerbänken, den Hökerbuden, den Gärten, welche der Stadt Zins gaben usw.; dagegen die jährlichen laufenden Abgaben und Zinsen von diesem städtischen Besitz in die Stadtkasse eingezahlt und von den Konsuln für die Stadt berechnet wurden.

Wer ohne ausreichende Entschuldigung der dreimaligen Vorladung der Ratmannen nicht Folge geleistet hatte, weddete diesen 5 Schillinge, welche, wie es ausdrücklich heißt, gleich den eben aufgeführten Einkünften den Konsuln zugutekommen sollten.

Mehr als die eben von uns namhaft gemachten Einnahmen waren in einem alten aus 83 Pergamentblättern bestehenden Stadtbuch unter dem Jahr 1392 nicht verzeichnet, und wir haben keinen Grund zu glauben, es seien in demselben einige ausgelassen worden. Wir leugnen nicht, dass späterhin der Rat durch Vermächtnis oder auf andere Weise Kapitalien erworben, Grundstücke an sich bringen konnte, von welchen nicht die Stadt, sondern eben die jedesmaligen Ratmannen den Nießbrauch hatten. So, wenn aus der zweiten Hälfte des 15. Jahrhunderts in einem alten Verzeichnis bemerkt ist, dass der Rat hiesiger Stadt 3 Mark, die Mark zu 1 Schock und 8 Groschen zu rechnen, für 200 Rheinische Gulden aus der Urbede an sich gebracht, welche, wenn sie der Graf zurückkaufen wolle, auf Weihnachten gekündigt werden mussten, worauf wahrscheinlich die Zurückzahlung jener 200 Gulden zu Walpurgis hätte erfolgen müssen. Es ist hier sehr fraglich, ob der Rat für sich und zu seinem Besten oder für Rechnung der Stadt diesen Kauf geschlossen. In seinen Rechnungsbüchern haben wir nie gefunden, dass er diese 3 Mark für sich berechnete, wie er doch für die Schöffen die 1 Mark in Anrechnung brachte. Es ist natürlich, dass der Rat eine ganz andere Gestaltung gewinnen musste, als unter kurfürstlich-brandenburgischer Regierung seine Umwandlung in eine fortdauernde Behörde erfolgte.

Es ist schon früher berührt worden, dass bei wichtigen Angelegenheiten nicht allein diejenigen Ratmannen, welche während des laufenden Jahres im Amt waren, sondern auch diejenigen, welche während des verflossenen die Ratmannenwürde bekleidet hatten, ihren Namen unterzeichneten, und auch späterhin scheint man es für zweckmäßig gehalten zu haben, den wirklichen Ratmannen zur Beratung auch jene alten zuzugesellen, damit die des Geschäftsgangs vielleicht weniger kundigen neuen jene um ihre Ansicht befragen und sich durch ihre Erfahrenheit von übereilten Handlungen zurückhalten lassen möchten. So werden denn von Anfang des 15. Jahrhunderts an sehr häufig Ratmannen, alte und neue, erwähnt, ohne dass wir jedoch wenigstens bei unserer Stadt irgendeine Andeutung über das Verhältnis der amtlichen Stellung beider zu einander hätten. Ohne Zweifel war jedoch die Tätigkeit des alten Rats mehr eine beratende und zwar insonderheit eine negative. Die häufige Erwähnung desselben in Urkunden beweist jedoch, wie viel Gewicht auf seine Zustimmung gegeben wurde.

Dass das Schulzenamt wahrscheinlich um das Jahr 1425 in unserer Stadt eingegangen und an die Stadt gekommen ist, haben wir schon oben zu bemerken Gelegenheit gehabt. Es versteht sich von selber, dass hiermit auch das städtische Gericht hätte an den Rat als Repräsentanten der Stadt kommen sollen. Das Letztere scheint jedoch in der Tat nicht geschehen zu sein. Es wird ausdrücklich gleich nach dem Aussterben der gräflich-lindowschen Familie berichtet, dass die Gerichte in unserer Stadt Seiner Kurfürstlichen Gnaden zugehörten. Hafftiz wusste sogar, dass die Grafen sich einst erboten hätten, dem Rat zu Neuruppin für eine Lieferung inländischen Tuches die Gerichte abzutreten. Damals hätten sich die Ratmannen dessen geweigert, später hätten sie gern 3.000 Taler und darüber geben mögen, da aber sei es zu spät gewesen. Noch in der Zeit der letzten Grafen finden wir Schöffen und Rat einander gegenüber, selbst in weniger freundlicher Stellung, als zu erwarten gewesen wäre, wenn die Schöffenbank vom Rat aus wäre besetzt gewesen bzw. worden.

Es bedurfte einer besonderen Fürsprache des Kurfürsten, dass den Schöffen jenes öfter erwähnte Haus auf dem neuen Markt als Richthaus eingeräumt wurde. In dieser unabhängigen Stellung sehen wir beide Behörden noch später. Wäre dagegen das Gericht an die Stadt gekommen, so würde es dem Belieben des Rats anheimgestellt gewesen sein, irgendeinen tüchtigen Mann dem Schöffengericht vorzustellen, ja statt der bisherigen Schöffen die Schöffenbank aus seinen eigenen Mitteln zu besetzen, von einem besonderen Schöffenhaus aber würde nie die Rede gewesen sein, sondern das Rathaus zugleich mit als Gerichtshaus gedient haben. Da aber die Gerichte dem Grafen blieben, so müssen in seine Kasse nicht allein nach wie vor die zwei Drittel der Gerichtsgelder eingezahlt, sondern auch der Stadtrichter von ihm das Amt eines Richters erhalten haben. Leicht möglich, dass ihm und den Schöffen das letzte Drittel der Gerichtsgelder zufiel, welches ehedem zu den Einkünften des Schulzenamtes gehört hatte. Viel bestimmtere Nachrichten sind uns in dieser Beziehung über Wusterhausen erhalten, zu deren Darlegung und Betrachtung wir sogleich weiter gehen wollen.

Als im Jahr 1325 oder vielleicht in dem letztvorhergehenden Jahr in Wusterhausen das Schulzenamt erledigt worden war, übertrugen die Grafen Günther II., Ulrich II. und Adolf I. von Lindow nach reiflichem und weisem Rat der Ihrigen den Ratmannen und der Stadt Wusterhausen das Schulzenamt und die Gerichtsbarkeit desselben in jeder Art von Rechtsspruch sowohl im oberen als im niederen, mit den Einkünften von Exzessen und Wedden, sodass der eine Teil derselben von den Grafen gezogen, der andere aber der Stadt selber entrichtet werden sollte, und das wegen eines Geschenks von 16 Pfund und wegen der Zuneigung, die sie, wie sie sagten, gegen die Stadt hätten.[254] Sie sollten demnach dem Gerichtsamt vorsetzen dürfen, wen sie dazu erkiesen würden, und wen sie dazu für tüchtig hielten, ganz nach ihrem eigenen Gutachten. Dass die neuen Landesherren der Stadt Wusterhausen, unsere Grafen, statt der bisherigen zwei Drittel von den Gerichtsgeldern nur die Hälfte sich ausbedungen, kann uns nicht eben Wunder nehmen, wohl aber, dass sie ein so wichtiges Gut wie das Schulzenamt für eine so geringe Summe hingaben, während doch in dem benachbarten Kyritz nach dem Landbuch von 1375 die landesherrlichen Einkünfte aus dem dasigen Stadtgericht für 133 Mark Silbers verpfändet waren.

Die andere Hälfte des Gerichts überließen 1377 die Grafen Ulrich III., Albrecht VI. und Günther III. den Ratmannen zu Wusterhausen für 45 Mark Brandenburgischen Silbers und Gewichts, die sie in echtem Silber jenen bereitet hatten.[255] Die genannten Grafen bezeugten in dieser Urkunde, dass sie mit Rat ihrer treuen Ratgeber jenen hatten gelegt und legten das Schulzenambacht, und das zu richten, als es sich zu dem Amt gehöre an dem höchsten und an dem sidesten, mit allem Gebrauch und Freiheit, so wie sie die eine Hälfte längst von den Eltern der Grafen und von ihnen hatten, und so wie sie ihnen die verbrieft hatten. Doch sollte ihren Erben und Nachkommen der Zurückkauf um die vorbeschriebenen 45 Mark gestattet sein.

Dieser Rückkauf muss in der Tat erfolgt sein, wir wissen freilich nicht durch welchen Grafen, da Graf Joachim im Jahr 1503 sagte, dass sein Herr Vater löblicher Gedächtnis den Ehrsamen unsern lieben getreuen Bürgermeistern, Ratmannen und unser ganzen Stadt Wusterhausen die Hälfte zu dem sidesten Gericht vor etlichen Jahren verpfändet habe.[256] Da Graf Joachim die Ratmannen mit der Wiedereinlösung des Pfandes bedrohte, so verglichen sie sich mit ihm dergestalt, dass gegen Zahlung von 325 Rheinischen Gulden diese Verpfändung in einen rechten und ewigen Kauf verwandelt werden sollte. Demnach belieh Graf Joachim im Jahr 1503, montags nach Vocem Jocunditatis, die Bürgermeister und Ratmannen und die ganze Stadt Wusterhausen mit dem höchsten und sidesten Gericht und dem Schulzenamt, sodass sie einen Schulzen nach ihrem Gefallen kiesen und annehmen, und mit dem Gericht, höchst und sidest, wie sich zur Billigkeit eigene und zum Recht gehörte, handeln und schaffen mochten, von ihm, dem Grafen, seinen Nachkommen und Erben und jedermann unvermindert, und versprach, dass er ihm zu allem Recht eine gute Gewähr sein wolle, sie dabei beschützen und verteidigen, getreulich und ungefährlich.[257]

Wir wenden uns von Wusterhausen wieder zurück in unsere Stadt, um hier den Rat als Verwalter des städtischen Vermögens von einer anderen Seite ins Auge zu fassen. Die Ratmannen, deren Einsetzung wahrscheinlich schon den ersten Zeiten nach Gründung der Stadt angehörte, waren von der Bürgerschaft selbst mit der Verwaltung des städtischen Eigentums beauftragt. Sie waren hier wie in anderen Orten auf die Vermehrung dieses Eigentums umso mehr bedacht, weil durch die erhöhte Wichtigkeit ihres Geschäftskreises natürlich auch ihr eigenes persönliches Ansehen musste erhöht werden.

3.5 Die Einnahmen der Stadt Neuruppin und ihre Besitzungen

3.5.1 Die Einnahmen der Stadt

Wie gering das Eigentum der städtischen Gemeinde ursprünglich müsse gewesen sein, erhellt am besten daraus, dass selbst von dem Rathaus auf dem alten Markt, dem Ratskeller, den Fleischerbuden, den Wursttischen, den Fisch- und Heringsbänken, von dem Kaufhaus, dem Gewerbehaus, der Zins nicht der Stadt, sondern zu zwei Teilen dem Grafen, zu einem dem Schulzen gehörten, und erst 1256 durch jenes schon oft berührte Privilegium des Grafen Günther I. der Stadt, d. h. den Ratmannen derselben, übergeben wurde. Diese Einnahme sowie die wegen polizeilicher Vergehen im Handel und Verkehr erhobenen Strafgelder flossen in die städtische Kasse; ebenso auch der Zins von denjenigen Gartenländern, welche außerhalb der Stadt auf dem nicht zu Hufen verteilten Land angelegt und eingerichtet waren. Durch diese und ähnliche Einkünfte, wie z.B. die bei der Aufnahme neuer Bürger in die Bürgschaft oder in eine Gilde, bildete sich allmählich eine städtische Kasse, welche von den Ratmannen dazu benutzt wurde, von den Landesherren neue Rechte, Güter und Hebungen zu erkaufen, wenn diese in ihren häufigen Geldverlegenheiten zu den schnell sich vermehrenden Reichtümern der Stadt ihre Zuflucht zu nehmen sich genötigt sahen. So hatten die Ratmannen des Jahres 1290 bis 1291 von den Grafen Burchard III. und Ulrich I. um eine uns unbekannte Summe 6 Talente aus dem gräflichen Zoll, in drei Terminen zu Weihnachten, Pfingsten und Michaelis zahlbar, ferner 6 Talente von dem hiesigen Wursthaus, von den Fleischerscharren 16 Schillinge Zins, 7 Talente von demselben für ihre Benutzung von den Fleischern, 10 Schillinge von dem gräflichen Zöllner zu Neuruppin für den Gebrauch der Wollwaage, 2 Talente, welche die hiesigen Wollenweber für die Benutzung des Rathauses auf dem alten und des auf dem neuen Markt, ingleichen 2 Talente, welche die Bäcker für die Brotscharren zahlten, 4 Talente für die beiden Garbräter-Scharren, erstanden.[258] Jeder Gewandschneider sollte der Stadt zu Michaelis für seinen Stand auf dem alten Rathaus 3 Schillinge zahlen, die Wiese bei Langen der Stadtkasse jährlich 2 Talente, das Haus des Stadtboten 1 Talent eintragen. Von den Schuhmachern sollten die Ratmannen für ihren Stand auf dem neuen Markt und zwar von einem jeden 15 Pfennige, von den Pelzern für den Stand auf dem alten Markt jährlich 1 Talent, 12 Schillinge von dem Haus eines gewissen Wilbrand auf dem alten Markt, 1 Talent von dem sogenannten Burgwall bei Kränzlin, von zwei Buden vor dem Steintor 16 Schillinge, von der Mühle 8 Schillinge, von einem Garten bei Alt Ruppin 1 Schilling ziehen, anderer kleinerer Einkünfte nicht zu gedenken. Die Summe sämtlicher in diesem Jahr der Stadt zugewandten Einnahmen betrug über 36 Pfund, wofür die Ratmannen doch wenigstens 400 bis 500 Pfund den genannten Grafen bar müssen ausgezahlt haben.

Den Gebrauch der eben erwähnten Wiese im Luch, welche wahrscheinlich gleich bei der ersten Anlage unserer Stadt zu derselben gelegt war, und von welcher nunmehr die 2 Talente Zins an die Stadtkasse entrichtet werden sollten, bestätigte auch Graf Ulrich I. 1315 am 30. April unseren Ratmannen.[259] Derselbe übertrug den Bürgern von Neuruppin auch einen zwischen Bechlin und Kränzlin liegenden Wald mit einem Weg, welcher von der Stadt zu dem genannten Wald hinführte.

3.5.2 Die städtischen Gebäude

In der Stadt selbst nun besaß die Bürgerschaft ein Rathaus, unter welchem sich die Brot-, Fleisch- und Töpferscharren, ingleichen die Stadtwaage, eine Garküche und fünf Wohnungen für die Ratsbedienten befanden, in der Schulzenstraße drei Wohnungen für die Hebammen und die Gerichtsdiener, ferner den Stadthof oder die Stadtmeierei mit Wohnhaus, Scheune und Stallung, in deren Nähe den Gefangenturm ganz massiv, vier Totengräber-Wohnungen unter einem Dach, an dem Alt Ruppiner Tor ein Heideläufer-Haus, an den drei Toren der Stadt drei von den Torwärtern bewohnte Häuser.

Wahrscheinlich schon in der Periode der gräflichen Herrschaft stand vor dem Alt Ruppiner Tor ein dem Magistrat gehöriges Schützenhaus; auf dem neuen Markt aber ein Kaufhaus, welches, wie oben berichtet, später den Schöffen eingeräumt wurde, dann aber nach der Verlegung des Gerichts auf das Rathaus allmählich verfiel und hierauf ganz weggerissen wurde.

Auf demselben Markt stand auch ein ohne Zweifel gleichfalls der Stadt zugehöriges Hochzeitenhaus, an der Ecke, wo später die Montierungskammer war, welche 1670 aufs Meistbieten verkauft wurde. Sollen wir noch die beiden Märkte, einen beim Gefangenturm in der Schulzenstraße gelegenen Platz, der als Bauhof benutzt wurde, andere einzelne Häuser, welche der Magistrat auf besondere Weise erworben, erwähnen?

Im Jahr 1448 erteilte Graf Albrecht VIII. der Stadt die Erlaubnis, Rossmühlen in der davon sogenannten Rossmühlen-Straße anzulegen, dagegen die Bürger ehedem sich der gräflichen Mühlen zu Alt Ruppin zu bedienen genötigt gewesen waren.[260] Als diese Rossmühlen späterhin aus irgendeiner Ursache eingegangen waren, und bei niedrigem Wasserstand zuweilen Mangel an Mehl und Brot in der Stadt entstand, hielt der Rat vergebens zu Berlin um die Erlaubnis an, aufs Neue Rossmühlen anlegen zu dürfen. Die Walkmühle, welche zur Zeit der Grafen bei der Stadt war, und von dem Wollenweber benutzt wurde, verursachte dem Rat so große, die Einnahmen übersteigende Kosten, dass er sie ganz eingehen lassen musste, dagegen die Lohmühle bis in die neuesten Zeiten, freilich an einer anderen Stelle als vorher, sich erhalten hat.

3.5.3 Der städtische Grundbesitz

Ob der Quästgarten, welcher an dem See belegen war, schon in der Periode, mit der wir uns bisher beschäftigt haben, der Stadt gehörte, wagen wir nicht zu entscheiden. Doch ist es keineswegs unwahrscheinlich. An Forsten besaß die Stadt die Quäste, ein Bürgerholz, welches im Norden durch den Alt Ruppiner See und das daran liegende Dorf Molchow, im Westen durch die Wendemark, im Mittag durch die Lindenberge und Kahlenberge begrenzt wurde, im Osten aber fast bis nach dem Städtchen Alt Ruppin reichte. Den Namen soll es von seinen früheren Besitzern, den Herren von Quast auf Garz, führen. Übrigens konnten selbst unsere Vorfahren nicht weiter urkundlich dartun, wann und wie diese ehedem mit Eichenholz bestandene Forst an die Stadt gekommen sei. Die Quäste waren etwa 200 Schritte breit und 400 Schritte lang.

Hinter den Quästen lag die Wendemark, ein Bürgerholz, welches an der Rheinsberger Straße in einer Breite von etwa 300 Schritten etwa eine Viertelmeile lang hinlief, und nur Tannenholz nebst einigen wenigen Eichen enthielt.

Von der Gadower und Tornower Heide, welche erst 1617 mit Stöffin an die Stadt kamen, werden wir unten zu seiner Zeit weiter reden.

Bei dem Eichholz der Quäste besaß die Stadt einige kleine Wiesen, größere im Luch, welche zwischen dem Dorf Langen und dem Rhinfluss belegen waren.

Die Stadtmeierei bestand aus 1 ½ Hufen, 2 Wörden, 2 Breiten und einer sogenannten Bullenwiese, welche der Pächter oder Verwalter bewirtschaftete, überdies aus einer anderweitig verlegten Hufe, und der sogenannten Buschwischen Horst, welche jedoch wegen des schlechten Bodens nicht besät werden konnte.

Am Rhinsee hatte die Stadt noch die Voßberge oder Wulfsberge, welche die Ratmannen im Jahr 1515 gegen einen jährlich auf Martini zu entrichtenden Zins von 6 Schillingen wieder austaten.[261]

Ferner gehörte dem Rathaus die Fahrenhorst, und eine an die sogenannten Lindenberge stoßende Breite, so wie eine ½ Hufe, welche von der ausgestorbenen schönen Gewandschneidergilde an dasselbe gefallen war, Besitzungen, von denen wir nicht nachzuweisen im Stande sind, wann sie an den Stadtrat gekommen.

Wohl ist uns dagegen der Kaufbrief erhalten, durch welchen Graf Ulrich IV. von Lindow im Jahr 1395 am 8. November den Bürgern der Stadt Neuruppin zu ewiger Nutzung und Gebrauch, zu einem ganzen, vollkommenen und ewigen Eigentum und Herrschaft das Dorf Treskow, das mit einer Feldmark an die Feldmarken der genannten Stadt schoss, mit aller seiner Nachfolge, Zulegung und Zubehörnis innerhalb des Dorfes und außerhalb des Dorfes, geistlich und weltlich, benannt und unbenannt, mit allen seinen Scheiden, Wassern, Wasserfließen, Wässerungen, Wiesen, Weiden, Feldern, Feldboden, geackert und ungeackert, Holzungen und Holzstellen, Wegen und Unwegen, wie er selbst nebst seinem Bruder Günther, wie es seine Eltern und Vorfahren besessen, gegen 40 Mark Silbers nach gewöhnlicher Währung mit guten Böhmischen Groschen verkauft und so zu der Stadt legte und zu ihrer Feldmark, als ob es von Anbeginn zu derselben gehört und gelegen hätte.[262] Sollte das Gericht des Dorfes an die Stadt kommen z. B. durch Erledigung des Schulzengutes, so mochten die Ratmannen dasselbe nach ihrem Willen und Bequemlichkeit legen, richten und richten lassen binnen derselbigen Stadt. Der Graf entsagte ferner für sich und seinen Bruder und alle ihre Erben und Nachkommen allem Recht, Angefällen und Macht, die sie darin hätten oder in zukommenden Zeiten haben möchten. Ja selbst an dem Kirchlehnen des Dorfes behielt er sich keinerlei Anteil und Anrecht vor. Es bestand aber die Feldmark von Treskow aus 52 Hufen Ackerland, von welchen 17 freie Hufen seitdem ein von dem hiesigen Rat bewirtschaftetes Vorwerk bildeten, zu dem der Rat im 16. Jahrhundert auch die Schäferei-Gerechtigkeit erhielt, 5 Hufen später den hiesigen milden Stiftungen überwiesen wurden, 30 andere dagegen, unter ihnen eine freie Schulzenhufe, Privatpersonen unter dem Pflug hatten, welche von ihnen Zins und Pacht an die Ratskasse unserer Stadt, den Priesterzehnten, d. h. die dreißigste Mandel, dagegen an die Kirche zu Neuruppin zahlten. Es ist schon oben in der Geschichte der Grafen berichtet worden, wie dieser Kauf im Jahr 1406 auch von Seiten des Grafen Günther von Lindow die nötige Bestätigung erhielt.[263]

Im Jahr 1396 brachte der Rat gegen Erlegung einer Summe von 100 Mark von den Grafen Ulrich IV. und Günther IV. auch die Holzung Manhagen an sich.[264] Schon im vorigen Jahrhundert, als noch der Kaufbrief auf dem hiesigen Rathaus vorhanden war, wusste man den Ort dieses Holzes nicht mehr anzugeben und vermutete nur, es möchte das Holz vielleicht umgehauen, und die Stelle, wo es gestanden, in urbares Land verwandelt sein.

Ebenso befand sich in dem Ratsarchiv unserer Stadt ein Kontrakt, durch welchen die von Fratz in Kränzlin alle ihre Gerechtigkeit an den Kesselhaken an die Stadt abtraten, aus dem Jahr 1428,[265] sowie aus dem Jahr 1441 ein Diplom, welches den Rat ermächtigte, jährlich 4 Schock aus dem hiesigen gräflichen Zoll zu erheben.[266]

3.5.4 Der landesherrliche Zoll

Wir wissen nicht recht genau, in welcher Art die Grafen den ihnen als Landesherren zustehenden Zoll bei unserer Stadt verwalten ließen. Wahrscheinlich aber übergaben sie denselben entweder gegen eine bestimmte jährliche Abgabe an die gräfliche Kasse irgendeinem Unternehmer oder verkauften ihn für eine bestimmte ein für alle Mal erlegte Kaufsumme. Doch ist das Erstere das bei weitem glaublichere, da in dem letzteren Fall die Grafen nicht füglich würden im Stande gewesen sein, auch anderen Personen Anweisungen auf diesen ihren Zoll zu geben. Es war also in der Stadt ein Zollpächter *(thelonarius)*, derselbe, der den Ratmannen für den Gebrauch der Ratswaage alljährlich auf Martini 10 Schillinge zu zahlen verpflichtet war, mit dem sich die Ratmannen in einer anderen Urkunde wegen des Salzverkaufs zu einigen angewiesen wurden. Ebendaher wurde es auch zu wiederholten Malen nötig, sich von den Grafen die Versicherung erteilen zu lassen, dass der Zöllner nur den vorgeschriebenen Zoll und nicht mehr solle erheben dürfen. So nach 1315 am Tag der Apostel Philippus und Jakobus.[267] Schon 1326 jedoch wurden die Bürger unserer Stadt von der Verpflichtung ganz befreit, den Zoll zu zahlen.[268] Die Urkunde, welche ihnen daher von Seiten der Grafen ausgefertigt war, befand sich noch im vorigen Jahrhundert auf dem Rathaus, ist uns aber leider nicht, wie so manche andere in Abschrift gerettet.

Aus dem Jahr 1362 haben wir ein ziemlich genaues sorgfältiges Zollregister, in welchem auf das Bestimmteste der Zoll von jedem ein- und auszuführenden Gegenstand angegeben wird.[269] Von einem Pferd, verkauft oder gekauft, betrug derselbe 2 Pfennige, von Ochsen, Kühen, Schweinen, Ziegenböcken 1 Pfennig, von einem Schaf und einer Ziege 1 Heller, von einem Esel 3 Pfennige. Ein Wagen, der durch die Stadt fuhr, zahlte für jegliches Pferd 1 Pfennig, das Kornschiff für den Wispel 1 Pfennig, war es mehr, 2 Pfennige, der Kornwagen 2 Pfennige, der Salzwagen 1 Scheffel Salz, von 1 Wispel Malz 2 Pfennige. Eine Ochsen- oder Pferdehaut zollte 1 Pfennig, Häute kleinerer Tiere, z. B. Schafhäute, nur 1 Heller, ein Stein Schaf- oder Lämmerwolle 1 Pfennig, weniger Wolle 1 Heller, ein Stein Warpes 1 Pfennig, 4 oder 5 Ellen Leinwand 1 Heller, 12 und mehr 1 Pfennig, ein Eimer

Honig 4 Pfennige, ein Stein Talg 1 Pfennig, ein Wagen mit Obst 2 Pfennige. Von alten Kleidern zahlte der Verkäufer nach Verhältnis ihres Wertes 1 Pfennig oder 1 Heller, von einem Mantel 2 Pfennige, von einem zwiefaltigen Rock 1 Heller, von einem Bett 4 Pfennige, von einem größeren Kissen 2, von einem kleineren 1 Pfennig. Wer einen Wagen kaufte, zahlte 1 Pfennig, eine Last Heringe, 4 Pfennige. Auf den Jahrmärkten zahlten die Krämer für eine unbedachte Stelle 4 Pfennige, für eine bedachte 6 Pfennige, Garbräter für die ihrige 2 Pfennige, ebenso die mit allerlei Eisenwaren, ingleichen die mit Scheren und mit Messern handelten, ferner die Schwertfeger, die Töpfer, die Kaufleute. Der Zoll von einem fremden toten Juden betrug 30 Pfennige, bei einer absichtlichen oder beabsichtigten Umfahrung des Zolls 30 goldene Pfennige. Wer von allen den angegeben und den übrigen zollbaren Dingen an einer Stelle gezollt hatte, der war an allen anderen Zollstätten in des Grafen Land zollfrei. Pfaffen, Ritter und des Grafen Mannen und Untersassen waren ohne weiteres zollfrei. Da, wie eben bemerkt, auch die Bürger von Neuruppin sich derselben Zollfreiheit erfreuten, so durften sie frei aus ihrer Stadt in eines anderen Herrn Land fahren, ohne den Zoll zu entrichten, wenn sie die Burschaft noch Jahr und Tag behielten. Verließen sie die Stadt für immer, so verloren sie dadurch schon die Befreiung vom Zoll, und zollten bei ihrem Abzug gleich jedem anderen Fremden. Umgekehrt war auch jeder Fremde, der die Burschaft in der Stadt zu gewinnen dachte und binnen Jahr und Tag wirklich in die Zahl der Bürger angenommen wurde, bei seinem Anzug vom Zoll frei.

3.6 Die Bürgerschaft und ihre Organisation

3.6.1 Die Burschaft und die Bursprachen

Dass man in den ersten Jahren nach Begründung der Stadt bei der Aufnahme neuer Bürger nicht werde eben sonderlich bedenklich gewesen sein, ist leicht einzusehen. Dem Schulzen wie dem Landesherrn musste daran liegen, die leeren Räume innerhalb der neuen Mauern mit Bewohnern angefüllt zu sehen, welche nach Ablauf der

Freijahre ihre Abgaben entrichteten. Die Aufnahme dieser Bürger kann ursprünglich nur von dem Schulzen geschehen sein, ging aber notwendig sehr bald in die Hände der städtischen Ratmannen über, weil sie und die Gemeinde an der Aufnahme neuer Mitglieder viel größeres Interesse als der erbliche Richter haben mussten. Es ist kein Zweifel, dass ebenso bald die Ratmannen die Einziehung der Abgaben für die Kasse des Grafen übernahmen, da wir noch aus der Zeit, in welcher wirklich das Schulzenamt in unserer Stadt noch bestand, Zinsregister besitzen.

Wollte ein Fremder oder ein Eingeborener das Bürgerrecht oder die Burschaft gewinnen, so meldete er sich deshalb beim Rat, welcher das Recht hatte, ihn zurückzuweisen oder anzunehmen. Die Aufnahmegebühren betrugen 3 Schillinge und 2 Pfennige, die letzteren glauben wir, für den Notar bestimmt. Der neue Bürger musste hierauf folgenden Eid schwören: »Ich schwöre, meinem Herrn von Lindow treu und hold zu wesen, dem Rate gehorsam, der Stadt und des ganzen Landes Best zu warten, darzu mir Gott helfe und die Heiligen.« Worauf ihm der Rat mit folgenden Worten das Bürgerrecht erteilte: »Hiermit erlaube ich dir die Burschaft, dass du magst kaufen und verkaufen, nur sollst du deinem Nachbar keinen Unterkauf thun, und sollst dir genügen lassen an den Rechten, darzu wir bestätigt sind.«

Nun erst, nachdem er die Burschaft gewonnen hatte, konnte er daran denken, behufs der Betreibung eines Gewerbes auch die Aufnahme in eine Gilde oder Innung bei den Vorstehern derselben nachzusuchen. Nun hatte er auch das Recht, bei den Versammlungen aller Bürger in den Bursprachen zu erscheinen, und nach bester Einsicht zum Wohl der Stadt in denselben seine Meinung auszusprechen und seine Stimme abzugeben. Ob jeder, der vom Land in die Stadt zog, die Burschaft nachzusuchen verpflichtet gewesen, oder ob man edlen Familien, besonders Damen, welche in die Stadt um der größeren Bequemlichkeit des Lebens hinüberzogen, auch ohne die Einschreibung in die Reihen der Bürger nicht bloß das Recht des Aufenthaltes, sondern auch das des Besitzes von Grundeigentum bewilligt habe, vermögen wir bei dem gänzlichen Stillschweigen der Urkunden nicht näher zu bestimmen. Von dem Betrieb eines Gewerbes oder Geschäfts wenigstens mussten alle diejenigen, welche bloß örtlich der Stadt, nicht wahrhaft der Gemeinde als Glieder angehörten, eben sowohl als von der Bekleidung eines städtischen Amtes ausgeschlossen bleiben.

Die Bürgerschaft hatte nun ehedem zur Zeit der Grafen und auch unter den ersten Kurfürsten das Recht, sich in Bursprachen zu versammeln, zu welchen alle zu erscheinen verpflichtet waren, welche die Burschaft gewonnen hatten. In der Regel wurden diese Gemeindeversammlungen wohl nicht an einem und demselben Ort, sondern in den einzelnen Stadtvierteln gehalten. Diese Viertel waren das Heilig-Geist-Viertel, das Rentzkower Viertel, das Beginen-Viertel und endlich das St.-Nikolaus-Viertel. An der Spitze eines jeden Viertels standen zwei Hauptleute und zwei Viertelsmeister, welche in der Periode der gräflichen Herrschaft gewiss nur von den Vierteln selber gewählt wurden. Ob diese Bursprachen nun zu bestimmten Zeiten regelmäßig oder nur, wenn der Rat das Zusammentreten der Gemeinde wünschte, gehalten wurden, können wir nicht sicher entscheiden. Es scheint freilich jenes das Wahrscheinlichere, da später, wie wir unten näher sehen werden, die Bürgerschaft nachdrücklich die Wiederherstellung der Bursprachen alle Vierteljahr in jedem Stadtviertel forderte, und darauf antrug, dass derjenige, welcher zu ihnen nicht erscheine, von den Viertelsleuten dürfte in eine Buße von 3 Schillingen genommen werden – ein Antrag, der sich gewiss auf einen früheren, seit Jahren abgekommenen, vom Rat absichtlich eingeschläferten Gebrauch stützte.

Die Stadtdiener riefen des Abends vorher die Bursprachen um, am nächsten Morgen versammelten sich die Bürger auf den Ton der Sturmglocke in ihren Vierteln und beratschlagten unter ihren Vorstehern über der Stadt Notdurft. Es bedarf keiner Erinnerung, dass die Viertelsmänner alsdann sich wieder aus den verschiedenen Vierteln zu einer gemeinsamen Rücksprache vereinigten, um so entweder dem Rat die Wünsche der Gemeinde vorzutragen oder auf die etwa durch jenen den Vierteln vorgelegten Fragen zu antworten.

Diese Bursprachen wurden besonders wichtig, als die Gemeinde nicht mehr das Recht hatte, ihre Ratmannen selber zu wählen, sondern vom Rat selbst an die Stelle der ausscheidenden Glieder neue ernannt wurden, als der Rat, welcher ursprünglich die Bestimmung gehabt hatte, die Gemeinde in ihren Verhältnissen zum Schulzen und zu der Herrscher zu repräsentieren, nun immer mehr und mehr unabhängig von dieser erschien, und sein Interesse von dem der Bürger immer schärfer zu scheiden begann. Manch lautes und kühnes Wort unserer Väter mögen sich dessen erinnern, mag damals in diesen Versammlungen der Bürger gegen die Willkür und Anmaßung, gegen die Herrschsucht und Habgier des Rats gefallen sein, welcher nicht der Gemeinde, sondern allein den kurfürstlichen Kommissarien von seiner Verwaltung Rechenschaft ablegte. So, wie sich der Rat zurückzog, wuchs wider ihn der Verdacht, nicht immer vielleicht ein unbegründeter. Ist es zu verwundern, dass ihm die Bursprachen, in welchen die Gemeinde der Verleumdung und Aufhetzung so zugänglich war, als Herde innerer Zwietracht und Verwirrung erschienen, dass er dieselben eben deshalb so viel als möglich zu hintertreiben suchte, und Jahre vergingen, ohne dass die Gemeinde auch nur einmal hätte zusammen treten können?

3.6.2 Die Gilden oder Innungen

Die Burschaft musste jeder erhalten haben, um sich einer Gilde oder Innung anschließen zu können. An die Stelle der Geschlechtsgenossenschaften in den Städten der alten Welt, welche die durch wirkliche oder doch für wirklich gehaltene Verwandtschaft untereinander verbundenen umfassten, waren bekanntlich im Mittelalter in den deutschen Städten freie Gesellschaften, Namens Gulden oder Gilden, getreten, welche teils die kräftigere Betreibung eines Gewerbes oder Handwerkes, teils die brüderliche Vereinigung zu gemeinsamer Freude, aber auch zur Unterstützung Bedrängter, Notleidender zum Zweck hatten. Daher nannten sich die Gilden auch selbst Brüderschaften.

Wie die Geschlechter der Alten aber sich so sehr gern auf Heroen und Göttersöhne zurückgeführt hatten, ebenso leiteten diese Innungen ihre Entstehung und erste Einsetzung aus den Zeiten der ersten Menschen her, wie sie in den heiligen Büchern des alten Bundes beschrieben waren, und führten dann stolz und sicher den Stammbaum ihres Gewerkes durch eine lange Reihe ehrwürdiger und geheiligter Personen, welche laut der Aussagen der Heiligen Schrift sich zu denselben bekannt, bis auf ihre Zeiten herunter. Fast jedes Gewerk hatte so seine von Geschlecht zu Geschlecht ererbten, bald in schlichter, einfältiger Prosa, bald in gereimten Versen abgefassten Nachrichten, an welchen noch bis in den Anfang unseres Jahrhunderts hinein die Glieder desselben mit frommem Glauben und rührender Ehrfurcht hingen. Am bekanntesten ist der neu verbesserte »Müller Ehrenkranz«, welcher mit einer Geschichte des ehrwürdigen Müllergewerks aus der Heiligen Schrift beginnt, dann einen Dialog zwischen Müller, Herrschaft, Mühlgast und Mühlknappe folgen lässt, hierauf durch die besten Mühlen in der Lausitz, in Schlesien, Mähren, Ungarn, Böhmen, Thüringen, Franken nach dem schönen Nürnberg eine poetische Reisebeschreibung unternimmt, von da nach Brandenburg gelangt, hier auf einen Triangel von den drei besten Müllern, die je gelebt, aufstellt, und endlich fromm und treu mit Gott dem Weltenbaumeister schließt, und das alles mit einer seligen Ruhe, einer stillen Innigkeit, einer so festen, besonnenen, gleichmäßigen Haltung und einer so treuherzigen Ehrlichkeit abgefasst, die geradezu als Virtuosität erscheint.

Ebenso gibt es vom Zimmerhandwerk, von den Bäckern, den Schmieden, den Böttchern gedruckte Nachrichten in derselben Weise. Das Buch von des löblichen Handwerkes der Kürschner Ursprung, Altertum und Ehrenlob beginnt folgendermaßen: »Sobalden wir nur die heilige Schrift eröffnen und aufschlagen, findet sich gleich von Anfang das löbliche Kürschnergewerk aus selbiger wie ein heller Diamant hervorleuchtend; nämlich Kap. 3 des ersten Buches von der Schöpfung, da unsere ersten Stammältern durch den leidigen Sündenfall in dem Paradiese aus dem Stande der Unschuld getreten und von Gott abgewichen waren, da stehet in dem Text: Und Gott der Herr machte Adam und seinem Weibe Röcke von Fellen und zog sie ihnen an, als zu lesen im 21sten Versiul des gedachten Kapitels.«

Die ersten Spuren solcher Innungen *(uniones, guldae)* in unseren märkischen Städten gehen nicht eben über das 13. Jahrhundert zurück. Als die älteste und geehrteste von allen ist überall die der Gewandschneider zu finden, zu welcher bekanntlich auch die Kaufleute gehörten. Hatte sich zu Salzwedel doch selbst der edle und ritterliche Markgraf Otto mit dem Pfeil als Mitglied in diese Innung aufnehmen lassen. Nachdem Johann I. und Otto III. der Gewandschneidergilde zu Stendal 1231 ihre Bestätigung erteilt und 1233 festgesetzt hatten, dass niemand ein Tuch zu schneiden, Kleidung anfertigen oder verkaufen dürfe, der nicht zur Gilde gehöre, und zwar nirgends als auf dem neu errichteten Kaufhaus, so erhielten 1298 auch die Schuster, 1301 die Weber und die Fleischer, 1312 die Bäcker das landesherrliche und städtische Privilegium.[270]

Wie schon früher die städtische Einrichtung Stendals der unserer Stadt als Muster gedient, so wurden gemäß einer vom Grafen Ulrich I. mit Zuziehung seiner Söhne am 30. April 1315 erlassenen Urkunde noch in demselben Jahr am 22. August von den hiesigen Rathmannen den gedachten Innungen unserer Stadt die Privilegien, Rechte und Einrichtungen der Gilde zu Stendal verliehen.[271]

Wie bei wichtigen Angelegenheiten in der Regel auch die alten Ratmannen zur Beratung pflegten hinzugezogen und zur Beistimmung aufgefordert zu werden, so war bei der Verleihung dieser Gildeprivilegien die Namens-Unterschrift der 12 Ratmannen umso wichtiger, da die Organisierung der Innungen eben von dem alten Rat eingeleitet, von dem neuen zu Johannis angetretenen aber vollzogen war. Die eben genannten Viergewerke der Wollenweber (an welche sich ohne allen Zweifel auch die Gewandschneider mit anschlossen), der Fleischer, der Bäcker und der Schuster blieben auch späterhin die angesehensten, und bei wichtigen, das allgemeine städtische Interesse betreffenden Angelegenheiten wandte sich der Rat an sie, um ihre Zustimmung zu erlangen, daher in den Urkunden so oft die Vierwerke erwähnt, ja auch hier und da die Unterschriften von deren Gildemeistern gefunden werden. So im Jahr 1362 folgen hinter den Namen der Konsuln noch folgende: *Johann Ven, Heinrich Hakenbergh, Godecke Schuckow* und *Paul Lievestyle*, Gildemeister der Wollenweber, *Nikolaus Rostuscher* und *Peter Rikolt*, Gildemeister der Knochenhauer, *Hermann Melnik* und *Arnold Koche*, Gildemeister der Bäcker, endlich *Arnold von Werder* und *Johann Ghiver*, Gildemeister der Schuster.[272]

Das Recht des Tuchschnitts hatten natürlich allein die Gewandschneider, die Wollenweber verkauften die von ihnen verfertigten Tücher nur in ganzen Stücken. So hatte noch 1310 Markgraf Woldemar der Gilde der Gewandschneider zu Havelberg das Privilegium erteilt, dass in dieser Stadt weder ein fremder noch ein einheimischer Tuchweber noch auch ein Tuchhändler sollte anders als in ganzen Stücken Tuch feilbieten oder verkaufen dürfen, der ellenweise Ausschnitt des Tuchs dagegen allein den Gewandschneidern in Havelberg zustehen solle.

Einen vermittelnden Weg schlugen im Jahr 1323 die Ratmannen von Neuruppin ein, als sie laut einer Urkunde vom St. Jakobstag des genannten Jahres mit Genehmhaltung der regierenden Grafen nach gemeinschaftlicher Beratung und mit Einwilligung aller Bürger und der dabei vorzüglich interessierten Kaufleute, insbesondere einigen Bürgern vom Gewerk der Weber, die Gilde der Kaufleute oder Gewandschneider erteilten, d. h. das Recht, an den Markttagen zugleich mit diesen auf dem Markt, an den übrigen Wochentagen aber in ihren Häusern Tuch auszuschneiden.[273] Für diese Bewilligung zahlte jeder der Weber 2 Mark Silbers zum Frommen der Stadt an die Ratmannen, wahrscheinlich eine nicht viel kleinere Summe an die Gilde der Gewandschneider, deren Rechte er teilte, ohne ihre Lasten tragen zu helfen, da er trotz des Tuchschnitts immer ein Glied des Webergewerks blieb. Damit aber diese *textores pannicidae*, wie sie die wohl erhaltene Urkunde sehr passend nennt, nicht den ganzen Tuchhandel an sich rissen, so wurde zugleich verordnet, dass sie nur einen Webestuhl *(Tau)* halten dürften und nicht mehr, und überdies nur einheimisches, d. h., in des Grafen Landen gefertigtes Tuch anschneiden. Wer fremde Tücher verkaufte, sollte des Webergewerks verlustig sein, und sich förmlich auf die gesetzlich vorgeschriebene Weise in die Gewandschneiderinnung aufnehmen lassen, deren Tuchschnitt sich nicht allein auf die einheimischen Fabrikate erstreckte. Es würde ein großer Missverstand sein, wollte man mit Bratring annehmen, der Stadtrat oder der Landesherr hätten den Verkehr mit fremden Tüchern überhaupt untersagt gehabt, um dadurch das Emporkommen der einheimischen Weberei zu befördern. Aus der Urkunde folgt schlechthin das Gegenteil, wie denn überhaupt dergleichen Mittel zur Hebung der inländischen Industrie in jener Zeit noch nicht eben scheinen bekannt oder üblich gewesen zu sein.

Aus dem Jahr 1360 ist uns eine andere Urkunde, die Schustergilde unserer Stadt betreffend, aufbehalten worden.[274] Zum Frommen der Stadt und der Schuster selber hatten die Ratmannen auf dem alten Markt ein Haus bauen lassen, in welchem jene ihre Waren feilbieten sollten. Ein ähnliches Haus befand sich schon früher zu demselben Behuf auf dem neuen Markt. Für den Stand in diesen Häusern nun sollte jeder Schuster an jedem der beiden Jahrmärkte, vor Pfingsten und zu Michaelis, 18 Pfennige zahlen, statt dass er sonst nur 15 Pfennige für den Stand unter freiem Himmel gegeben, also nunmehr alljährlich 3 Schillinge. Dagegen verpflichtete sich der Rat, das Haus immer in gutem schadlosen Stand zu erhalten; wo nicht, so sollten die Schuster auch nur zu einem Standgeld von 15 Pfennigen verbunden sein. Überdies solle kein von außen Kommender weder auf dem alten, noch auf dem neuen Markt innerhalb eines bestimmten Raumes zu Markt gebrachte Häute kaufen dürfen, ebenso wenig einer der einheimischen Bürger für eines Fremden Rechnung oder zu dessen Gebrauch.

Von vorzüglicher Wichtigkeit für das Innungswesen nicht bloß unserer Stadt sondern unserer Mark überhaupt sind drei Urkunden aus den Jahren 1393,[275] 1434[276] und 1446,[277] welche die Privilegien und Statuten dreier neuer Gewerke, erstens der Schröder und Scherer, sodann der Pelzer und endlich der Büren- und Drellweber betreffen, und untereinander in Bezug auf den in ihnen erkennbaren Geist so große Ähnlichkeit haben, dass man von ihnen auch auf die andere Gilden einen ziemlich sicheren Schluss machen darf. Zunächst musste, wer einer Innung sich anschließen wollte, ehe er die Brüderschaft erlangte, die Burschaft von den Ratmannen gewonnen haben, sodann aber wurde ganz besonders darauf gesehen, und auch wohl schriftlicher Nachweis darüber gefordert, ob der neu aufzunehmende auch von rechter und echter Geburt sei (d. h. nicht außer der Ehe erzeugt) und zwar von biederen deutschen Eltern, ja noch weiter, ob auch auf seinen Vorahnen kein Frevel lastete, der den späten Enkel noch des Eintritts in eine löbliche Innung unwürdig machte.

Was die Abkunft von Deutschen betrifft, so bestimmte Erzbischof Friedrich III. von Magdeburg 1452 in dem der Stadt Dahme erteilten Privileg in einer ähnlichen Weise, dass ihr Rat allein deutscher Nation sein, und auch in die Schuster- und Tuchmachergilden nur Deutsche und keine Wenden sollten aufgenommen werden dürfen. Zur näheren Prüfung desjenigen, welcher in eine Gilde einzutreten wünschte, wurden von den Gildemeistern die gemeinen Gildebrüder zu einer Zusammenkunft entboten, welche, weil sie nicht über den Vormittag hinausreichte, die Morgensprache genannt wurde. War nun der Aspirant eines Bruders Sohn und in der Gilde geboren, so wurde ihm der Bescheid gleich in der ersten, Fremden dagegen, auch wenn sie längst in dem Ort als Knechte (so heißen noch jetzt in einem großen Teil des nördlichen Deutschlandes die Gesellen) gearbeitet hatten, erst in der dritten Morgensprache, also nach vier Wochen etwa, gegeben. Ist gegen den aufzunehmenden nichts Nachteiliges bekannt geworden, so gingen die Gildemeister mit ihm auf das Rathaus und ließen ihm dort die Erlaubnis zum Eintritt in die Innung geben. Hier zahlte er nun die Gebühren an die Stadt und den Schreiber, ein Gewandschneider an jene 1 Mark, dem Schreiber 2 Pfennige, ein Weber mit dem Recht des Tuchschnitts der Stadt 2 Pfund, dem Notar 2 Pfennige, ein Fleischer an die Stadt 2 Mark, an diesen 2 Pfennige, überdies für die Anweisung des Scharrens 13 Pfennige, ein Bäcker 1 Mark, 2 Pfennige an den Schreiber, ein Gerber der Stadt 6 Schillinge, dem Schreiber seine Gebühren, der Schröder oder Scherer ½ Mark, dem Notar gleichfalls 2 Pfennige. Von allen diesen Gebühren zahlte, wer in der Gilde geboren war, nur die Hälfte, Bei den Pelzern und Bürenwebern jedoch machte die Stadt diesen Unterschied nicht, sondern ließ sich von jedem neuen Gildebruder ½ Mark auszahlen, wozu natürlich noch die Pflicht an den Notar hinzukam. Ebenso viel als die Stadt erhielt auch die Gilde von dem neuen Bruder, nur, dass hier jedenfalls, sobald dieser ein Meisterssohn oder mit einer Meisterstochter versprochen, war, von ihrem Teil die Hälfte erließ, und ihm also nach damaligem Sprachgebrauch das halbe Gewerk oder die halbe Gilde gab. So gab der Sohn eines Pelzermeisters der Stadt ½ Mark und der Gilde 17 Groschen, der ganz Fremde dagegen der Stadt ½ Mark, und der Gilde auch ½ Mark, also das Doppelte, 34 Groschen. Bekanntlich betrug, wie oben schon bemerkt, die Mark 68 Groschen, oder 1 Schock und 8 Groschen. Es verstand sich übrigens ganz von selbst, dass bei der Aufnahmefeierlichkeit der neue Gildebruder an die Gilde eine Tonne Bier, auch wohl den Gildemeistern für ihre Mühe bei der Einweihung in die Bräuche der Gilde eine Kleinigkeit, etwa jedem 2 Pfennige, bei einigen auch 2 Pfund Wachs zu den Lichtern der Gilde entrichtete.

Unter mannigfachen Feierlichkeiten, welche bei den verschiedenen Gewerken sehr verschieden waren, und frohen Gelagen war der neue Bruder in den Kreis der Gesellschaft, unter die Zahl der Brüder aufgenommen. So lange er aber noch der jüngste und letzte unter den Gildebrüdern war, lagen ihm manche lästige Verpflichtungen ob, z.B. zu rechter Zeit wie die anderen Gilden bei einer Strafe von 8 Pfennigen die Lichter in der Kirche anzuzünden, die Gildebrüder auf Befehl der Meister zu den Morgensprachen und anderen Versammlungen einzuladen. Ungehorsam und Widerstreben zog eine Buße von 6 Pfennigen nach sich. Es hing natürlich von der Persönlichkeit der Gildemeister wie von der des jüngsten Bruders ab, wie weit ihn die älteren Brüder auch sonst noch das Übergewicht ihres Alters fühlen ließen.

Die Gildemeister *(magistri unionum)* pflegten sechs oder acht Tage nach Johannis gewählt zu werden, nicht eher, weil die Ratmannen gleichfalls erst am dritten Tag nach diesem Fest ihr Amt antraten, und die Gildemeister den letzteren auf dem Rathaus den Eid schwören mussten, das Recht ihrer Gilde, wie sie es mit Recht besäßen, aufrechthalten zu wollen. Die Gildebrüder wählten ihre Meister selber, den Fischern dagegen bestimmten die Ratmannen um dieselbe Zeit zwei passende Männer zu Vorstehern, und nahmen ihnen denselben Eid ab. Die Gildemeister hatten nunmehr die Pflicht, für die innere und äußere Ordnung der Gilde zu sorgen, den guten Ruf der Brüderschaft makellos und aufrecht zu erhalten, ja bis zum Betrag von 3 Schillingen und nicht mehr eine Art Ordnungsstrafe aufzulegen, von der in gewissen Fällen der Stadt die Hälfte zufiel. Wer der Einladung der Meister zur Morgensprache nicht Folge leistete, weddete diesen 6 Pfennige. Wurde dieses Versäumnis zum dritten Mal wiederholt, so wurde er aus der Gilde gestoßen, und musste, wollte er anders sein Geschäft nach wie vor betreiben, um die Wiederaufnahme nachsuchen, als wäre er nie darin gewesen, daher auch die Eintrittsgebühren ganz von Neuem zahlen. Wer seinen Mitbruder beim Kauf unterbrach, ihm den behandelten Gegenstand in die Höhe trieb oder vorweg kaufte, zahlte 3 Schillinge weniger 1 Pfennig. Dagegen musste der Kaufende, wenn ihm jener während des Kaufs zugerufen »kauf guten Kauf« und darauf weitergegangen war, ihm Anteil an dem Kauf gestatten, sofern er nicht in die gleiche Ordnungsstrafe genommen sein wollte. Eben dieselbe Buße zog es nach sich, wenn ein Bruder den Gehilfen des anderen mitten im Vierteljahr aus dessen Dienst mietete, ingleichen wenn ein Gildebruder einen sehr bedeutenden Einkauf machte, etwa ein Pelzer 24 Felle mit einem Mal, ohne bei den Gildemeistern die Anzeige zu machen und nachzufragen, ob vielleicht einer der Brüder Anteil daran zu nehmen verlange. Und von diesen Bußen erhielt die eine Hälfte die Stadt, die andere dagegen die Gilde. Wer seinen Mitbruder in der Morgensprache mit Schlägen verwundete, verlor die Gilde ganz, und zahlte, wenn die Gildemeister aus freier Gnade ihm den Wiedereintritt gestatten wollten, jedem derselben 1 Schilling, jedem Bruder die Hälfte, der ganzen Gilde 1 Pfund Pfennige, und außerdem noch die vorschriftsmäßigen Gebühren der Aufnahme an Stadt und Gilde. Üble Behandlung des Bruders außer der Morgensprache, wurde mit 3 Schillingen ohne 1 Pfennig gebüßt, welche Stadt und Gilde sich gleich teilten. Andere Strafen bezogen sich auf mangelhafte Arbeit. Diebstahl, falsches Maß, falsches Gewicht forderte, mochte das Verbrechen von dem Gildebruder selber, mochte es von dessen Frau begangen sein, die schwere Buße von 1 Mark. Wiederholung des Verbrechens konnte nicht mehr gebüßt werden, sondern wurde mit Ausstoßung aus der Brüderschaft gestraft. Zum Wiedereintritt zahlte der Schuldige außer den vorgeschriebenen Gebühren, bei den Webern wenigstens, ein Pfund Wachs.

Kam dann endlich der Tod, so folgte dem gestorbenen Bruder die gesamte Gilde mit Weib und Kind und Gehilfen, und für seiner Seelen Seligkeit betete die ganze Brüderschaft und ließ Seelenmessen für ihn lesen, wozu jeder Bruder 1 Pfennig beisteuerte. Die höchste Wedde, 3 Schillinge, traf denjenigen, der ohne redliche Ursache sich dieser letzten Pflicht gegen den gestorbenen Bruder entzogen hätte. Dieselbe Ehre der Bestattung wurde auch dem Knecht zu Teil, welcher bei Lebzeiten gehörig seinen Gildepfennig gezahlt hatte, sowie dem während der Lehrjahre verstorbenen Lehrling. Eine Witwe, deren Gatte einer Brüderschaft angehört hatte, blieb bis zu ihrer etwaigen Wiederverheiratung in derselben, und genoss deren Schutz, Vorteil und Ehren, wie zu des Mannes Lebzeiten. Zuweilen freilich geschah es, dass die Gilde der hinterbliebenen Witwe die Fortsetzung des Geschäftes ihres Mannes untersagte, z. B. die Gildemeister der Bäckerinnung, Nikolaus Kuhbier, Andreas Rönnebeck, Matthias Gnewikow und Jakob Gartow der Kruseschen, weil sie sich mit den Erben nicht vertragen hätte, worauf freilich der Rat jene Gildemeister anhielt, dergleichen niemand mehr zu verbieten, sondern sich einfach an ihren Gildebrief zu halten (im Jahr 1506). Wir sehen aus der eben erwähnten Urkunde, dass die Anzahl der Gildemeister, welche im Jahr 1362 nur zwei betrug, jetzt auf vier gestiegen war.[278]

Diese Gilden nun waren durchaus von dem Rat abhängig. Ohne dessen Genehmigung konnte in den Gesetzen derselben durchaus keine Veränderung vorgenommen werden. In seine Hände schworen am nächsten Freitag nach ihrer Wahl die neuen Gildemeister, von den alten auf das Rathaus geführt, den Eid des Gehorsams und der Treue. Ihm erkannten sie im Fall der Widersetzlichkeit das Recht zu, die Gilde ganz niederzulegen, die Privilegien zurückzunehmen und die Verbindung ganz aufzulösen. Ihm zahlten die Schröder und Scherer zu Walpurgis, die Weber zu Weihnachten 10 Schillinge Zins auf das Rathaus. Bei besonders wichtigen Veranlassungen war einer oder waren zwei Ratmannen in der Morgensprache zugegen. Wir unseres Teils sind auf das Festeste davon überzeugt, dass nichts so sehr als jenes Institut der Gilden für die Entwicklung des ganzen städtischen Lebens von größter Wichtigkeit gewesen ist, nichts so sehr dazu beigetragen hat, unter den Bürgern jenen kernhaften und ehrenfesten Sinn zu erzeugen und zu bewahren, den man im Allgemeinen jetzt wohl mehr und mehr vermissen dürfte, einen Sinn, dessen sich unsere Väter noch sehr wohl zu erinnern wissen.

Alle Mitglieder einer Innung waren Brüder, im Leben verbunden wie im Tod. Die Scheu vor den Brüdern musste natürlich vor manchem entehrenden Vergehen zurückschrecken. Ausschließung aus der Innung galt ohne Zweifel der höchsten Schande gleich. Von Seiten der Gilde war in der Regel der Preis der Ware, der Arbeit Lohn bestimmt. Eine Konkurrenz unter den Brüdern fand daher weniger in der Erniedrigung und Herabdrückung der Preise, als darin statt, dass von dem Gewerk vortreffliche Arbeit geliefert wurde. Die Gilde selber wachte darüber, dass nicht durch Pfuscherei ihre Ehre verletzt wurde. Ein tolles Verschleudern der Ware, etwa aus Missgunst gegen einen Handwerksgenossen, war nicht denkbar und würde jedenfalls Ausschließung aus der Innung zur Folge gehabt haben. So beförderte das Gildewesen die Sittlichkeit der Brüder, wehrte dem Brotneid, sicherte den ruhigen Betrieb des Geschäfts und war demnach von dem größten Segen für das Gedeihen städtischer Betriebsamkeit. Freilich wollen wir auch nicht leugnen, dass dadurch nicht selten auf der anderen Seite engherzige Selbstsucht, besonders bei der Aufnahme von Fremden in die Innung sichtbar, hervorgerufen, der freien Entwicklung des Gewerbes lästige Fesseln angelegt, und besonders eine ganze Stadt der Willkür einer Körperschaft preisgegeben wurde.

Dessen ungeachtet aber war jenes Innungswesen für die nun längst abgelaufenen Jahrhunderte ebenso notwendig, als der Geist der Zeit dessen Aufhebung in unseren Tagen notwendig machte. Das Mittelalter neigte sich überhaupt zu Korporationen hin, und musste es tun, um in ihnen eine tüchtige und gediegene Haltung zu gewinnen, dagegen die neuere Zeit sich jeder Beschränkung der persönlichen Freiheit und Tätigkeit durch eine Körperschaft durchaus abgeneigt zeigt. Was hätte, fragen wir mit Recht, aus jenen Städten, in welche von allen Seiten her die verschiedenartigsten Elemente zusammengeflossen waren, werden sollen, hätten nicht eben diese Innungen den weder durch Sprache, durch Abkunft noch durch Sitte Verbundenen das Gepräge der Einheit verliehen? Für uns sind sie daher freilich nur Ruinen aus einer abgestorbenen, wenigen bekannten Zeit, aber Ruinen, bei denen man gern mit liebevoller Erinnerung verweilt, deren man oft und gern mit Dankbarkeit gedenkt, ohne jedoch weder ihren Verfall zu beklagen, noch auch ihre Wiederherstellung zu wünschen.

In den letzten Zeiten der gräflichen Herrschaft finden wir auch eine Schützengilde in unserer Stadt erwähnt.[279] Zu wiederholten Malen ließ es sich der Rat zwei Viertel Bieres, zu dem Werte von 1 Schock und 8 Groschen, oder 1 Schocke weniger 4 Groschen, kosten, mit welchen er die Schützengilde bei ihrem Königsschießen bewirtete. Dies Königsschießen scheint in der Regel um Himmelfahrt gefallen zu sein. Auch der Schützenbaum, für dessen Erneuerung der Rat 1 Gulden bezahlte, wurde in den Ratsrechnungen nicht aufzuführen vergessen. Ebenso war auch das Schützenhaus vor dem Alt Ruppiner Tor auf Kosten der Stadt aufgeführt, und wurde ebenso von den Ratmannen auch in baulichem Stand erhalten. Auf dem Rathaus wurde so ein alter zinnerner, der Schützengilde gehöriger Willkomm, ferner eine silberne Taube aufbewahrt, welche vor dem Willkomm der Schützengilde bei deren Königsschießen gestanden. Offenbar war es gerade dies Vogelschießen, bei welchem, wie Hafftiz erzählte, häufig die Grafen sich unter die Bürger mischten, und an der allgemeinen Freude teilzunehmen nicht verschmähten. Welche Ehren dem besten Schützen erwiesen wurden, ob mit dem Sieg auch Gewinn verbunden war, wissen wir nicht. Wahrscheinlich jedoch wurde auch hier der Sieger im Triumphzug in die Stadt zurückgeführt, zwei von den Ratmannen gingen ihm zur Seite. Auf dem Stadthaus wurde ihm aus einem altertümlichen Pokal der Ehrentrunk gereicht. Leicht möglich, dass auch hier, wie an anderen Orten, derjenige, welcher den Vogel mit dem Pfeil heruntergeschossen, während jenes Jahres frei war von allen Abgaben an den Landesherrn. Am Anfang des 17. Jahrhunderts scheint dieses Königsschießen mehr und mehr in Verfall gekommen zu sein, bis es endlich ganz aufhörte.

3.6.3 Die Elendengilde

Wir erwähnen von den Gilden unserer Stadt noch eine, welche weniger den gemeinsamen Betrieb eines Gewerbes als vielmehr eine kräftige Unterstützung Armer und Notleidender zum Zweck hatte, die Elendengilde *(gilda exulum)*. Die Elendengilde hatte es wohl besonders mit denen zu tun, welche fern von ihrer Heimat hier in der Fremde von Mangel, Krankheit, Tod überwältigt wurden und ohne die Teilnahme und das Mitleid anderer des Segens eines ehrenhaften Begräbnisses würden entbehrt haben. Diese alle wurden von jener

Gilde auf das Beste mit Vigilien, Seelenmessen, Lichten usw. dem Schoß des Grabes anvertraut.

Es besaß aber die Elendengilde in der Pfarrkirche unserer Stadt einen Altar, den Elenden-Altar geheißen, vor welchem ein von der Gilde bestellter Priester alle Woche ein Mal des Abends eine Vigilie und des Morgens eine Messe hielt, ingleichen alle Jahre einmal mit der ganzen Schule, allen Kaplanen und Küstern, Marien und allen Heiligen Gottes zu Ehren und zu Lob, für die Seelen aller Christen, sonderlich aber der Elenden, ein großes und feierliches Seelenamt feierte. Die große jährliche Vigilie und Seelenmesse wurde an dem vorhergehenden Sonntag von dem Predigtstuhl herab der Gemeinde angezeigt. Zur Stiftung jenes Altars der Elendengilde in der Pfarrkirche zu Neuruppin entsagten der Vogt Heinrich Poppentin und dessen Söhne Konrad und Nikolaus zu Händen des Pfarrers Nikolaus in Buskow am Tag vor der Geburt des Herrn 1355 den ihnen von drei bei Langen belegenen Hufen zustehenden Einkünften, welche sich auf fünfeinhalb Stück beliefen.[280] Dietrich Veremann, Arnold Schmidt und Hermann von Falkenhagen bewirtschafteten zusammen die eine jener 3 Hufen, und zahlten von derselben alljährlich einen ½ Wispel Roggen, ebenso viel Gerste, 6 Schillinge Bede, 3 Schillinge Hufenzins und 1 Schilling Luchzins. Von der zweiten Hufe lieferte ein gewisser Wolter jährlich dieselbe Quantität Getreide, und ebenso viel an Bede und Hufenzins. Bernhard Otto hatte die dritte unter seinem Pflug, und zwar bedefrei. Von ihm sollte der Elenden-Altar jährlich einen ½ Wispel Roggen, ebenso viel Gerste und überdies 3 Schillinge Hufenzins beziehen. Wir erinnern hierbei abermals daran, dass 1 Wispel Hartkorn, 1 Talent oder 20 Schillinge als gleichbedeutend oder doch gleich geltend angesehen und mit dem Namen Stück *(frahtem)* bezeichnet wurden.

Graf Ulrich II. von Lindow entsagte allen seinen Rechten an diesen Einkünften, und er erteilte der Elendengilde oder Bruderschaft das Patronatsrecht über den so dotierten Altar, im Fall eine Vakanz desselben eintreten sollte. Bischof Burchard II. von Havelberg, selbst ein geborener Graf von Lindow, erteilte schon im folgenden Jahr am 13. April dieser frommen Stiftung seine Bestätigung.[281] Wenige Jahre später, 1360, am 23. Mai bewilligten die Ratmannen unserer Stadt derselbigen Bruderschaft das Recht, eine Tafel mit einem Gemälde aufzustellen und bei derselben im Namen der Elenden um Almosen zu bitten, welche für den oft erwähnten Altar verwendet werden sollten.[282] Dafür aber verpflichteten sich die Brüder jener Gilde, die Leichen der Armen und Elenden zu bestatten, und überdies an die hiesige Pfarrkirche zum Nutzen der Kirche 3 Mark Brandenburgischen Silbers zu zahlen, dagegen die Kirchenvorständer der Gilde zu der geweihten Hostie Brot und Wein liefern sollten.

Trotz dieser Schenkungen scheint sich die Elendengilde bald nachher ganz aufgelöst zu haben, da es 1406 von ihr heißt, dass sie längst vergangen sei.[283] In diesem Jahr erklärten sich Dietrich Rosstauscher und Johann Bartikow, Bürger von Neuruppin, sowie die Gildemeister und Gildebrüder des ganzen Knochenhauergewerks unserer Stadt zu ihrer und ihrer Nachkommen Seligkeit, wie sie sagen, bereit, die Verrichtungen und Verpflichtungen der ehemaligen Elendengilde auf sich zu nehmen, und die Grafen Ulrich IV. und Günther V. beliehen daher den Dietrich Rosstauscher, und für den Fall seines früheren Ablebens den Johann Bartikow, sowie die jedesmaligen Gildemeister der Knochenhauer mit den Rechten und Einkünften das Elenden-Altars, zu welchem der Rat von Neuruppin aus seinem Dorf Treskow zwei Stück jährlicher und ewiger Rente legen sollte. Zwei Männer der Knochenhauergilde nach der Wahl der Meister und Brüder sollten die Einkünfte und Ausgaben dieses Altars berechnen, und den Meistern Rechenschaft ablegen. Gleichwohl dauerte es noch bis 1423, ehe die Ratmannen wirklich dieser Verpflichtung nachkamen und dem Altar die versprochenen zwei Stück, nämlich 1 Wispel Korn und 1 Pfund Brandenburgischer Pfennige vereigneten.[284] Von den Hufen zu Treskow legten sie jetzt laut Urkunde vom 27. März 1423 folgende Einkünfte zu dem Altar: von den Hufen, welche Nikolaus Schulzendorf betrieb und befuhr, ½ Wispel, 6 Scheffel Roggen und 6 Scheffel Gerste und 10 Schillinge, von Nikolaus Krögers Hufen 6 Scheffel Roggen und ebenso viel Gerste nebst 5 Schillingen, endlich von Arnold Puhlemanns Hufen 5 Schillinge mit der Bestimmung, dass der zu dem Altar bestellte Priester das Korn haben, das Pfund Schillinge aber zur Haltung der Lichte auf dem Altar und zum Lohn des die Vigilien und die Seelenmessen für alle Christenseelen haltenden Priesters verwendet werden sollten. Der Altar, welcher nunmehr so reich mit Einkünften ausgestattet war, stand unter der besonderen Obhut der heiligen Märtyrer St. Blasius und St. Livinus sowie unter der der heiligen Jungfrauen Agathe und Agnes. Ähnliche Elendenbruderschaften gab es übrigens an vielen anderen Orten, wie z.B. in Salzwedel, welcher Johann von Gartow im Jahr 1330 30 Scheffel Hartkorn vereignete.

Nachdem wir so in allgemeineren Umrissen die wichtigsten städtischen Verhältnisse unserer Stadt während der gräflichen Herrschaft kennengelernt haben, wenden wir uns zur Betrachtung der Stadt selber als solcher, des städtischen Verkehrs und Betriebs und werden hiervon die wichtigsten Nachrichten über die Kirchen und milden religiösen Stiftungen zu Neuruppin reihen.

3.7 Die Stadt Neuruppin selbst

3.7.1 Das Äußere der Stadt und ihre Gebäude

Es wird vielen unter den Bewohnern unserer Stadt zur Genüge bekannt sein, dass sich in dem Dorf Wuthenow in der Kirche von dem Altar aus zur linken Hand ein Gemälde befindet, welches uns Neuruppin darstellt, wie es vor dem letzten großen Brand gewesen. Wir vermögen nicht zu bestimmen, wann dies Gemälde verfertigt sei, bemerken aber, dass sich auch in der hiesigen Pfarrkirche ehedem ein ähnliches Bild befand, welches der Rat unserer Stadt schon wenn wir nicht sehr irren, im 15. Jahrhundert für eine bestimmte Summe von dem hiesigen Maler wieder erneuern ließ.

Es ist wohl natürlich, dass in jener Zeit Neuruppin dem fern her sich nahenden einen ganz anderen Anblick gewährte, als in unseren Tagen. Dichte Waldungen bedeckten noch gar manche Stelle, die jetzt entweder in fruchtbares Ackerland oder in Wiesen umgewandelt ist. Einen Wald zwischen Bechlin und Kränzlin, welchen Graf Ulrich I. 1315 unserer Stadt vereignete, haben wir schon oben kennengelernt. Auch der größte Teil des zwischen Alt und Neuruppin belegenen Landes war mit Waldung bedeckt.

Auf drei Seiten war die Stadt mit dreifachem Wall und Graben umgeben, während auf der vierten der See eine ähnliche Schutzwehr unnötig machte. So wie die oben erwähnte Landwehr mit dem dichtesten Dorngebüsch bekleidet war, um so durch eine natürliche undurchdringliche Mauer den Durchbruch von Feinden zu verhindern, so scheinen auch die Wälle unserer Stadt schon ehedem mit Holz dicht bewachsen gewesen zu sein, und nur oben auf ihrer höchsten Erhebung einen schmalen Fußsteig für die Verteidiger gehabt zu haben. Dafür zeugt teils das ganze Verteidigungssystem jener Jahrhunderte und die ähnliche Beschaffenheit der Wälle auch an anderen Orten z. B. in Stendal, teils der Umstand, dass auch noch jetzt hier und da auf dem noch erhaltenen übrigen Teil unseres Walls ein Baum stehen dürfte, dessen Alter gewiss bis in die Zeiten der ersten Gründung der Stadt hinaufreicht. Bis zum Jahr 1723 umzogen die Wälle noch von jenen drei Seiten überall die Mauern der Stadt. Auf des Geheimen Rats Hartmann Vorschlag wurde in diesem Jahr der Magistrat aufgefordert, die Wälle sämtlich rasieren zu lassen und in Gärten zu verwandeln. Um die Abtragung derselben zu befördern, überließ derselbe 1726 am 1. Mai den Bürgern, welche dieselbe übernehmen wollten, gegen einen jährlichen Kanon die Hälfte des darauf stehenden Holzes. Ohne Zweifel würde auch der noch jetzt erhaltene Teil des Walls, welcher sich an der nördlichen Seite der Stadt hinzieht, in Gärten verwandelt sein, wenn nicht ein neuer Befehl Seiner Majestät des Königs vom Jahr 1732 das weitere Rasieren der Wälle inhibiert und dadurch der Stadt eine ihrer vorzüglichsten Zierden erhalten hätte. Durch diese Wälle wurden die Stadtmauern selber dem Anblick des von außen Nahenden entzogen.

Aus weiter Ferne sah man jedoch schon die Türme der Klosterkirche und der Pfarrkirche darüber hervorragen; diese anfangs mit einer doppelten Spitze, bis 1521 die eine schadhaft gewordene ganz heruntergenommen, die andere dagegen neu aufgerichtet wurde.

Drei Tore, das Bechliner, später Berliner, das Alt Ruppiner und das Fährtor oder Seetor führten in die Stadt, die beiden ersteren wenigstens mit einem Turm versehen, wie wir dergleichen noch bei vielen anderen Städten, am schönsten vielleicht in Stendal, vorfinden. Als im Jahr 1756 der alte Turm auf dem hiesigen Alt Ruppiner Tor abgebrochen wurde, so fanden sich in demselben noch die Überreste von der in alten Zeiten üblichen Todesstrafe, welche man das Jungfernküssen nannte. Oben in dem Turm nämlich befand sich ein rundes Loch von der Größe einer halben Tonne, worüber vermutlich die Wippe gestanden, und unter demselben ein leeres Gewölbe mit verschiedenen Menschenknochen, dergleichen freilich auch in einem alten am See befindlichen, 1740 abgebrochenen Turm entdeckt wurden. Des Turms über dem Bechliner Tor geschieht in den Ratsrechnungen zu wiederholten Malen Erwähnung. Das Alt Ruppiner und das Bechliner Tor standen durch eine einzige lange Straße miteinander in Verbindung, welche in der Nähe des letztgenannten Tores Karnip, dann aber bis an das entgegengesetzte Ende die Steinstraße hieß.

Ihr parallel lief nördlich die Baustraße. Fast in der Mitte der Stadt zwischen der Steinstraße und der Baustraße lag der alte Markt, und auf ihm das Rathaus. Das alte, angeblich um das Jahr 1300 gebaute Rathaus bestand, wie noch jetzt in manchen Städten, aus zwei Hauptgebäuden, welche durch einen Gang miteinander in Verbindung standen, und in welchem sich zwei große gewölbte Säle befanden. Im Jahr 1716 wurde an die Stelle des alten Gebäudes ein neues von festem Mauerwerk aufgeführt, welches freilich gleichfalls in dem letzten großen Brand mit einem unschätzbaren, überaus reichen Archiv eine Beute der Flammen wurde.

3.7.2 Die Pfarrkirche

Südlich von dem Rathaus zwischen der Fischbänken- und Judenstraße lag die große und schöne Pfarrkirche unserer Stadt, nicht, wie man irrig angenommen, der heiligen Anna, sondern Unserer Lieben Frauen, der Mutter Gottes geweiht. Das Wahrzeichen derselben waren die klugen und die törichten Jungfrauen, ein uraltes in Holz geschnitztes Bild, welches noch im vorigen Jahrhundert neben dem Altar zu sehen war.

Etwa um das Jahr 1200 mag der erste Grund zu dem schönen Gebäude gelegt worden sein, in einer Zeit, in welcher geprägtes Geld noch so selten bei uns gewesen sein soll, dass die meisten Arbeiter daran umsonst, d. h. natürlich nur für Essen und Trinken, arbeiteten. Die Marienkirche war regelmäßig und fest gebaut, und gehörte zu den schönsten Kirchen der Mark. Im Jahr 1449 wurde die Taufe in der Kirche errichtet, an deren Stelle 1599 diejenige trat, deren sich noch jetzt gewiss wenigstens einige der älteren Bewohner unserer Stadt erinnern werden. Von vorzüglicher Schönheit war das Glockengeläute, zumal als zu den früheren sieben Glocken im Jahr 1491 eine neue, von Meister Gerhard Detloff von Boyen gegossene Glocke hinzukam, welche 10 Ellen im Umfang hatte und 110 Zentner wog. Derselbe Meister goss sechs Jahre später 1497 die große Erfurter Glocke, die berühmte Susanna, von der es hieß: »Die große Susanna, die treibet die Teufel von dannen.«

Im Jahr 1498 wurde unsere Pfarrkirche wieder ausgebessert und erweitert.[285] Das Merkwürdigste an derselben war der kostbare Hochaltar, welchen der Bürgermeister Joachim Kriele zu bauen versprochen hatte, aber erst von seiner hinterlassenen Gattin Anna, geborenen Metzmacher, wirklich ausgeführt wurde, im Jahr 1594. Es enthielt dieser Altar erstens das Bild des Adam und der Eva und zwischen beiden das des Mittlers am Kreuz, sodann diesem zur Seite zweitens die Bundeslade zwischen den vier Evangelisten, drittens darunter die Verkündigung der Empfängnis Jesu Christi, die Geburt des Weltheilands, die ihm von den Weisen aus dem Morgenland erwiesene Verehrung, die Sendung des Heiligen Geistes und die Einsetzung des heiligen Abendmahls, darüber viertens die Auferstehung des Erlösers, und endlich noch höher seine Himmelfahrt. Auf der linken Seite des Altars war das krielesche Wappen mit folgender Inschrift:

Voverat hanc Domino sacratam Crellius aram,
Consulis in patria qui grave gessit onus.
CeD prI.Vs hVIC reseCant par Cae fata LIa f ILa
Nona bIs Vt IanI LVCet ab a Xe Dies.

Und auf der entgegengesetzten rechten Seite das metzmachersche mit folgenden Worten:

Vota benIgna Deo qVac VoVerat ante Mar It Vs

Sponte orbata s VIs s Vst VLI t Anna suis
Rebus ut haec essent sacris addicta, marito
Atque eadem voti conscia fama sui.

Trat man von der Kirche zum Altar hinan, so erblickte man zur linken 1.) das Bildnis des hochverdienten Bürgermeisters Kaspar Witte, welcher im Jahr 1609 verstarb, 2.) das des Inspektors Samuel Dietrich, 3.) das des Inspektors Christian Gotthelf Birnbaum († 1723), endlich 4.) das des großen Reformators Martin Luther; auf der rechten Seite dagegen 1.) das Bild Joachim Schwartzkopfs, Inspektors hierselbst († 1669), 2.) das des Archidiakons Thomas Busse († 1698), 3.) das des Johann Adolf Rhein und endlich 4.) das des Philipp Melanchthon. Von einigen dieser Männer wird unten noch wiederholentlich geredet werden müssen.

Um dieselbe Zeit, in welcher auch an anderen Orten Ratsherren und Geistliche auf die Anlegung von Kirchenbibliotheken bedacht waren, wurde auch in unserer Stadt besonders auf Antrieb des damaligen Rats-Stadtschreibers Kaspar Witte, späteren Bürgermeisters, und des Pfarrers M. Jonas Bötticher damit der Anfang gemacht. Es war im Jahr 1585, dienstags nach dem Tag der Bekehrung Pauli. Sowohl der Rat als die Vorsteher des Gotteskastens und der drei Hospitäler zum Heiligen Geist, zu St. Georg und St. Lorenz steuerten nach Kräften hierzu bei. Geistliche aus der Nähe und Ferne, ganze Gilden und einzelne Bürger, wetteiferten miteinander in reichen Gaben. Besonders bei Hochzeiten scheint man der Bibliothek gedacht zu haben. War jemand wegen anstößigen Lebenswandels von der Kirchengemeinschaft ausgeschlossen, so wurde er vor seiner Wiederaufnahme von den Geistlichen angehalten, zum Besten der Bibliothek eine Buße, gemeiniglich 4 Taler, zu erlegen – so der Tuchmacher Joachim Engel, so des Weißgerbers Georg Engel Hausfrau. Auf seinem Sterbebett vermachte ihr der Konrektor Woltersdorf seine ganze Büchersammlung, die zu 194 Schillingen taxiert war, Kaspar Witte bei seiner Wahl zum Bürgermeister 50 Taler (1594) und Simon Fritze, ein Tuchmacher hier, auf geschehene Bitte 25 Taler. Größere Beiträge wie die beiden zuletzt erwähnten, wurden sogleich auf Zinsen getan, kleinere zum augenblicklichen Ankauf wertvoller Bücher verwendet. Viele von den Büchern tragen noch jetzt auf der ersten Seite die Namen derjenigen, welche sie der Kirche verehrten. Mit den letzten Jahren des 17. Jahrhunderts scheint jedoch die Teilnahme für diese Bibliothek allmählich mehr und mehr abgenommen zu haben, und endlich gänzlich erloschen zu sein. Wenigstens erinnern wir uns nicht, unter den bis jetzt in der hiesigen Pfarrkirche aufbewahrten Büchern auch nur ein einziges aus dem 18. Jahrhundert gefunden zu haben. Kann diese unsere Kirchenbibliothek freilich weder an Größe noch an Kostbarkeit der Sammlung denen anderer Städte das Gleichgewicht halten, so sollte sie doch ein zu teures Andenken an den wahrhaft frommen und religiösen Sinn unserer Vorfahren sein, als dass man sie unbekannt und unbenutzt vermodern oder von Gewürm zernagen ließe.

3.7.3 Die Klosterkirche

Die Kirche des hiesigen Klosters vom Orden des heiligen Dominikus wurde erst im Jahr 1564 durch Kurfürst Joachim II. auf Bitte des Rats der Stadt zur Benutzung übergeben, und in demselben Jahr durch den Pfarrer M. Andreas Buchow eingeweiht und mit dem Namen der Dreifaltigkeitskirche belegt.

Wie schon der erste Anblick lehrt, kann die jetzt noch in unserer Stadt befindliche Klosterkirche nicht diejenige sein, welche im 13. Jahrhundert unter dem Grafen Gebhard gebaut wurde. Wirklich fand man auch bei der Abnahme des Knopfes im Jahr 1693 ein Pergamentblatt mit der Inschrift, dass im Jahr 1488 unter der Regierung der Grafen Johann III. und Jakob I. das Gebäude von dem Baumeister Paul von Brandenburg wieder aufgeführt wurde, unter Leitung des Priors Matthäus Wenzel, nachdem im Jahr 1465 dieses Kloster mit allen Gebäuden, die Bäckerei ausgenommen, in Asche gelegt worden sei, am Tag der Himmelfahrt Christi. Die damals stehengebliebene Bäckerei sei 1486 am Tag des Tiburtius dann gleichfalls abgebrannt.

Auf einem kleinen Zettel, in welchem ein kleines Knöchelchen eingewickelt war, standen die Worte: *reliquiae de decem millibus*, Reliquien von den Zehntausend Rittern. Von der Größe und Gestalt der Klosterkirche wird sich jeder leicht durch eigenes Anschauen überzeugen können, wenn sie gleich um das Jahr 1524, welches die beiden Hauptperioden der Geschichte unserer Grafschaft scheidet, einen anderen Anblick gewähren mochte, als in unseren Tagen, wo sie zwischen kahlen und verwitterten Wänden nur Szenen der Zerstörung darbietet. Gleichwohl verdient auch noch jetzt der Altar, aus einem einzigen Stein gehauen, alle Beachtung. Die Orgel, die Emporen, die Kanzel, alles was man in dem weiten verödeten Raum noch wahrnimmt, gehört einer späteren Zeit, zum Teil dem vorhergehenden Jahrhundert, an.

Selbst die Statue des frommen Stifters dieses Heiligtums, welche jetzt in einer Nische steht, stand sonst frei in der Kirche, bis am Anfang des vorigen Jahrhunderts der Magistrat jene Nische in die Mauer brechen und der Statue ihre jetzige Stelle anweisen ließ, mit einer Tafel darüber, auf welcher folgende Verse standen:

Erinn're Dich, mein frommer Christ,
Was für ein Thun gewesen ist,
Als man getrieben Pabstes Lehr,
Und auch vergessen Christi Lehr,
Als man dieses steinern Bild
Geehret und geopfert mild.

3.7.4 Das Kloster

Die Orgel, welche später unter dem Turm stand, befand sich ehedem zwischen der Kanzel und dem Altar. Von der Kirche nach dem See zu war der schöne und große Klosterhof, 93 ½ Fuß lang, 87 Fuß breit, auf der einen Seite von der Kirche, auf den drei anderen von den Klostergebäuden eingeschlossen.

An der Kirche entlang zog sich ein schöner gewölbter Gang, in einer Breite von etwas mehr als 12 Fuß, nur ein Stockwerk hoch, sodass das Dach des gewölbten Ganges etwas über 17 Fuß hoch war. Derselbe Gang setzte sich dann auch auf der östlichen und südlichen Seite des Klosterhofes fort, und diente ebenso wohl als Ruhestätte der müden Lebenspilger als auch den Mönchen zum stillen Spaziergang über die in den Boden gezeichneten Kreuze, die Zeugen ihrer eigenen Vergänglichkeit.

In dem Erdgeschoss des östlichen Kreuzganges zur linken Seite des Ganges befanden sich die Zellen der frommen Bewohner des Klosters, etwa wohl acht an der Zahl, jede mit einem kleinen runden Fenster versehen, jede mit einem kleinen Schornstein, der nach außen hinausführte. Je zwei Zellen waren durch einen kleinen schmalen, gleichfalls durch ein kleines Fenster erleuchteten Gang voneinander geschieden, damit nichts, selbst nicht die Nähe des gleicher Entsagung geweihten Bruders, die stille Betrachtung des Einsamen zu stören vermochte. Die äußere wie die innere Mauer des Ganges hatte eine Breite von 3 Fuß, das ganze Gebäude von 19 ½ Fuß. Über dem unteren Gang lief ein zweites oberes auf Säulen ruhendes Gewölbe entlang, in welchem sich aber keine Zellen befanden. Durch das südliche Klostergebäude führten drei gewölbte Türen, eine in der Mitte, und an jeder Ecke eine in das Kloster hinein, sodass hier der eigentliche Haupteingang zu demselben war. Der östliche und südliche Teil des Klosters nebst dem an die Kirche stoßenden Gang wurden erst im Anfang des vorigen Jahrhunderts auf Befehl des Magistrats weggebrochen, und die Steine zu anderen Ratsbauten verwandt. Nur die westliche Seite, in welcher sich ehedem wahrscheinlich der Speisesaal, die Klosterküche, die Brauerei, später die Küsterei und andere Freiwohnungen (die sogenannte Klosterfreiheit) befanden, blieb stehen, und hatte bis an das Dach eine Höhe von 27 Fuß. In dem Erdgeschoss war hier kein Gang wie auf den übrigen drei Seiten. Die zweite Etage bestand auch hier aus einem großen freien, auf Säulen von etwas mehr als 5 Fuß Höhe ruhenden gewölbten Saal, dessen Bestimmung in den Zeiten der Mönche uns nicht weiter bekannt ist. Wir sehen aus den dürftigen hier zusammengestellten Nachrichten, dass das Kloster ein keineswegs unansehnliches Gebäude war, wenn auch die Zahl der Mönche die Zahl acht oder zehn schwerlich überstieg.

In den Urkunden des hiesigen städtischen Archivs wurde das Kloster nur selten erwähnt. Die Freigebigkeit frommer Christen in Vermächtnissen scheint sich vielmehr den städtischen Kirchen und geistlichen Stiftungen als den Mönchen zugewandt zu haben, und wenn der Verfasser der Grabschrift in der hiesigen Klosterkirche gerade von Graf Ulrich IV. erwähnt, dass er dem Konvent gewisse Einkünfte aus dem Dorf Nietwerder zu einem ewigen Almosen verliehen, und den freien Fischfang im See gestattet habe, wenn es ferner von Graf Albrecht VIII. heißt, dass er dem gedachten Almosen seine Bestätigung nicht versagt habe, so folgt schon hieraus, dass auch unsere Grafen nicht sonderlich auf die Vermehrung der Klostergüter bedacht gewesen sind. Mag hiervon freilich auch der überall sichtbare geistliche Stolz und gänzliche Mangel wahrhaft christlicher Demut der Dominikaner- oder Predigermönche zum Teil mit die Ursache gewesen sein.

Eine sehr lückenhafte und schon dadurch undeutliche Urkunde, einen Vergleich zwischen den Ratmannen des Jahres 1381 bis 1382 den Weg zwischen der Stadtmauer und dem Kloster und einige andere Punkte betreffend, werden wir in dem Urkundenbuch mitteilen.[286] Ob von dem Kloster wirklich ein unterirdischer Gang nach der Poststraße oder nach dem vormaligen Schulgebäude geführt habe, vermöge wir nicht zu entscheiden, zweifeln jedoch daran umso mehr, da in den Zeiten, in denen das Kloster zuerst gebaut wurde, ohne Zweifel auch dieser Teil der Stadt längst mit Bürgerhäusern bedeckt, und die Anlage eines solchen Ganges kaum denkbar war.

Wer wüsste nicht, dass unsere guten Vorfahren kaum an ein Kloster und an die Tage des Papsttums denken konnten, ohne damit alle Schrecknisse eines dunklen, geheimnisvollen, das Auge der Welt scheuenden Tuns und Treibens in Verbindung zu setzen. Und wie hätte man dazu verborgener Gemächer und Gänge tief im finsteren Schoß der Erde entbehren können?

3.7.5 Die Nikolaikirche

Ging man von dem Kloster die jetzigen Klosterstraße hinauf nach der Steinstraße, so gelangte man an die St.-Nikolai-Kirche, welche späterhin der hiesigen reformierten Gemeinde zum Gottesdienst eingeräumt wurde. Ist uns auch die Zeit der ersten Anlage dieser Kirche unbekannt, so hat sich uns doch ein Brief des Bischofs Otto II. von Havelberg aus dem Haus Königsmarck, welcher von 1493 bis 1501 den bischöflichen Stuhl einnahm, erhalten, kraft dessen er im Jahr 1496 allen denjenigen, welche am Tag des heiligen Nikolaus die gedachte Kapelle besuchten, oder den Vespern, Predigten, Prozessionen, Messen und anderen heiligen Amtshandlungen beiwohnten, und zur Wiederherstellung und Erhaltung des Gebäudes, der Kelche, der Bücher und anderer zum göttlichen Dienst daselbst nötigen Zierraten und Kleinodien etwas beitragen würden, für jeden Festtag, an welchem sie das eine oder das andere tun würden, einen Ablass von 40 Tagen bewilligte (gegeben zu Wittstock 1496, freitags am 27. Mai).[287]

Die hiesige reformierte Gemeinde hatte seit dem Jahr 1692, den 7. April, ihren Gottesdienst in der Heilig-Geist-Kirche gefeierte. Als aber 1699, den 14. August, diese Kirche samt 103 anderen Häusern eine Beute des Feuers geworden war, so überließ noch in demselben Jahr am 28. September Kurfürst Friedrich III. der ihres Gotteshauses beraubten Gemeinde den Platz, auf welchem die nun bis auf einen schadhaften Turm ganz verfallene Nikolaikirche gestanden hatte, mit samt dem Turm, schenkte ihr aus seinen Forsten das zum Bau einer neuen Kirche nötige Bauholz nebst einer ansehnlichen Summe Geldes. Im Jahr 1702, am 8. Dezember, wurde hierauf die neue Kirche durch den Königlichen Ober-Hofprediger Jablonsky eingeweiht. Wenige Jahre nachher bewirkte der Ober-Marschall und Wirkliche Geheime Staatsminister von Prinzen, als er bei einer Durchreise durch unsere Stadt gesehen, dass der Kirchhof wüst und von allen Seiten offen dalag, dass der König eine neue Geldsumme bewilligte, um ihn mit einem ordentlichen Gehege einschließen zu lassen. Durch die Freigebigkeit des Königs, des Herzogs Friedrich Wilhelm I. von Mecklenburg und mehrerer hohen Staatsdiener wurde es 1709 auch möglich, den alten baufälligen Turm abbrechen und einen neuen an dessen Stelle aufführen zu lassen, welcher im folgenden Jahr 1710, am 3. Oktober, mit einem vergoldeten Knopf geziert wurde.

Die wahrscheinlich erste Erwähnung der Kapelle des heiligen Nikolaus‘ ist aus dem Jahr 1327 vom 1. Juni, an welchem Tag Bischof Dietrich I. von Havelberg (ordiniert 1323, † 1340) allen denjenigen, welche auf dem Kirchhof des heiligen Nikolaus' zu Ruppin einen Umgang halten und für die Seelen der gestorbenen Gläubigen beten würden, einen Ablass von 40 Tagen bewilligte.[288]

3.7.6 Die Heilig-Geist-Kapelle

Dicht an dem Alt Ruppiner Tor, dem zur Stadt Hineinkommenden zur linken Hand, lag die Kapelle zum Heiligen Geist, welche wir in den Urkunden unserer Stadt zum ersten Mal im Jahr 1321 erwähnt gefunden haben. Die Ratmannen der Stadt bezeugten hier, dass sie in der Zeit, da sie um Geld benötigt gewesen waren, und ihren Herren, den Grafen, in ihren Nöten hatten mit Silber und anderer Kost zu Hilfe kommen müssen, dass sie also notgedrungen dem Propst Peter zu Gransee und dem Pfarrer Seeger zu Löwenberg, jenem 4 Pfund Brandenburgischer Pfennige für 45 Pfund, diesem 5 Pfund für 50 zu einem rechten Eigentum und ewigen Nutzung eines Altars in der Kapelle des Heiligen Geistes und des dazu von den Ratmannen belehnten Priesters verkauft hätten. Der Priester sollte hier alle Tage mit einer Messe und Vesper singen zur Ehre Gottes und zum Gedächtnis der beiden vorbenannten Priester, die ihr Geld und Almosen zu jenem Altar gelegt. Zu diesen 9 Pfund versicherte der Rat noch 3 Pfund aus der Urbede und den Almosen des Hauses des Heiligen Geistes gelegt zu haben, und versprach, jene Summe vierteljährlich mit 3 Pfund dem Altaristen redlich auszuzahlen, und ihm überdies einen Schüler, Bücher, Kelch, Wein, Oblaten, Licht und alles, dessen man zum Gottesdienst bedarf, zu halten.[289] Von diesem offenen Brief, welchen der Rat größerer Sicherheit wegen auf das Rathaus genommen, stellte er dem Heiligen Geist im Jahr 1369 am 23. Februar eine genaue und verbürgte Abschrift aus.

Es ist schon oben berührt, wie diese Kirche im Jahr 1699 bei jenem großen Brand mit in Asche sank, nachdem sie, wenn wir nicht sehr irren, seit dem Jahr 1655 dem Gottesdienst der reformierten Gemeinde geweiht gewesen war.

3.7.7 Die Laurentius-Kapelle

In der Lap- oder Klapstraße, welche den Klosterkirchhof mit dem neuen Markt verband, war ein Hospital, dem heiligen Laurentius geweiht, nicht dem Lazarus, wie man fälschlich meinte.

Im Jahr 1490 gestattete der Rat hiesiger Stadt dem Nikolaus Schwertfeger und seinen Mithelfern, ein Haus oder Hospital in der bezeichneten Straße zu bauen, armen Kranken und Siechen, die nicht Herberge oder Behausung hatten, oder Aufenthalt, noch sich der Hände gebrauchen oder ernähren konnten, ohne irgendein Gift oder Gabe, sondern lauter um Gottes Willen darin zu nehmen und liegen zu lassen, so lange sie sich nicht zu behelfen vermochten. Sobald sie sich aber wieder selber behelfen konnten, so sollten sie nicht länger darin bleiben oder erhalten werden. Wo aber ein Kranker darin verstarb, dessen Nachlass sollte bei dem Hospital bleiben. Sollten einige ehrliche fromme Personen sein, Männer, Frauen, Witwen oder Jungfrauen, die sich hineingeben wollten, um Gottes Willen die Armen zu warten, Bett, Gewand und andere Geräte, die zu dem Hospital gehörten, rein zu halten, die sollten, so lange sie mächtig waren die Treppen zu steigen, auf dem niedersten Boden eine Bettstelle haben, wurden sie krank und ohnmächtig, im Erdgeschoss Zeit ihres Lebens beherbergt werden, sich geistlich halten, wie die nach der dritten Regel des heiligen Franziskus, und kein gefärbtes Gewand, sondern blau oder schwarz zur Ehre Gottes tragen. Ihr Nachlass aber, wenn sie starben, sollte gleichfalls bei dem Hospital bleiben, zur Notdurft der Armen, die darin lagen. Andere Bestimmungen den Siechenmeister betreffend wird jeder aus der Urkunde selber, welche 1490 am Sonnabend nach dem Sonntag Judica (3. April 1490) ausgestellt wurde, leicht zu ersehen im Stande sein.[290]

Am sechsten Tag nach Himmelfahrt des folgenden Jahres bestätigte Busso I. von Alvensleben, von 1487 bis 1493 Bischof zu Havelberg, diese milde Stiftung, und sicherte allen denen, welche das Hospital an den Festtagen der heiligen Jungfrau Maria und deren Mutter Anna, der Apostel Simon und Judas, des Alexius Kosmas und des Damianus, der Witwe Elisabeth und 14 anderer Patrone würden fromm und demütig besucht, vor deren Bild ein Paternoster und ein einziges Ave Maria gesprochen, die Armen drinnen durch Worte oder durch die Tat getröstet und an ihnen Werke der Barmherzigkeit geübt hatten, im Namen des Allmächtigen Gottes und der Apostel Petrus und Paulus einen Ablass von 40 Tagen zu. Diese Bestätigungsurkunde war zu Wittstock ausgestellt und mit dem bischöflichen Siegel versehen.[291]

Zur Erinnerung an den Stifter des Spitals hängen noch jetzt drei alte Schwerter mit ebenso viel Scheiden an der dem Eingang gegenüberstehenden Wand der Kirche. Von 1699 bis 1702 hielten die Reformierten ihren Gottesdienst in derselben. Im Jahr 1730 waren Hospital und Kirche so verfallen, dass jenes musste ganz neu aufgebaut, diese wenigstens bedeutend repariert werden. Es bedarf kaum der Erinnerung, dass auch dieses Siechenhaus gleich bei seiner Begründung durch den Rat Vorständer erhielt, welche die Einkünfte desselben verwalteten und die erforderlichen Zahlungen leisteten. Diese Vorständer waren es zum Beispiel, welche 1541 mittwochs nach Visitationis Mariae virginis die Gärten, der Rentzkow genannt (vom Seetor nach dem Alt Ruppiner Tor hin innerhalb der Wälle an der Mauer sich hinziehend), ingleichen die Wiesen und alle Zubehörung von Johann Löwe und seinem Weib, Oswald Galles selig hinterlassenen Tochter, für das ihnen anvertraute Siechenhaus erkauften.[292]

3.7.8 Die Kapellen vor der Stadt und die Straßen in der Stadt

Zu diesen Gotteshäusern innerhalb der Stadt kamen noch mehrere außerhalb derselben belegene. Vor dem Tor, welches nach Alt Ruppin führte, liegt noch jetzt das St-Georgen-Hospital, welches in seiner jetzigen Gestalt erst am Anfang des letztverflossenen Jahrhunderts aufgeführt worden ist, daher auch die Kirche in ihrem Inneren nichts Bemerkenswertes darbietet.

Ferner muss ehedem vor demselben Tor auch die Jerusalem-Kapelle gestanden haben, wenngleich schon vor einhundert Jahren Männer, welche mit der Geschichte unserer Stadt wohl vertraut waren, nicht mehr ihre Stelle anzugeben vermochten.

Vor dem entgegengesetzten Tor, dem Bechliner, lag die der heiligen Gertrud geweihte Kapelle. Die letzten Überreste des längst unbrauchbar gewordenen Gebäudes wurden 1764 weggebrochen, um die Steine zur Erbauung der ersten großen Kaserne in dem Nobbenhol zu benutzen, welche 1768 fertig wurde. Die Länge der St.-Gertruden-Kapelle mochte etwa 37 Fuß 2 Zoll, die Breite 26 Fuß, die Höhe der Mauern bis an das Dach 15 Fuß 4 Zoll, und die ganze Höhe bis an die Spitze des Giebels 32 Fuß betragen haben. Die erste Erwähnung des Hospitals geschah, wenn wir nicht sehr irren, im Jahr 1433, in welchem die Gevattern Albrecht und Johann von Rheinsberg bezeugten, dass sie dem Altaristen zu St. Gertrud für 15 Schock guter Böhmischer Groschen 2 Wispel Hartkorn aus dem Dorf Manker von den Höfen und Hufen Jakob Wilkens' und Johann Fischers zu Martini zu erheben, verkauft hatten. Der damalige Altarist zu St. Gertrud hieß Dietrich Pritzerbe. Sollten die genannten Wilkens und Fischer oder wer sonst auf den beiden Höfen wohnhaftig, diese Pacht nicht gehörig entrichten, so sollte der Altarist das Recht haben, sie zu pfänden und pfänden zu lassen, ohne Hindernis und Widersprache. Doch sollte jenen von Rheinsberg die Wiedereinlösung der 2 Wispel freistehen, wenn sie zu Jakobi die 15 Schock kündigten und an dem nächstfolgenden Martinitag wirklich zurückzahlten. Der Schuldbrief ist datiert vom Dienstag nach Trinitatis (9. Juni).[293] In demselben Monat noch, am 30. Juni 1433, erteilte der Weihbischof Peter, Stellvertreter des Bischofs von Havelberg, Konrad, allen denjenigen, welche die Kapelle St. Gertrud an den wichtigsten Festtagen der Kirche, d.h. zu Weihnachten, Epiphania, Ostern, Himmelfahrt, Pfingsten, am Fest des Leibes Christi, Johannes des Täufers, aller Apostel und Erzengel, aller Heiligen und aller Toten, der heiligen Märtyrer usw. würden mit Ehrfurcht besucht, dort das göttliche Wort und die Messe mit angehört, die Kirche in ihren Bedürfnissen unterstützt, oder einen Umgang auf dem Kirchhof gehalten, und für die Verstorbenen fünf Paternoster und ebenso viel Ave Maria gesprochen, wer ferner in Gegenwart des Leibes Christi würde mit Andacht die Knie gebeugt, und abermals fünf Paternoster und fünf Ave Maria gebetet haben, einen Ablass gleichfalls von 40 Tagen, um dadurch das Emporkommen der Kirche zu fördern.[294]

Gerade zehn Jahre später, am 30. Juni 1443, verkaufte Johann von Rheinsberg mit Erlaubnis und Willen des Grafen Albrecht VIII. und seiner Vettern Albrecht und Peter von Rheinsberg demselben Altaristen von St. Gertrud, Dietrich Pritzerbe, 3 Pfund aus der Bede zu Manker und 1 Pfund von den Hühnerpfennigen eben daselbst zu erheben, nachdem dieser jenem für die bezeichneten 4 Pfund 20 Schock an guten Böhmischen Groschen und 2 Schock an Pfennigen bereitet hatte. Im Fall der Verkäufer oder seine Erben jene 4 Pfund zurückkaufen wollten, so sollte die Kündigung zu Lichtmess, die Rückzahlung jener 22 Schock aber zu Johannis erfolgen.[295] Einen neuen Ablass von 40 Tagen bewilligte Bischof Wedego von Havelberg, aus dem edlen Haus derer von Putlitz (1460–1487) im Februar 1467 allen, welche die Kirche besucht, den festlichen Handlungen in derselben beigewohnt, und zur Unterhaltung der Gebäude, Kelche, Bücher und Zierraten nach Kräften beigesteuert hätten.[296]

Vor dem Bechliner Tor stand und steht noch jetzt eine steinerne Säule mit einem Bild des sterbenden Erlösers, welche von dem Rathaus unserer Stadt gerade ebenso weit abstehen sollte, als die Schädelstätte von dem Richthaus des Landpflegers Pilatus entfernt gewesen, und welche Joachim von Wuthenow, Erbgesessener zu Segeletz, zum Andenken seiner Dankbarkeit für seine glückliche Rückkehr von dem Heiligen Grab zu Jerusalem hier errichtet hatte. Wahrscheinlich ist dies derselbe Herr von Wuthenow, dessen Epitaph in der hiesigen Klosterkirche freilich mit halb erloschener Jahreszahl noch später zu sehen war.

Wir übergehen hier billig andere weniger bedeutende Gebäude unserer Stadt, indem wir hoffen, die Lokalität derselben in einem vielleicht später nachgelieferten Plan zu besserer Anschauung zu bringen, begnügen wir uns auch, nur die wichtigsten der Straßen namhaft zu machen.[297] Der hohe Steinweg und die Baustraße gingen von St. Nikolai nach dem Alt Ruppiner Tor. Von dem hohen Steinweg nach Mittag gingen in paralleler Richtung der Taschenberg, die kleine und große Beginenstraße, die Scharrnstraße, die Judenstraße, zwischen denen der neue Markt, die Fehrstraße, die Leinweber- oder Rossmühlenstraße, die Propsteistraße, der Rödehof, die Grenztraße, die Reinickenstraße, die Schulzenstraße, die Kalandsstraße, der Ritterort gingen von der Baustraße feldwärts nach der Mauer zu. Von den größeren Plätzen bemerken wir nur den alten und den neuen Markt, von denen dieser, wie wir oben gesehen haben, schon im 13. Jahrhundert muss vorhanden gewesen sein.

3.8 Der städtische Verkehr

3.8.1 Die verschiedenen Erwerbszweige

In Betreff des städtischen Verkehrs während der gräflichen Regierung sind wir weit entfernt, in die Klagen derer mit einzustimmen, welche es für fast unbegreiflich halten, wie man in den rohen und ungesitteten Zeiten des Mittelalters das Leben nur einigermaßen habe erträglich finden können. Finden wir doch mit geringen Ausnahmen alle die Gewerbe in unserer Stadt, welche wir noch heutigen Tages für unentbehrlich zu halten geneigt sind. Es ist freilich wahr, dass es weder Buchhändler noch Apotheker bei uns gab. Weder für das eine noch für das andere zeigte sich ein Bedürfnis, wenngleich der letzte Spross des edlen gräflichen Hauses wegen des Mangels eines tüchtigen Arztes so früh in der Blüte der Jugend dahinstarb.

Wenn noch am Anfang des 16. Jahrhunderts oftmals des Bernauer Bieres in den Rechnungen des hiesigen Rates Erwähnung getan wird, so ist leicht einzusehen, dass die Brauerei damals noch nicht in sonderlichem Flor kann gestanden haben, obgleich schon seit dem Ende des 15. Jahrhunderts ein kurfürstlicher Zinsmeister auch in unserer Stadt genannt wird. Freilich war, sobald die Bierziese in den übrigen Teilen der Mark trotz des Widerspruchs, ja der Empörung mehrerer insonderheit der altmärkischen Städte allgemein, eingeführt war, die Erhebung jener anfangs sehr verhassten Steuer auch in der Grafschaft Ruppin unumgänglich notwendig. Dessen ungeachtet aber sehen wir auch hier nicht so ganz undeutlich, wie die markgräfliche Regierung sich immer größere, wenngleich keineswegs rechtwidrige Eingriffe in die landesherrlichen Rechte der Grafen von Lindow zu erlauben geneigt war – ein Bestreben, welches besonders während der Minderjährigkeit des letzten Grafen kaum verkannt werden kann.

Gleichwohl war schon damals hier wie anderswo eine Brauergilde, welche die Gerechtigkeit des Brauens und des Bierverkaufs im Einzelnen hatte. Wie aber der Rat auch einzelnen Bürgern von dem Gewerk der Wollenweber das Recht des Tuchschnitts, wie oben gezeigt, bewilligen konnte, so durfte er auch ohne Zweifel einzelnen nicht der Brauergilde angehörigen Bürgern gestatten, nachdem sie ihr Haus und namentlich den Brauschornstein genug gegen Feuergefahr gesichert hatten, bis zu einer bestimmten Quantität Bier zu brauen. So erlaubte er im Jahr 1543 dem Joachim Zernikow auf sein Bitten, Zeit seines Lebens einen Sack zu brauen, unter der Bedingung, dass er sein Haus genügend dazu einrichte. Nach dem Tod des Joachim Zernikow sollte aber das Haus sofort aufhören, ein Brauhaus zu sein, es sei denn, dass es ganz neu erbaut werde. Im Jahr 1546 (freitags nach Judica) bewilligten die Ratmannen ähnlich dem Steffen Vieritz, bei seinen und seiner Frau Lebzeiten, 6 Scheffel zu brauen. Doch sollte er zwar in seinem Haus Biergäste halten, über die Straße aber das Bier nicht im Einzelnen, sondern nur in ganzen Tonnen verkaufen dürfen. Dienstags nach Bartholomäi 1550 erlaubte der Rat dem Nikolaus Schramme, ½ Wispel Malz zu brauen, nachdem er vorher mit den Gildemeistern sich von der angemessenen Einrichtung des Schornsteins überzeugt hatte. Der gewöhnliche Preis für eine Tonne Bier scheint etwas über 2 Schock betragen zu haben, doch finden wir auch wohl 1 Schock weniger 4 Schillinge für zwei Viertel Bieres in den ratmännischen Ausgabebüchern berechnet.

War in der Zeit, von welcher wir reden, nun auch der Branntwein noch gänzlich unbekannt, so scheint dagegen der Gebrauch von Met und Wein häufiger gewesen zu sein, als man fast für jene Zeiten glaubhaft finden möchte. Unter den Geschenken, mit welchen die hiesigen Ratmannen achtbare Personen, etwa einen Rat des Bischofs, oder einen einflussreichen Diener seiner kurfürstlichen Gnaden, oder wohl gar das ganze Domkapitel zu Magdeburg erfreuten, finden wir daher häufig zwei Kannen Met für 8 Schillinge und zwei Kannen Wein für 12 Schillinge verzeichnet. Alle die zum größten Teil oben schon berührten Verordnungen in Betreff des Weinbaues und des Weinverkaufs würden als lächerlich erscheinen müssen, wenn nicht der Betrieb, des Weinbaues bei unserer Stadt damals durch seine Wichtigkeit dergleichen Maßregeln nötig gemacht hätten. Zwei

Weinberge lagen in der Nähe des Rhinsees bei Alt Ruppin, die sogenannten Voß- oder Wolfsberge, ein dritter war der allen Bewohnern unserer Stadt wenn auch nicht durch seinen Wein, doch durch seinen Namen bekannte, ein vierter gänzlich aus dem Andenken verschwundener lag vor dem Bechliner Tor. Es ist in der Tat auffallend, dass der Weinbau bei so vielen Städten und Dörfern unserer Mark allmählich wieder eingegangen ist, welche ihn oft mit großen Kosten und dem besten Erfolg in Gang gebracht hatten. Der wohlweise Rat von Gardelegen z. B. kaufte einen Berg von dem Dorf Akendorf (1559), stellte dort einen tüchtigen Weinmeister an, ließ drei große Wagen voll Reben aus Franken kommen und damit den Berg belegen. Der Anbau kostete an 600 Gulden. Im Dreißigjährigen Krieg aber ging diese kostbare Anlage ganz zu Grunde, ohne dass seitdem ein zweiter Versuch zum Weinbau gemacht wäre. Der Alt Ruppiner Weinberg lieferte nach der Aussage des Weingärtners, welchen Herr Valentin Schnakenburg auf demselben hielt, 1755 noch 20 Tonnen, fünf Jahre später nur noch 7 ½ Tonnen, weil viele Reben durch starken Frost gelitten hatten. Ebenso ging der zwischen Alt und Neuruppin belegene Weinberg allmählich ein. In Protzen, Ganzer wurde schon im Jahr 1760 kein Wein mehr gekeltert, während der bei Radensleben bei guten Jahren noch nahe an 30 Tonnen eintrug. Zu Wustrau waren zwei Weinberge, von denen der eine 1739 auf 64, 1756 nur noch auf 40, der andere in jenem Jahr noch 48 Tonnen, in diesem letzteren dagegen nur noch sehr wenig lieferte. Krieg, Frost, Umstände anderer Art trugen dazu bei, den Weinbau in der Mark bis auf wenige Ausnahmen ganz zu vernichten. Wir glauben freilich auch, dass der lecker gewordene Gaumen unserer Märker wohl mehr Behagen an fremden Weinen fand, und daher den Landwein mehr und mehr verschmähte und in Verachtung brachte.

Wie weit der Ackerbau in unserer Stadt zu rechter Blüte gelangte, sind wir nicht wohl im Stande zu beurteilen. Gewiss aber war die städtische Feldmark, im Vergleich mit dem Umfang des urbaren zum Ackerbau tüchtigen Landes bei anderen Städten weniger bedeutend, selbst da noch, als ein großer Teil von der Feldmark des Dorfes zu Treskow mit der städtischen vereinigt war. Der Kornhandel war manchen Beschränkungen unterworfen. Im Jahr 1323 bestimmten die

Grafen Günther II., Ulrich II., Adolf I. und Burchard, dass die Stadt Neuruppin das Korn, dessen sie nach ihrem und der Grafen Gutachten entbehren könnte, mit dem Rat und der Erlaubnis derselben sollte ausführen dürfen. Sollten sie, die Grafen, aber einigen ihrer Mannen jene Erlaubnis ohne der Ratleute zu Ruppin Rat geben, so sollte auch die Stadt frei sein, Korn auszuführen, bis dass die Grafen sich mit ihr darüber vereinigt hatten.[298] In dem Thedings-Brief, durch welchen unter des Fürsten Adolf von Anhalt Vermittlung im Jahr 1448 die Zwistigkeiten zwischen Graf Albrecht VIII. und der Stadt Neuruppin beigelegt wurden, waren auch mehrere Bestimmungen, welche das Brauen, das Biermaß, das Kaufen und Verkaufen des Korns betrafen, und in denen einerseits die Kornausfuhr außer Landes untersagt, andererseits verboten wurde, das Korn auf den Stücken zu kaufen.[299]

3.8.2 Der Handel und die Preisverhältnisse

Auch über den Handel unserer Stadt während dieser Periode fehlen uns recht genaue Nachrichten. Wir wissen zwar, dass Neuruppin in Bellin, Sommerfeld und in der Altmark vom Zoll befreit war. Wir wissen ferner, dass es dem großen nordischen Städtebund, der Hanse, sich angeschlossen hatte, und dass unsere Bürger eben daher noch in der Mitte des vorigen Jahrhunderts zu Lübeck, Stettin und Frankfurt an der Oder Zollfreiheit hatten, wenn sie ein Attest beibrachten, dass sie wirklich zu Ruppin ansässig und Bürger unserer Stadt wären. Aber inwiefern diese unsere Stadt lebhaften, tätigen Anteil an dem Handel der Hanse genommen habe, welche Stelle es in dem mächtigen Bund eingenommen, auf welche Artikel sich sein Handelsverkehr erstreckte, müssen wir dahingestellt lassen.

Unter den ältesten Familien, welche starken Handel trieben, wird uns die Wittesche genannt, deren Ahnherr nach einigen Angaben erst zur Zeit der grausamen und blutigen Verfolgung der Protestanten durch den Herzog von Alba nach der Mitte des 16. Jahrhunderts, wahrscheinlicher aber schon gegen Ende des 13. Jahrhunderts von Holland her über Hamburg hier einwanderte, und sich hier niederließ. Wenigstens finden wir schon 1321 einen Dietrich Witte unter den hiesigen Ratmannen erwähnt.[300] Dessen Sohn Hermann Witte war 1360,[301] dessen Sohn Jakob Witte 1406 hier Ratmann.[302] Der Sohn des letzteren war 1460 Bürgermeister zu Kyritz, zu dessen Zeit diese Wittesche Familie in der Prignitz und in der Altmark ansehnliche Lehns- und Handgüter hatte und zu den berühmtesten und angesehensten jener Provinzen gehörte. Es ist gewiss, dass dieses Geschlecht frühzeitig durch Handel und Wohlstand in unserer Stadt sich auszeichnete, wenn wir auch während der Periode der gräflichen Herrschaft ihre Namen weniger in den Ratsherrenlisten aus jener Zeit antreffen, und wenn auch ihre Abstammung aus den Niederlanden, insonderheit aus Amsterdam mehr in dem Wunsch ihren Grund haben mag, ihren Stammbaum an den der hochberühmten de Wittschen Familie daselbst anzuschließen.

An barem gemünzten Geld war in den ersten Zeiten nach Gründung unserer Stadt gewiss in dem Umkreis der ganzen Mark nur ein verhältnismäßig sehr geringer Vorrat vorhanden, und daher das Verhältnis des Geldes zu den dafür käuflichen Waren ein solches, dass namentlich unsere Vorfahren daraus auf eine außerordentliche Wohlfeilheit und Überfluss an allen Lebensbedürfnissen, nicht aber auf Mangel an barem Geld schlossen.

In dem Knopf des Turmes zu Göricke bei Brandenburg fand man 1691 am 25. Mai folgende Nachricht, dass um das Jahr 1280 1 Scheffel Roggen magdeburgisches Maß in der Mark 22 Pfennige, ein Huhn 2 Pfennige, ein Mandel Eier und acht Heringe jedes nur 1 Pfennig gegolten habe. Hundert Jahre später, 1389, kaufte man in der Mark ein Schaf um 1 Schilling, eine Kuh um 3, eine Tonne Bier um 4 Schillinge lübeckisch. Ein Mandel Eier galt auch da noch 1 Pfennig, 1 Pfund Butter das doppelte, 1 Scheffel Roggen 11 Pfennige. Ein Tagelöhner erhielt täglich außer Essen und Trinken kaum 3 Heller an Tageslohn. Noch im Jahr 1441 kaufte man für 1 Gulden 9 Scheffel Weizen, 13 Scheffel Roggen und 16 Scheffel Hafer. Und 1484 galt der Scheffel Weizen 4 Groschen, der Roggen 3, die Gerste 2 Groschen, der Hafer 12 Pfennige. Vom Jahr 1307 berichtet Angelus Struthiomontanus, dass zu Strausberg der Scheffel Roggen 20 Märkische Pfennige, die Gerste 16, der Hafer 12 Pfennige, eine Tonne Bier 12 Groschen, ein

Pfund Wachs 4 Groschen 3 Schärf, eine Tonne Wein 30 Groschen gegolten habe. Und zu einer freilich ganz besonders wohlfeilen Zeit (1512) kam in der Altmark die Tonne Bier nur auf 7 Groschen, das Fuder Holz auf 22 ½ Pfennig, der Roggen auf 20 Pfennige, das Mandel Eier auf 3 Pfennige zu stehen. Dies Verhältnis der Lebensbedürfnisse zu dem Geld änderte sich ganz im 16. Jahrhundert, wo in teuren Zeiten der Roggen (1546) auf 1 Taler und (1571) auf 2 Gulden zu stehen kam, und in diesem Verhältnis finden wir die Preise auch in den folgenden Jahrhunderten ohne ein so auffallendes und merkwürdiges Steigen, wie es um die Mitte des 16. Jahrhunderts durch die plötzliche Zirkulation des amerikanischen und des in Klöstern seit Jahrhunderten aufgespeicherten Geldes bewirkt wurde.

Wir können es nicht unterlassen, bei dieser Gelegenheit einer höchst auffallenden Naturerscheinung zu gedenken, wenn sie gleich eigentlich schon der folgenden Periode angehörte. Als im Jahr 1580 die Teuerung über das ganze Land so groß war, dass viele Leute vor Hunger verschmachteten, viele in den Feldern und Wäldern Wurzeln suchten, und diese roh und gekocht aßen, um nur den Hunger zu stillen, da fiel um Palmarum in der Gegend von Havelberg, Plänitz, Kyritz, Wusterhausen, Perleberg Korn von oben herab, so dick, dass die Leute es aufraffen, mahlen, backen konnten, was auch von den hungrigen Leuten mit Freuden geschah. Es sah aber dies Korn aus wie gedörrtes Malz, hatte blaue und gelbe, auch rote Streifen, und gab ein schönes, wohlschmeckendes Brot für Menschen. Merkwürdigerweise aber mochte es kein Tier, kein Huhn, keine Taube, kein anderer Vogel weder es anriechen, noch davon fressen.

Mit diesem Preis des Getreides stand, wie sich von selber versteht, auch der Wert der Grundstücke in Verbindung. Aus einer 1272 von dem Grafen Günther von Schlotheim, Truchsess, ausgestellten Urkunde (siehe Schumachers Nachrichten und Anmerkungen der Eisenachschen Geschichte[303]) erhellt, dass 10 Mark Silbers und 1 Hufe Landes an Wert sich gleich standen. Aber es ist hierbei nicht zu übersehen, dass die Hufen in den sächsischen Dörfern bei weitem größer waren, als in vielen der diesseits der Elbe belegenen Dörfer, und vergleichen hiermit den so außerordentlich niedrigen Kaufpreis, für welchen die Stadt Neuruppin 1395 von Graf Ulrich IV. das Dorf zu Treskow mit 17 freien und mehr als 30 zinsbaren Hufen an sich brachte, so ist leicht einzusehen, dass bei uns 1 Hufe in viel geringerem Preis muss gestanden haben.[304] Die schon öfters erwähnten Rechnungsbücher des hiesigen Rates geben uns über den Wert von Äckern, Wiesen, Gärten, Häusern, Holzungen keine recht genügende Auskunft. Dagegen bieten sie eine außerordentliche Menge von anderen Angaben dar, aus denen wir einige wenige hervorheben wollen, die für die richtige Beurteilung des Verhältnisses zwischen dem Geld und den dafür käuflichen Dingen oder den dafür geleisteten Arbeiten nicht unwichtig sind. Für 1 Scheffel Roggen berechneten die Ratmannen 18 Pfennige (1471), für 1 Wispel Hafer 8 Schillinge, dagegen 1472 für ein Viert Hafer ungewöhnlich hoch 9 Pfennige, und in demselben Jahr für 2 Scheffel Hafer 5 Schillinge, wahrscheinlich wegen eines plötzlichen Steigens der Getreidepreise. Ein Schock Stroh kostete 1471 nur 4 Groschen; 8 Groschen wurden für zwei Kannen Met, 12 Schillinge für ebenso viel Wein in Rechnung gestellt. Hiermit in angemessenem Verhältnis stand es, wenn die Ratmannen für eine Fuhre nach Alt Ruppin, nach Dabergotz, höchstens 1 Schilling zahlten, 10 Schillinge für einen Wagen, der sie nach Berlin fahren sollte, wenn sie in Alt Ruppin höchstens 3 bis 4 Schillinge, in Strelitz 8, in Zerbst, wohin mehrere Ratmannen dem Grafen haben folgen mussten, 31 Schillinge verzehrten. Längerer Aufenthalt, größere Zahl der Ratmannen steigerten die Kosten der Zehrung. So gebrauchten sie 1 Schock und 2 Groschen zu Goldbeck, mehr noch zuweilen in Berlin, 3 Pfund und 2 Schillinge zu Magdeburg. Auf die Stadtrechnung kam es, was die Stadtknechte im Dienst des Rates auswärts verzehrt hatten. Begleiteten sie den Grafen auf die Jagd, so bedurften sie mindestens 1 Schilling. 18 Pfennige verzehrte Heinrich Kriele, einer derselben, zu Wusterhausen (1471), 24 Pfennige zu Zehdenick (1474), 2 Schillinge nach Berlin. Für ein Pferd, im Dienst der Stadt zugesetzt, zahlte der Rat (1471) 7 Schock, für ein anderes 6, für ein drittes 9 Schock. Für ein Fuder Holz vom Ziegelofen 1 Groschen, für sechs Fuhren Sand 18 Pfennige. Ein Fuder Heu erhielt man für 6 Schillinge, sechs Latten für 1 Schilling. Der gewöhnliche Preis für ein Hofgewand der Reitknechte, der Hirten betrug 10 bis 11 Schillinge. Zwei Paar Stiefel für die Bierspunder kosteten 14 Schillinge, ebenso viele für die Reitknechte 26, für die Hirten 28 Schillinge; dagegen für ein ausgesetzt gefundenes, nun auf der Stadt Kosten erzogenes Kind zwei Paar Schuhe, das Paar zu 1 Groschen, und für die Wahrer des Kindes 10 Schillinge berechnet wurden. Für ein Paar Hosen, die der Rat dem Nikolaus Muste schenkte, wurden 9 Groschen in Anrechnung gebracht. Ein Sattelkissen kostete 2 Groschen, ein guter Zaum 8 Schillinge, zwei Armbrüste und eine Sehne 3 Pfund und 4 Groschen, 6 Groschen für zwei Sehnen. Einen Helm zu wischen zahlte der Rat jetzt 1 Groschen, ein anderes Mal 1 Schilling, Helm und Kragen reinzumachen dem Schwertfeger 2 Groschen, dem Harnischwischer dafür, dass er ein ganzes Jahr die Panzer gereinigt, 6 Gulden. Von Jesse dem Juden kaufte der Rat 1474 einen Panzer um 2 Schock weniger 5 Schillinge, einen anderen für 5 Pfund. Eine Pulvertonne zu binden machte 5 Pfennige, die Rossmühle mit Stroh zu decken 1 Schock 8 Schillinge, einen Schützenbaum aufzurichten 1 Gulden. Der Schmied bekam für alle Arbeit während eines Jahres, die er für die Stadt geliefert hatte, 4 Schock, zwei Eisen den Stadtpferden unterzuschlagen 2 Groschen.[305]

3.8.3 Die Lohnverhältnisse und Besoldungen

Hiermit in angemessenem Verhältnis stand der Lohn, den der Rat an die Stadtknechte, den Marktmeister etc. auszahlte. Die Reitknechte erhielten vierteljährlich 10 Schillinge als Lohn, der Marktmeister 8, der Burgmann 25, der Holzwärter gleichfalls 8, der Schreiber 12, der Tarnemann (Türmer) wahrscheinlich 4, der Küster 5 Schillinge. Aber freilich erhielten sie außerdem ihr Hofgewand, Stiefel, auf Reisen die Zehrungskosten vergütet. Im Fall sie im Dienst der Stadt das Leben verloren oder sonst Schaden nahmen, wurden sie selbst reichlich aus der Ratskasse schadlos gehalten oder ihre Hinterbliebenen versorgt. Tat der Rat das doch an denen, die beim Steinegraben ein Unglück betroffen hatte.

Es ist leicht einzusehen, dass auch die freiwilligen Geschenke des Rates immer in den bezeichneten Schranken blieben. Der Bote, der einen Brief des Bischofs von Havelberg überbracht hatte, empfing

1 Groschen Trinkgeld, ebenso viel Bellen als Geschenk, da er zum Burgmann angenommen wurde. Den Pulsanten (Glockentretern), als man mit dem heiligen Sakrament für ein selig Wetter einen Umzug gehalten, wurde ein Geschenk von 4 Groschen verabreicht, den Hirten dafür, dass sie nach einem Brand 1475 bei der Brandstelle gewacht hatten, 18 Pfennige, dem Schreiber einmal 12 Schillinge, dem Thomas Neuendorf, da er als Marktmeister angenommen wurde, 1 Groschen.

Es erregt gewiss unser großes Staunen, wenn in den ersten Jahren der kurfürstlichen Verwaltung unseres Landes der Trompeter des neuen Landesherrn einen ganzen Gulden als Trinkgeld empfing. Um nicht vieles besser stand es mit den Lehrern, von deren Einnahme wir aus dieser Periode wenig wissen. Im Jahr 1416 am 25. Januar verlieh Graf Ulrich IV. von Lindow dem Rat der Stadt Neuruppin 1 Wispel Kornes jährlicher Rente, halb Roggen halb Gerste, aus dem Dorf Nackel, welche die Ratmannen dem Schulmeister unter der Bedingung überweisen sollten, dass er, sobald der Pfarrer mit dem heiligen Leichnam gehe, vier Kinder davor gehen lasse, die davor singen in die Ehre des heiligen Leichnams.[306]

In unseren oft erwähnten Rechtsregistern wird zu wiederholten Malen aufgezeichnet gefunden, welche Einnahme der Meister und seine Gesellen *(rector cum suis, cum sociis, cum locatis)* von den beiden großen Messen corporis Christi und für die Abgeschiedenen hatten. Zu jener Messe des Leibes Christi zahlte der Rat 2 Schock, von denen 1 Pfund der Prediger, 10 Schillinge der Kaplan, ebenso viel der Küster, 30 Schillinge der Rektor und seine Gesellen, 10 Schillinge endlich der Organist erhielt. Von den 4 Schock, welche zu jener anderen Messe gehörten, empfing der Pfarrer 3 Pfund, der erste Messpriester 2 Pfund, 10 Schillinge der Kaplan, ebenso viel der Küster, 1 Pfund der Rektor und 1 Pfund seine Gesellen.

3.8.4 Die damals gangbare Münze

Was nun aber die damals gangbare Münze betrifft, so begnügen wir uns hier, so viel darüber zu bemerken, als zum richtigen Verständnis unserer bisherigen Auseinandersetzungen unumgänglich nötig ist, zu wissen. Auf 1 Schilling gingen 12 Pfennige, 20 Schillinge machten 1 Talent oder 1 Pfund aus. 2 Pfund waren gleich 1 Schock Groschen, sodass demnach 60 Groschen gleich 40 Schillingen, also 1 Groschen gleich 8 Pfennigen war. Es ist schon oben von verschiedenen Münzkreisen die Rede gewesen. Namentlich waren die Salzwedelsche, Stendalische und Lübische Münze gar sehr voneinander verschieden. 9 Stendalische Pfennige waren 12 Salzwedelschen, und 11 Stendalische 12 Lübischen gleich. Die folgende Tafel wird hoffentlich jede Schwierigkeit heben:

1 Salzw. Schilling	= 12 Salzw. Pfennig	=	9 Stend. Pfennige
1 Stend. Schilling	= 12 Stend. Pfennige	=	16 Salzw. Pfennige
1 Brand. Schock	= 40 Stend. Schillinge	=	60 Brand. Groschen
11 Stend. Schillinge	= 12 Lüb. Schilling		
1 Salzw. Mark	= 16 Salzw. Schillinge		
1 Salzw. Schilling	= 9 Stend. Pfennige,		folglich:
1 Salzw. Mark	= 12 Stend. Schillinge	=	13 Lüb. Schillinge
			+ 1 Stend. Pfund
1 Gulden	= 24 Schillinge		also:
1 Brand. Schock oder	40 Brand. Schillinge	=	43 Lüb. Schillinge
			+7Stend. Pfennige
			= 1 Gulden
			+ 19 Lüb. Schillinge
			+ 7 Stend. Pfennige
1 Brand. Mark	=	1 Schock	
		+ 8 Groschen	
1 Pfund	=	20 Schillinge	

3.9 Die kirchlichen Angelegenheiten der Stadt

3.9.1 Die Pröpste

Was die kirchlichen Angelegenheiten unserer Stadt betrifft, soweit sie nicht schon früher bei anderer Veranlassung Erwähnung gefunden haben, so stand unsere Stadt nicht allein, sondern auch der größte Teil der Grafschaft unter dem bischöflich-havelbergischen Sprengel.

Wie in den jenseits der Elbe dem Bistum Halberstadt untergebenen Ländern Dekane über die einzelnen kirchlichen Kreise gesetzt waren, so in den bischöflich-havelbergischen und -brandenburgischen Kreisen Pröpste *(praepositi)*, von denen der Name sich wenigstens in einigen Orten derselben bis auf den heutigen Tag erhalten hat. Solcher Pröpste wurden auch in unserer Stadt mehrere namentlich aufgeführt, zuerst im Jahr 1293 Herr Alward, Kaplan der markgräflichen Kurie.[307] Im Jahr 1370 fertigte Heinrich Hahn, von der Gnade Gottes Propst zu Ruppin, einen Sühnebrief zwischen Herrn Ruprecht von Gühlen von der einen Seite und den kräftigen Leuten Paschedag und Lentz von der anderen Seite wegen eines an Johann Kopelnitz begangenen Mordes aus.[308] Im Jahr 1382 unterschrieb der Propst der Stadt Neuruppin, Herr Nikolaus von Möllendorf, Pfarrer daselbst eine das Kloster in unserer Stadt betreffende Urkunde,[309] derselbe, welcher noch 1397,[310] 1398,[311] ja noch später als Pfarrer namhaft gemacht wurde. Im Jahr 1416 war Johann Sabel Propst zu Ruppin.[312] In derselben Stellung treffen wir ihn noch im Jahr 1430.[313]

Wenn nun um dieselbe Zeit, nämlich im Jahr 1428, neben dem Propst noch Johann von Redern als Pfarrer in Ruppin genannt wurde, so folgt daraus zur Genüge, dass, wenn auch jener Nikolaus von Möllendorf beide Ämter miteinander vereinigte, doch nicht notwendig die Präpositur mit dem Amt eines Pfarrers verbunden war, sondern dass es von dem Willen und der Bestimmung des Bischofs von Havelberg und seines Kapitels abhing, ob es dem Pfarrer auch jenes Amt mit übertragen wollte.[314] Wann cin gewisser Christoph Möwe, der ausdrücklich *praepositus Ruppinensis* genannt wurde, dieses Amt bekleidet hatte, wissen wir nicht genauer anzugeben.[315]

Die Wohnung des Propstes lag in der davon so benannten Propsteistraße. Diese Propsteistelle vertauschte 1516 Johann von Glinden, päpstlichen Rechts Doktor, Dechant und Propst zu Neuruppin mit einem wüsten Hof in der großen Beginenstraße an M. Johann Fischer, Besitzer des Altars St. Katharinen in der hiesigen Pfarrkirche, sodass jene Stelle auf ewig bei dem erwähnten Altar bleiben, dass er darauf ein neues Haus bauen dürfe, ohne Dienste und Unpflicht, weil diese Stelle von alters her frei gewesen. Bischof Johann V. von Havelberg bestätigte diesen Tausch 1517.[316] Gleichwohl muss diese Propsteistelle nachher wieder an das Domkapitel zurückgefallen sein, da dieses im Jahr 1562 dieselbe mit Einwilligung des Markgrafen Joachim II. mit allen Gerechtigkeiten, Schoss und aller Beschwerung frei an Joachim Kriele, Ratsherrn zu Neuruppin, für 100 Gulden veräußerte. Das Krielesche Wohnhaus lag der Propstei gerade gegenüber. Beide Häuser waren lange Zeit die einzigen in der Propsteistraße.

Worin die Einkünfte des Propstes – natürlich hörte diese Würde mit der Einführung der Reformation in unserer Stadt gänzlich auf – bestanden, wissen wir nicht näher anzugeben. Ähnlicher Propsteien wurde zuerst 1244 zu Berlin, Liebenwalde und Pasewalk, 1269 zu Mittenwalde, 1277 zu Wittstock, 1281 zu Gransee gedacht. Im Jahr 1281 lernen wir einen Johann von Brunn, 1285 einen gewissen Wilhelm, 1294 Johann von Corticim, 1310 Heinrich, 1318 Tiedemann, 1319 Theodor von Ostermin, als Pröpste, 1369 einen Unterpropst Peter kennen.

3.9.2 Die Einkünfte der Pfarrkirche

Es ist zum Erstaunen, wie armselig und dürftig der Vorrat von Urkunden ist, welche das hiesige Dominikanerkloster betreffen, wie reichhaltig dagegen die Quellen, aus denen wir unsere Nachrichten über die Pfarrkirche von Neuruppin zu schöpfen im Stande sind, Nachrichten, welche sich freilich, wie zu erwarten, größtenteils auf Schenkungen, Vermächtnisse, Käufe beziehen, mit denen fromme Christen die Ehre Gottes zu fördern und sich den Hingang zur ewigen Seligkeit zu eröffnen hofften.

Es gehen diese Urkunden nicht über das Jahr 1327 zurück, wenn auch die Pfarrkirche damals schon länger als 100 Jahre mochte gestanden haben. In diesem Jahr nämlich kaufte Herr Dietrich von Lauenburg, Priester, von Gebhard und Otto von Fratz, Erbgesessenen zu Kränzlin, einen Hof mit allem, was dazu gehörte, in dem Dorf zu Kränzlin, der bei der Stäge lag, wenn man von Storbeck kommt, zur linken Hand, mit 2 Hufen und 3 Wispeln Pacht, halb Roggen halb Gerste, welche die Hufen des vorbenannten Hofes alljährlich zu geben pflichtig waren, ferner mit 4 Schillingen Zins, dem schmalen Zehnten, dem Rauchhuhn, frei mit allem Recht, bedefrei, Wagendienstes frei und allerlei Dienstes frei und allerlei Belastung frei. Die Grafen Günther II. und Ulrich II., Adolf I. und Burchard bestätigten diesen Kauf und versprachen am 8. September 1327, dass dieses Gut ewiglich zur Ehre unseres Herrn Gottes und seiner lieben Mutter, der Jungfrau Maria, und aller Gottes Heiligen ein Eigentum sein und bleiben sollte, von ihnen und allen ihren Nachkommen unbehindert.[317] Dieser landesherrlichen Bestätigung bedurfte es aber umso mehr, weil, wie unten näher erörtert werden wird, die Verkäufer jenes Hofes denselben gar nicht als Eigentum besaßen, sondern nur von den Grafen mit den ursprünglich diesem zustehenden Einkünften beliehen waren, also auch eigentlich nicht das Eigentum und den Besitz desselben, sondern nur diese Gefälle an einen Dritten veräußern konnten, während der auf dem Hof wohnende Bauer der eigentliche Besitzer mit dem Recht, ihn nach Belieben zu verkaufen, war. Umso nötiger aber wurde bei dem Übergang von landesherrlichen Einnahmen an Kirchen und Klöster diese Einwilligung der Grafen, weil nun kein Zurückfallen jener Güter an den Lehnsherrn mehr möglich war, sondern dieselben auf ewige Zeiten bei der toten Hand verblieben, dagegen sie sonst beim Aussterben der männlichen Nachkommenschaft der Familie in die Hände des ersten Verleihers zurückgingen.

Von dieser Zeit an vermehrten sich die Einkünfte der Kirche auf eine außerordentliche Weise teils durch milde Schenkungen, welche an dieselbe legiert, teils durch Ankäufe von Renten, welche von ihr selber gemacht wurden. Besonders aber gefiel sich die Frömmigkeit jener Jahrhunderte in der Stiftung von Altären, welche diesem oder jenem Heiligen geweiht und zum Teil besonderen Altaristen übertragen und verliehen wurden. Diese Altaristen hatten vermöge jener

Stiftungen die Verpflichtung, auf diesen Nebenaltären oft alltäglich Messe zu lesen, den Prozessionen mit beizuwohnen, und an den Sonn- und Festtagen zu Chore zu stehen, dagegen die eigentlichen Pfarrer *(Pfarrherren, Perrer, plebani, rectores ecclesiae)* die Seelsorge führten, Beichte saßen, das Abendmahl reichten, tauften, trauten, die letzte Ölung gaben und die hohe Messe hielten.

Ein solcher Altar in der hiesigen Pfarrkirche war dem heiligen Bischof und Bekenner Martin gewidmet, und wurde von dem Pfarrer selber mit verwaltet. Diesem Altar vereigneten, wie aus der 1328 am 17. April ausgestellten Bestätigungsurkunde des Bischofs Dietrich I. von Havelberg erhellt, die verständigen Männer Heinrich und Adolf Appelmann und ihre Söhne Johann und Nikolaus vier zur rechten Hand vor dem Alt Ruppiner Tor belegene Gärten, und 1 Talent jährlicher Rente, welches sie für ihr Geld gekauft, und wozu sie von den Grafen von Lindow das Eigentumsrecht erhalten hatten.[318] Im Jahr 1541 gaben jene Gärten jährlich 6 Schock Geldes, der Rat außerdem jährlich 1 Schock.

Von einem anderen der Ehre des Apostels Jakobus und der heiligen Maria Magdalena geweihten Altar, welcher die Einkünfte von 8 bei Neuruppin belegenen Hufen besaß, waren Heinrich und Burchard aus der uns wohlbekannten Familie derer von Tryppehna die Patrone, natürlich weil sie oder ihre Vorfahren jenen Altar gestiftet und mit jenen 8 Hufen ausgestattet hatten. Statt dieser 8 Hufen vereigneten sie im Jahr 1328 mit Einwilligung der Grafen von Lindow für sich und ihre Erben dem Altar 4 Pfund Brandenburgischer Pfennige, welche von den 12 ihnen zustehenden Pfund aus dem Hufen- und Rutenzins unserer Stadt so erhoben werden sollten, dass sie, die Gebrüder Tryppehna, erst ihre 8 Pfund, dann der Altarist die seinigen in Empfang nehmen sollte.[319]

Gegen das Ende des 14. Jahrhunderts, im Jahr 1396, hinterließ Christian Tietze durch testamentliche Bestimmung zu seiner und seiner Eltern Seelen Seligkeit der hiesigen Pfarrkirche Unserer Lieben Frauen 1 Pfund jährlicher Rente aus dem Zoll zu heben,[320] und im folgenden Jahr kaufte Mechtild, Peter Eickens Witwe, 1 Mark Brandenburgischen Silbers und Gewichts jährlicher Rente auf die Fähre zu Neuruppin über die See zu dem Krangen für 20 Mark von den Grafen Ulrich IV. und Günther V., damit für diese Mark in der hiesigen Pfarrkirche vor Unserer Lieben Frauen Altar eine Lampe beides Tag und Nacht brennend erhalten werden möchte. Und damit er dieser Lampe desto besser wahrnähme, so sollte der Unterküster für seine Arbeit alljährlich einen halben Vierding von jener Mark Silbers erhalten.[321]

Reicher an Schenkungen noch war das folgende 15. Jahrhundert für die hiesige Pfarrkirche. Im Jahr 1416 überließen Dietrich Rosstauscher und Konrad, sein Sohn, 9 Pfund weniger 8 Schillinge, welche sie alle Jahre aus dem Wortzins zu erheben hatten, gegen eine Summe von 80 Schock guter Böhmischer Groschen an Nikolaus Frese, welcher darüber mit Beistimmung des Grafen Ulrich IV. folgendermaßen verfügte: 3 Pfund 12 Schillinge sollten dem Altar der Zehntausend Ritter für ewige Zeiten eigen sein, 5 Pfund von den Kalandsherren erhoben werden, und zwar unter der Bedingung, dass sie für 2 Pfund das Gedächtnis des älteren Nikolaus Frese und seiner ehelichen Frau Margaretha und der Grünefeld mit ihrem Geschlecht, mit Vigilien und Seelenmessen begingen, von dem dritten Pfund aber armen Leuten Spende gäben. Die beiden letzten Pfund sollten erst nach dem Tod einiger in der Urkunde namhaft gemachter Personen zu frommen Zwecken verwandt werden, nämlich eins zu Bauten an dem Gotteshaus unserer Stadt, eins zur Teilung unter die Jungfrauen des Klosters zu Lindow.[322]

Durch Kauf brachten die Vorständer des hiesigen Gotteshauses 30 Scheffel Hartkorn, halb Roggen halb Gerste, von dem Hof zu Manker, auf welchem damals Klaus Ropenack wohnte, für 17 Schock gute alte Böhmische Groschen von den Brüdern Jakob, Burchard und Albrecht geheißen von Rheinsberg am 25. Oktober 1425 an sich.[323] Zugleich wurde festgesetzt, dass die Besitzer des Hofes das zu Martini fällige Korn selber zu dieser Zeit nach Ruppin bringen, die Käufer aber im Fall einer säumigen Zahlung das Recht der Pfändung mit Wissen des Richters haben sollten.

Noch in demselben Jahr am 13. Dezember erstanden dieselben Vorständer und Gotteshausleute der hiesigen Pfarrkirche um 15 Schock Groschen von dem Grafen Albrecht VIII. 2 Pfund Brandenburgischer Pfennige, welche die bedepflichtigen Höfe und Hufen des

Dorfes Buskow vor Alters der gräflichen Herrschaft gezahlt hatten, einem rechten und ewigen Kauf für die Pfarrkirche, und zwar zur Ehre und Würdigkeit des heiligen Sakraments, des Leichnams unseres Herrn Jesu Christi, dass man davon Leuchter und Lichte etc. zeugen und halten möchte.[324]

Am 25. November 1428 bestätigte der eben genannte Graf Albrecht auch eine Schenkung des Konrad Gottberg, Bürgers zu Neuruppin, an die Pfarrkirche dieser Stadt, kraft deren der Besitzer der Mühle zu Schrey bei Gottberg alljährlich zum St. Martinitage ohne irgendein Hindernis oder Verzug in der Stadt Neuruppin 1 Wispel Roggen zu bezahlen und zu bereiten gehalten sein sollte, welchen bis dahin Konrad Gottberg selber von jener Mühle bezogen hatte.[325]

Für 80 Pfund verkauften am 5. Juni 1430 die Bürgermeister und Ratmannen zu Neuruppin wiederkäuflich dem Propst Johann Sabel 4 Pfund jährliche Rente, welche der Käufer zu der heiligen Blutsmesse, alle Dienstage in der Pfarrkirche zu singen, so gelegt hatte, dass davon der Pfarrer 1 Pfund, der Kaplan 10 Schillinge, der auf den Orgeln singet gleichfalls 10 Schillinge, beide Küster 10 Schillinge, der Schulmeister und seine Gesellen aber 30 Schillinge beziehen sollten.[326]

Zwei Pfund Hufenzins verkaufte 1436 am 29. Januar Heinrich Fick, wohnhaftig zu Kränzlin, an die Kalandsherren hierselbst auf Wiederkauf, aus den sogenannten Hühnerspendichen.[327]

In demselben Jahr am 8. August brachten Heinrich Krämer und Konrad Barsikow, zu der Zeit Vorständer der hiesigen Pfarrkirche, von den Gevettern Liborius und Johann von der Groeben für die Summe von 15 Schock Groschen 30 Scheffel jährlicher Rente wiederkäuflich an das ihrer Sorge anvertraute Gotteshaus.[328]

Zur Pfarrkirche wurde von dem Propst Heinrich Küfner auch der Wispel Hartkorn, halb Roggen und halb Gerste, gelegt, welchen er 1463 für 9 Schock gewöhnlicher Münze von des jungen Wichmann Glödens Tochter, die ihn wiederkäuflich besaß, gelöst und an sich gekauft hatte. In der Bestätigung dieses Kaufes behielt sich Graf Johann III. den Wiederkauf vor. Die Aufkündigung dieses Kaufes sollte jedoch nur zu Johannis, die Rückzahlung der erwähnten 9 Schock aber alsdann zu Martini erfolgen. Der Hof aber, von welchem dieser

Wispel Hartkorn gezahlt wurde, lag zu Wuthenow und war 1463 im Besitz des Dietrich Lüttgard.[329]

Einen neuen Altar fundierte 1474, den 15. Mai, Ludolph Frese, Priester des Stifts zu Havelberg, mit Wissen und Zustimmung des Pfarrers und des Rates zu Neuruppin in der Pfarrkirche daselbst in dem Turm hinter dem Altar der Zehntausend Ritter in die Ehre des St. Laurentius, Kosmas und Damianus, der heiligen Märtyrer, der Maria Magdalena und Agnes, der heiligen Frauen und Jungfrauen, und begabte ihn mit folgenden jährlichen Zinsen und Renten für ewige Zeiten: Es sollte Balthasar dazu auf Mariä Reinigung 10 Schillinge, Nikolaus Vogeler der Bäcker auf Ostern 1 Pfund, Christian Heinrich zu Ostern 10 Schillinge, Arndt Baken zu Johannis ebenso viel, Dietrich Koster zu Michaelis 1 Pfund, um dieselbe Zeit Lüdeke Dierberg und Peter Schmidt jeder 10 Schillinge, zu Martini Joachim Borge 1 Pfund, Johann Kywerde 10 Schillinge, Johann Buchholz zum Christtag 1 Pfund zahlen. Aus der Mühle zu Altfriesack legte er zu dem Altar 1 Wispel Mehl zu Weihnachten und Ostern, und von dem Schulzenhof zu Gnewikow 1 Wispel Korn, halb Roggen und halb Gerste. Die beiden Wispel an Mehl und Korn sollten jedoch bei Lebzeiten der Frau Lucia, der Stiefmutter des Stifters, dieser verbleiben. Im Fall die einen oder die anderen dieser Renten losgekauft würden, sollte der Altarist für die rückgezahlte Summe andere Renten und Zinsen erstehen, damit der Altar nie eingehe. Das Recht aber, diesen Altar an einen Priester zu verleihen, behielt der Stifter seiner Familie vor. Im Fall dieselbe ausstürbe, sollte dieses Recht an die Schöffen unserer Stadt übergehen, und diese in Kraft des Stiftungsbriefs alle Wege frei und ohne Bekümmerung das gedachte Lehen, sobald es erledigt, nach Gefallen leihen und übertragen. Nach unseren obigen Bemerkungen über den damaligen Wert des Geldes wird niemand daran zweifeln, dass eine solche Stiftung, welche jährlich 2 Wispel Korn und Mehl und überdies 7 Pfund bar zu frommen Zwecken bestimmte, für jene Zeiten sehr bedeutend genannt werden kann.[330]

Wenige Jahre später vollzog Elisabeth, eheliche Hausfrau Heinrich Bellins, wohnhaftig zu Neuruppin, die rechte Schwester des oben erwähnten Ludolph Frese, eine andere Stiftung, welche ihr Bruder in seinem Testament bestellt hatte. Die Schöffen unserer Stadt hatten nämlich das Patronatsrecht eines Altars Unserer Lieben Frauen in der hiesigen Pfarrkirche vor dem Chor. Damit zu diesem Altar noch ein Priester konnte gehalten werden, so legte Elisabeth Bellin dem letzten Willen ihres verstorbenen Bruders gemäß zu demselben folgende jährliche Renten und Zinsen: 30 Schillinge, zu Bartholomäi und Martini fällig, auf Johann Geisens Haus, 10 Schillinge auf Jakob Hildebrandts Haus, zu Martini zu erheben, auf Lorenz Zotizen Schmalhof 1 Schock zu Michaelis, auf Paul Storbecks Haus 1 Pfund zu Marien, auf Johann Kleinaus Haus 1 Pfund zu Ostern, 30 Schillinge auf Bartholomäus Havelbergs Haus zu Jakobi, auf Nikolaus Schmidts Haus in der Fährstraße 1 Schock zu Weihnachten, auf Balthasar Gerbers Hufen zu Marien 10 Schillinge, ebenso viel zu Mariä Reinigung auf Matthias Neters Haus, zu Michaelis endlich auf das Haus der Havelbergischen 1 Pfund, zusammen 11 Pfund und 10 Schillinge.[331]

Im Jahr 1486 am 25. Oktober vereignete Herr Matthias Spiegelhagen, Presbyter des havelbergischen Stifts, körperlich und geistig vollkommen gesund, aus freiem Antrieb zu seiner Seelen Seligkeit der hiesigen Pfarrkirche sein in der Papenstraße zwischen den Häusern des Herrn Johann Klepsch und des Schusters Nikolaus Dechten belegenes Wohnhaus und 1 Schock jährlicher Renten, welche er auf Johann Schmoldemanns Haus für 14 Schock gewöhnlicher Münze gekauft hatte, unter der Bedingung, dass ihm und seiner Magd *(Köchinn)*, Margarethe Langenfeld, der Gebrauch des Hauses und der Genuss jener Renten Zeit ihres Lebens zustehen sollten.[332] Der genannte Spiegelhagen wohnte übrigens zu Wusterhausen, wo er das Amt eines Vikars verwaltete. Das Haus, welches er der Pfarrkirche hierselbst vermachte, wurde von einem gewissen Johann Lindow bewohnt. Als nun 1488 die Kirche zu einer neuen Glocke und zum Bau des Gotteshauses Geld bedurfte, willigte Matthias Spiegelhagen darin ein, dass die Vorständer der Pfarrkirche, Johann Wuthenow und Ladewig Lindow, auf jenes Haus von Johann Lindow 19 Schock gewöhnlicher Münze aufnehmen – wir wollen nicht sagen, für diese Summe jenes Haus an denselben verkaufen dürften –, wogegen die Kirche sich verpflichtete, dem Spiegelhagen, solange er lebte, alljährlich 1 Schock 10 Schillinge Renten, nach seinem Ableben aber der

Margarethe Langenfeld 1 Schock alljährlich zu zahlen. Nach ihrer beiderseitigem Tod sollte diese Rente an das oft erwähnte Gotteshaus zurückfallen.[333]

Im folgenden 16. Jahrhundert werden uns gleichfalls mehrere Vermächtnisse an die Pfarrkirche unserer Stadt erwähnt, von denen wir uns folgende hervorzuheben begnügen. Um das Jahr 1502 lebte in Ruppin ein Bürger Joachim Penkow, welcher von der gräflichen Herrschaft 3 Wispel Korn, halb Roggen halb Gerste, in dem Dorf zu Wuthenow und 1 Pfund Pfennige von Grellens Hof zu Bechlin zu Pfand hatte. Diese Einkünfte wünschte er bei seinem Tod in die Ehre Unserer Lieben Frauen der Pfarrkirche zu hinterlassen, worauf Graf Joachim I. im Jahr 1502, freitags nach Vocem Jucunditatis, dieses Vermächtnis bestätigte.[334]

Die oben erwähnte Margarethe Langenfeld hatte einen Bruder Johann, welcher sich dem geistlichen Stand gewidmet hatte. Nach dem Tod seiner Schwester schenkte dieser im Jahr 1506, am Donnerstag nach Ostern, der Pfarre zu Neuruppin 5 Pfund jährlicher Rente, Hauptsumme und Zinsen, welche er von seiner Schwester nach Priesterrecht geerbt hatte.[335]

Im folgenden Jahr 1507, freitags nach Michaelis, stellte Anna, Matthias Grelles selige Hausfrau, einen Schenkungsbrief aus, kraft dessen sie einen in der hiesigen Pfarrkirche neben dem Chor im Norden der Kirche in die Ehre des Allmächtigen Gottes, Mariens der heiligen Jungfrau und aller Gottes Heiligen geweihten Altar, an welchem zwei Altaristen wöchentlich abwechselnd sieben Messen lesen sollten, folgende Renten vereignete: Für eine Hauptsumme von 332 Rheinischen Gulden hatte ihr verstorbener Gatte 17 Gulden jährlicher Rente aus der Urbede von Wilsnack, alljährlich zu Walpurgis zahlbar, gekauft.[336] Außer diesen 17 Gulden gab Anna Grelle noch 1 Pfund jährlicher Rente, auf Lichtmess fällig, von Matthias Garses Haus und Hof in der kleinen Beginenstraße (Hauptsumme 7 Schock), ferner 10 Schillinge, zu Martini fällig, für eine Hauptsumme von 4 Schock auf Peter Schmidts Hakenbude verschrieben. Nach dem Tod der Stifterin jenes Altars sollten die beiden Altaristen noch 1 Wispel Korn, halb Roggen halb Gerste, aus Dabergotz (16 Schock Hauptsumme), ferner 1 Pfund Rente in der Mühle zu Paalzow für 7 Schock verschrieben, beide zu Martini zu erheben berechtigt sein, das letztgenannte Pfund besonders zu dem Wachs, dessen der Altar bedürfte. Das Lehnsrecht dieser beiden Lehen behielt sich die Stifterin bis an ihren Tod vor. Dann aber sollte es an Christian Metzmacher und Johann Fratz, ihre beiden Tochterkinder, dergestalt übergehen, dass das zuerst erledigte jener beiden Lehen von Metzmacher sollte aufs Neue an einen dazu tüchtigen Altaristen verlegt werden. Bischof Johann V. von Havelberg erteilte 1508 im Februar zu Wittstock dieser Stiftung seine Bestätigung.[337]

In der Nikolaikirche baute um dieselbe Zeit Anna, Bartholomäus Grelles hinterlassene Witwe, vor dem Chor im Norden einen Altar, und ließ demselben in die Ehre des allmächtigen Gottes und seiner gebenedeiten Mutter, der Jungfrau Maria, ferner in die Ehre der vier heiligen Haupt-Jungfrauen Katharina, Barbara, Dorothea, Margaretha, und St. Annens, der Mutter Mariens, und in die aller Gottes Heiligen weihen. Hierzu legte sie an jährlicher Rente 20 Scheffel Roggen, 20 Scheffel Gerste, 6 Scheffel Hafer und 9 Schilling Pfennige, zu Martini auf Nikolaus Fritzes Hof alle Rechte, Dienst, Rauchhuhn, Schmalzehnten; ferner 1 Schock in der Mühle zu Walsleben, welche Peter Voß innehatte, zu derselben Zeit zahlbar; ferner 1 Pfund, zu Weihnachten von Liborius Gadows Haus auf dem Taschenberg zu erheben, verschrieben für 8 Schock Hauptsumme; ferner 1 Pfund zu Michaelis, für dieselbe Hauptsumme auf Peter Wuthenows Haus im Rödehof verschrieben.[338] Ere Albanus Gühlitz war der Erste, welchem dieser Altar von der Stifterin desselben verliehen wurde. Alle seine Nachfolger sollten gehalten sein, an jenem Altar in jeder Woche zwei- oder dreimal Messe zu lesen, der erste Besitzer desselben jedoch seine Renten und Einkünfte auch ohne diese Verpflichtung Zeit seines Lebens genießen. Das Recht der Legung dieses Altars übertrug die Stifterin an Christian Metzmacher und Johann Fratz, im Fall deren Familien ausstürben, dem Rat zu Neuruppin. Und damit an diesem Altar zwei Altaristen könnten gehalten werden, so legte Anna Grelle im folgenden Jahr 1508 dem Wunsch ihres verstorbenen Gatten gemäß zu demselben noch aus dem Dorf zu Dabergotz jährliche Renten: 2 Wispel von Joachim Krevets Hof, 1 Wispel auf Matthias Krevets Hof, ½ Wispel von Nikolaus Wilkens Hof, zusammen 3 ½ Wispel, zu

Martini zahlbar.[339] So waren nun mit jenem Altar zwei geistliche Lehen verbunden. In Betreff des Rechts der Verleihung bestimmte die Stifterin, dass nach ihrem Tod das zuerst erledigte Lehen sollte von Christian Metzmacher, das andere im Fall seiner Erledigung von Johann Fratz wieder verlegt werden, dass aber im Fall des Aussterbens dieser Familien die Schöffen zu Neuruppin das Patronatsrecht üben sollten. Der zweite von der Stifterin zum Altar bestellte Altarist war ein gewisser Peter Lutter.

Im Jahr 1519 verkauften die Ratmannen von Wusterhausen den Heinrich und Peter von Randow, Erbgesessenen zu Habakuck, für 400 vollwichtige Rheinische Gulden von Geheiß, Willen und Vulbort des Grafen Wichmann 11 Schock jährlicher Rente aus der Urbede ihrer Stadt.[340] Diese 11 Schock vereigneten die genannten Edlen als Patrone dieses Lehens einem in der hiesigen Pfarrkirche in die Ehre Mariens der Himmelskönigin und der heiligen fünf Wunden Christi unseres Herrn geweihten Altar, welcher von Matthias und Richard von Randow löblichen Andenkens ehedem gestiftet war, und zu der Zeit von Richard Wegener besessen und belesen wurde. Falls der Rat zu Wusterhausen die Hauptsumme, welche ohne Zweifel an den jungen Grafen hatte gezahlt werden müssen, zurückzahlen wollte, so sollte die Kündigung zu Weihnachten geschehen, die 400 Gulden aber alsdann zu Ostern den eben genannten Patronen des Lehens oder deren Erben eingehändigt werden. Als die Reformation der Kirche unter Kurfürst Joachim II. wie überall in den Marken so auch in der Grafschaft Ruppin durchgeführt wurde, verschwiegen bei der Kirchenvisitation die bisherigen Besitzer des Altars den kurfürstlichen Kommissarien und dem Rat unserer Stadt, wahrscheinlich aus Missgunst, jene 11 Schock Renten, und verursachten dadurch dem Rat und den Kirchenvorstehern eine Menge von Weitläufigkeiten und Unkosten, um jene 400 Gulden wieder an die Kirche zu bringen. Noch im Jahr 1590 schrieben sie deshalb nach Berlin, und überschickten, um die Sache zu fördern, 2 Tonnen Bier, mit der Bitte, damit fürliebzunehmen.

Wir glauben, dass die von uns ausgewählten Beispiele genügend werden gezeigt haben, mit welchem Wetteifer Personen geistlichen und weltlichen Standes bemüht waren, den Gottesdienst zu fördern, ingleichen wie sie durch Stiftung von Altären und Überweisung von Geld- und Korngefällen diesen ihren edlen Zweck zu erreichen suchten. Wir bemerken nur noch, dass alle diese Stiftungen keineswegs den Charakter der Wohltätigkeit und christlichen Milde an sich trugen, sondern aus dem Wunsch hervorgegangen sind, hierdurch die Ehre Gottes und seiner Heiligen zu fördern, und die ewige Seligkeit für seine eigene und seiner Eltern Seelen zu erwerben. Jeder von diesen Altären, jedes von diesen Lehen hatte seinen eigenen Patron, sei es die Schöffenbank, sei es der Rat unserer Stadt, sei es irgendeine besondere bürgerliche oder edle Familie in der Stadt oder in deren Nähe. Sobald ein Altar durch seines bisherigen Besitzers Ableben erledigt war, hatte der Patron das Recht und die Pflicht, denselben einem tauglichen, würdigen Mann zu konferieren, und diesen dem bischöflichen Kapitel zur Bestätigung und Proklamierung vorzuschlagen. So starb im Jahr 1510 Nikolaus Gerloff, der bisherige Inhaber des St.-Katharinen-Altars in der hiesigen Pfarrkirche, über welchem dem Rat das Patronatsrecht zustand. In einem uns noch erhaltenen Präsentationsbrief schlug dieser dem Bischof Johann V. von Havelberg oder dessen Vikar den Johann Fischer zur Belehrung mit allen und jeden Pertinenzien, Früchten, Einkünften und Gefällen, und zur wirklichen, körperlichen Einführung in den Besitz desselben vor (6. Juli 1510), worauf am 18. Juli desselben Jahres von Wittstock aus die Bestätigung von Seiten des Bischofs erfolgte.[341] Demselben Johann Fischer versprach Georg von Fratz, Erbgesessener zu Kränzlin, urkundlich, dass er ihn mit dem ersten von den beiden in der hiesigen Nikolaikirche belegenen, von ihm zu vergebenden Lehen, welches erledigt würde, belehnen oder durch seinen Stiefvater Balthasar von Eichstädt oder seine Mutter belehnen lassen wolle. Wahrscheinlich war schon damals der Tod eines oder des anderen der betreffenden Altaristen zu erwarten. In der Tat starb noch in demselben Jahr der schon oben erwähnte Albanus Gühlitz. Balthasar von Eichstädt präsentierte im Namen seines Sohnes Georg von Fratz zu dem erledigten Lehen den Johann Fischer, welcher schon am 2. Juni 1536 von dem bischöflichen Kapitel die Bestätigung erhielt, und am 1. Juli desselben Jahres durch Jakob Kluth in Gegenwart zweier Bürger von Ruppin, des Simon Penkow und Joachim Liebenberg, in den aktualen und realen Besitz des Altars der heiligen Anna eingesetzt wurde.[342]

Die Schöffen unserer Stadt besaßen das Patronat über einen Altar Unserer Lieben Frauen in der Pfarrkirche, welcher 1522 durch den Tod des Michael Walsleben vakant wurde. Die Schöffen verliehen denselben an Peter Millies, und baten am 11. April 1522 den Bischof Hieronymus von Havelberg, den Peter Millies zu dem genannten Altar zu investieren, zu instituieren und zur Possession der Einkünfte und Rechte dieses Altars induzieren zu lassen, was auch sogleich geschah. Eben denselben Millies schlug 1539, den 14. August, Balthasar von Eichstädt zu Kränzlin zu dem vakant gewordenen Altar des allmächtigen Gottes und der Jungfrau Maria in der Pfarrkirche unserer Stadt vor, welchen so lange Andreas Heyse besessen, und bat den Bischof Busso II. von Havelberg, dem Peter Millies diesen Altar zu konferieren, zu assiguieren und ihm den sachlichen, wirklichen und körperlichen Besitz desselben zu lassen und einzuführen.[343]

Wir sehen aus diesen Beispielen genugsam, sowohl dass in der Regel mehr als ein Lehen in der Hand eines Geistlichen vereinigt war, als auch, in welcher Weise die Verleihung der erledigten Lehen erfolgte. Eben derselbe Peter Millies wurde 1541 auch als Pfarrer von Kränzlin genannt.[344]

3.9.3 Die Kalandsbruderschaft

Da die Ordenspersonen in den Klöstern, besonders in denen von einer strengeren Observanz, einen Überfluss an guten Werken zu haben glaubten, wodurch sie den Himmel verdienten, so glaubten sie auch anderen, besonders Laien, durch die Gemeinschaft mit ihnen von dem Segen ihrer guten Werke mitteilen zu können, und errichteten daher mit ihnen Bruderschaften der guten Werke. Weil nun aber natürlich die Aufnahme von Laien in die Klosterbruderschaften den Klöstern sehr einträglich war, so richteten auch die Laienpriester und Pfarrer mit dcn Laien ähnliche Bruderschaften auf, und verbanden sich miteinander zu gewissen Andachtsübungen und Pflichten, in der Zuversicht, so nach ihrem Tod der Vigilien, Seelenmessen und Fürbitten teilhaft zu werden, welche die Bruderschaft für die aus ihrer Mitte Gestorbenen zu tun verpflichtet war. So verbanden sich Handwerker, besonders solche, die zu einem Gewerk gehörten, aber auch andere, die verschiedenen Beschäftigungen oblagen, Priester und Laien, Männer und Frauen. Irgendein Heiliger, der sich die Gesellschaft selber erwählte, war ihr Schutzpatron, ihr Fürsprecher bei Gott, und wurde den auf seinen Beistand Vertrauenden mit besonderer Ehre gefeiert.

Weil die solchergestalt zu gottesdienstlichen Zwecken Verbundenen gemeiniglich an dem ersten Tag *(kalendis)* eines jeden Monats zusammenzukommen pflegten, um zu verordnen, was in jedem Monat für Feste und Jahrgedächtnisse zu begehen, was für Almosen zu geben, was für Fasten zu halten, wie viel Geld auszuleihen, wie viel Frucht einzunehmen sei, so führten sie zum Teil den Namen der Kalandsgesellschaften, *fraternitates kalendarum*, und ihre Mitglieder wurden Kalandsherren genannt. Solche Verbindungen gab es in Thüringen, Meißen, den Marken, Pommern, Westfalen, ja in Frankreich und Ungarn.

Wann und wo diese Kalandsverbindungen sich zuerst gebildet, wird wohl unentschieden bleiben müssen. Gemeiniglich setzt man jedoch ihre Entstehung in das Jahr 1220. Der Ort, an welchem man sie zuerst traf, war das Kloster Otterberg. Trotzdem, dass diese Gesellschaften ihre Statuten von den Bischöfen ihrer Diözese erhalten hatten, rissen doch, vorzüglich durch die Zulassung von Frauen, bei ihren Schmausereien viele Unordnungen ein, sodass endlich überall diese Brüderschaften mussten aufgehoben werden. In Halle hatten die Kalandsbrüder ihre Andacht in der Kirche Unserer Lieben Frauen, in welcher sie einen dem Apostel Thomas geweihten Altar besaßen, welchen die Magdeburger Erzbischöfe Günther II. 1408, Friedrich III. 1446, Johann 1467 und Ernst 1495 bestätigten und mit Ablass versahen. Sie besaßen in der Hauptsumme 2.150 Gulden und davon 103 Gulden jährlicher Zinsen, welche sie bei der Reformation dem Magistrat zu milden Stiftungen übergaben.

Noch heutiges Tages gibt es an vielen Orten Gefälle, welche, weil sie ehedem vom Kaland bezogen wurden, noch jetzt den Namen Kaland führen, wenn wir gleich weit entfernt sind zu behaupten, dass alle mit diesem Namen bezeichneten Abgaben ehedem wirklich dem

Kaland zugehört haben. Auch in der Stadt Neuruppin werden Kalandsbrüder häufig erwähnt. In der Poststraße lag das Kalandshaus, welches dieser Brüderschaft als Eigentum gehörte, wahrscheinlich dasselbe, welches in der Mitte des vorigen Jahrhunderts von dem Bäcker Palzow bewohnt wurde. Das Haus war im 16. Jahrhundert ein Eigentum der Krieleschen Familie geworden, von dieser an den Prediger Thomas Busse hierselbst gekommen, dann nach dessen Tod als Erbteil an den Pfarrer Pope zu Alt Ruppin gefallen, und so endlich an den Großvater des Palzow gelangt, der zum Unterschied von anderen dieses Namens Fiddel-Palzow hieß. Noch spät waren in diesem Haus die Türen mit erhabener Arbeit nach alter Weise kostbar geschmückt. Seewärts von diesem Haus führte eine kleine Straße nach dem Pfarrhaus hindurch, welche ein Nachbar des Palzowschen Hauses, namens Distel, vom Rat erkaufte, und worüber noch späterhin Prozesse geführt wurden. Gewisslich war dies das Kalandshaus, welches 1541, montags nach Erhöhung Christi, Herr Jakob Kluth und Herr Blasius Voß für sich und im Namen der anderen Priester des Kalands hierselbst einem ehrbaren Rat gegen die Mönchszelle abtraten, unter der Bedingung, dass Herr Matthias Schmoldemann, und nach ihm, so lange einer vom Kaland hier lebte, die gedachte Zelle bewohnen, dann aber nach dem Aussterben aller dieselbe wiederum an den Rat zurückfallen sollte.[345] Es wurde ausdrücklich hinzugefügt, dass dies Kalandshaus in der großen Beginenstraße, d.i. in der Poststraße, belegen war. Außer diesem Haus besaßen die Kalandsbrüder auch Pächte, Rauchhühner, Geldzinsen, Auf- und Abfahrten auf zweien Höfen zu Langen und einen zu Stöffin, die später in weltliche Hände übergingen. Im Jahr 1545, donnerstags nach St. Martini, forderte Jakob Kriele, geschworener Richter des hiesigen Stadtgerichts, den schon öfter genannten Balthasar von Eichstädt zu Kränzlin auf, Mittwoch am achten Tag nach Martini zur ersten Klage, 14 Tage nachher zur zweiten, und aber nach 14 Tagen zur dritten Klage zu der gewöhnlichen Gerichtszeit auf der gewöhnlichen Gerichtsstelle im gesagten Ding ein, weil die Kalandsherren und Johann Fischer in Fürhebens wären, gegen ihn wegen etlicher Zinsen, die seit langen Jahren sie von ihm nicht bekommen hätten, eine rechtliche Klage gegen ihn anhängig zu machen.[346] Abermals ein Beweis, dass die Kalandsherren auch außerhalb der Stadt sich in den Besitz von Renten zu setzen gewusst hatten. Für eine Hauptsumme von 12 Mark Silbers, die Mark zu 1 Schock und 8 Groschen gerechnet, kauften die Kalandsbrüder des Heiligen Geistes zu Neuruppin 1396 von den Edlen von Bellin zu Radensleben einen damals von Dietrich Leist bewohnten Hof in jenem Dorf nebst einer zu diesem Hof gelegten Hufe mit Pacht, Zins, Bede, Rauchhuhn, Schmalzehnten, allen sächlichen und persönlichen Diensten, mit allem Recht, dem höchsten und sidesten, mit allem und jedem Zubehör des Hofs und der Hufe im Dorf wie auf dem Feld, als Acker, Worten, Holz, Wiesen, Weiden, allen Gnaden und Rechten, ferner auf den von Heinrich Bechlin bewirtschafteten Hof 3 Schillinge jährlich zu Michaelis zu zahlenden Zins, endlich auf den von Nikolaus Kober bewohnten Hof 6 Schillinge Kossätenzins, zu demselben Termin fällig.[347] In den Rechnungen des hiesigen Rates finden wir zu wiederholten Malen bemerkt, dass ihnen aus den städtischen Einnahmen bedeutende Renten gezahlt wurden. So erhielten sie zu Michaelis 1475 1 Schock von der Breite, zu Weihnachten regelmäßig 4 Schock, aus der Urbede 3 Schock, 1475 ein Schock von der Breite, 1482 3 Mark, welche zum Teil von Nikolaus Wrast in Empfang genommen wurden. Für jene 3 Mark hatten die Kalandsherren als Hauptsumme 45 Schock guter Böhmischer Groschen gezahlt. Gewiss hatten dieselben nicht wenige Vermächtnisse der Art erhalten, wie ihnen im Jahr 1416 der alte Nikolaus Frese 3 Pfund Renten vereignete, 2 Pfund, um dafür alljährlich Nikolaus Freses des älteren und seiner ehelichen Frau Margarethe und der Grünefeldischen mit ihrem Geschlecht Gedächtnis durch Vigilien und Seelenmessen zu begehen, das dritte, um davon armen Leuten Spende zu geben.[348]

Im Jahr 1436 verkaufte Heinrich Fick, wohnhaft zu Kerzlin den Kalandsherren 2 Pfund Zins von dem Hufenzins, in den Hünerspendichen geheißen, auf Wiederkauf, ohne, dass jedoch in dem Brief, durch welchen Graf Albrecht VIII. die Kalandsbrüder mit diesen 2 Pfund belehnte, die Kaufsumme angegeben wäre.[349]

Wie hoch sich die Anzahl der Kalandsherren belaufen habe, lässt sich nicht angeben. Doch machte Bischof Wedego von Havelberg am 22. Juni 1415 in einem an den Dekan, die Kämmerer und die übrigen Kleriker der Kalandsbruderschaft gerichteten Schreiben derselben zur Pflicht, in dem Land Ruppin die Zahl von dreißig nicht zu überschreiten, damit die Teile, welche auf die Einzelnen fielen, nicht zu gering wären. Zugleich bestimmte er, dass den kranken in Neuruppin befindlichen Brüdern, welche durch Krankheit beschwert an den Sonntagen in der Kirche nicht zugegen sein könnten, ihr Anteil ins Haus geschickt werde. In eben diesem Schreiben nannte der Bischof sie eine Bruderschaft, welche zur Übung und zur gegenseitigen Aufmunterung in der Frömmigkeit, dem Mitleid und guten Werken, in einem ebenso beschaulichen als tätigen Leben eingesetzt sei, daher sie von ihm wie von seinen Vorgängern mit Fug und Recht hoch geschätzt sei. Wir erkennen aus diesem Schreiben mit der größten Sicherheit erstens, dass in dem Umkreis der Stadt Ruppin nur die eine Kalandsbruderschaft war, welche zu Neuruppin ihren Sitz hatte, zweitens, dass auch Männer zu ihr gehörten, welche außerhalb unserer Stadt wohnten, wahrscheinlich in der Regel wohlhabende Männer, selbst aus ritterlichem Geschlecht, drittens, dass ein Dekan an ihrer Spitze stand, indes mehrere, gewiss zwei, Kämmerer ihre Einnahmen und Ausgaben besorgten, ferner, dass sie an den Sonntagen zur Unterstützung und Hebung des Gottesdienstes in der Kirche anwesend sein mussten, und dass sie dafür (wir lassen es dahingestellt, ob an allen Sonntagen) sich an einem gemeinsamen, aus den Einkünften der Bruderschaft bestrittenen Mahl erfreuten, von welchen den wirklich kranken Brüdern Portionen in das Haus gesandt zu werden pflegten.

3.10 Die übrigen Teile der Herrschaft

Ehe wir von der speziellen Betrachtung der Verhältnisse unserer Stadt zu den übrigen Teilen der Grafschaft Ruppin übergehen, bemerken wir noch, dass es weder in unseren Kräften steht noch auch unsere Absicht ist, sie mit derselben Ausführlichkeit zu behandeln. Nur viele Jahre des emsigsten und sorgfältigsten Forschens hätten uns in den Stand setzen können, zu ebenso bestimmten und sicheren Resultaten zu gelangen, als uns unseres Erachtung über die Stadt Neuruppin vorliegen. Wir beschränken uns demnach darauf, in Betreff der Städte Wusterhausen und Gransee zum Teil längst Bekanntes zu wiederholen, hoffen jedoch, dass, durch langjährige eigene Anschauung unterstützt, hier wie dort jemand sich zu gründlicheren Leistungen tüchtig und bereit werde finden lassen. Aus den vereinigten Bestrebungen vieler nach einem gemeinsamen Ziel hin wird erst eine vollständige und vollendete Darstellung der Geschichte der Herrschaft Ruppin erwachsen können.

3.10.1 Wusterhausen

Die Frage, ob Wusterhausen von dem Wort »Wust«, welches bei den Wenden »lustig« bedeutet haben soll, seinen Namen erhalten habe, oder ob es ursprünglich »Westhausen« genannt worden sei, hat unsere Vorfahren, mehr als nötig gewesen wäre, beschäftigt. Die letztere Mutmaßung gründet sich auf die irrige Annahme, dass Wusterhausen gleich von Anbeginn zu den Besitzungen der Grafen von Lindow gehörte. Die erstere befremdet durch die Zusammensetzung eines deutschen und eines slawischen Wortes.

Wie schon oben erwähnt worden ist, gehörten in der Zeit, da wir zuerst von ihnen hören, die Länder an beiden Ufern der Dosse und der Jäglitz den Edlen von Plotho. An dem Ufer jenes Flusses besaßen sie eine Burg, an deren östlicher Seite und unter deren Schutz durch allmähliche Ansiedlungen ein Ort entstand, welcher im 13. Jahrhundert städtische Gerechtsame nebst Mauern und Wällen erhielt. Noch bis in späte Zeiten hinaus bezeugte der Burgwall mit seinen Trümmerresten vor dem Kyritzer Tor die Stelle, wo einst jene Burg gestanden. Noch in demselben 13. Jahrhundert verschwanden die Edlen von Plotho aus dieser Gegend. Die Markgrafen traten in ihre früheren landesherrlichen Rechte wieder ein, bis nach dem Aussterben des ballenstedtischen Hauses unter Ludwig dem Älteren aus dem Haus Wittelsbach zugleich mit Gransee auch Wusterhausen erst in pfandweisen, dann um die Mitte des 14. Jahrhunderts in den erblichen, echten Besitz der Grafen von Lindow kam. Bei ihnen ist die Stadt geblieben bis zum Erlöschen des edlen Hauses im Jahr 1524.

Von den Privilegien, welche der Stadt teils durch die Edlen von Plotho, teils durch die Markgrafen von Brandenburg, teils durch die Grafen von Lindow erteilt wurden, ist schon oben die Rede gewesen; ebenso von der Art und Weise, wie die Gerichte allmählich ganz an den Rat von Wusterhausen kamen. Die Verhältnisse des Schulzen, des Vogts, der Ratmannen sind auch hier, wie wir sie bei Neuruppin ausführlich entwickelt haben, nur, dass das Schulzenamt hier viel früher, nämlich schon im Jahr 1325, einging und der Stadt von den Grafen von Lindow, Günther II., Ulrich II. und Adolf I., übergeben wurde.[350]

Im 15. Jahrhundert finden wir in mehreren Urkunden die Zahl der Ratmannen ebenso groß, wie zu derselben Zeit in unserer Stadt, nämlich acht, von denen wahrscheinlich zwei späterhin gleichsam als die Vorsteher des ganzen Kollegiums den Namen Bürgermeister führten, indes die anderen nach wie vor schlechthin mit dem Namen Ratmannen bezeichnet wurden.[351] Kann auch von einer eigentlichen Konstitution, von einer verfassungsmäßigen Beschränkung der landesherrlichen Gewalt unserer Grafen in jenen Zeiten, noch nicht die Rede sein, so waren diese doch durch ihre oft drückenden Geldverlegenheiten genötigt, auf die Stimme ihrer Städte und ihrer Vasallen zu hören. Bedurfte der Graf einer außerordentlichen Beihilfe, so wandte er sich an jene mit seinem Gesuch, und von ihrem Gutachten hing es ab, zu bestimmen, ob und wie weit demselben zu willfahren sei. Dieser Beschluss wurde in einer Versammlung gefasst, zu welcher sowohl jede der drei gräflichen Städte, als auch die Gesamtheit der Vasallen ihre Bevollmächtigten sendete. In der Regel erschienen von jeder der Städte Neuruppin, Wusterhausen und Gransee zwei Boten *(Stederede, Stadträthe)*, dazu eine wahrscheinlich bald größere, bald geringere Zahl von Mannräten, unter welchem Namen wir ein einziges Mal die Bevollmächtigten der Ritterschaft, soviel wir uns erinnern, aufgeführt gefunden haben. Die gräfliche Burg zu Alt Ruppin oder das Rathaus von Neuruppin war es gemeiniglich, wo diese Art von Landständen zur Beratung sich versammelte. In den Rechnungsbüchern des hiesigen Stadtrats wird sehr häufig in Rechnung gestellt, was es den Rat an Bier oder gar an Met und Wein gekostet, »da die Räthe hier waren«. Der Gegensatz der Städte gegen die Ritterschaft scheint jene umso enger untereinander verbunden zu haben.

Im Jahr 1466 am Tag nach Simonis und Judä vereinigten sich die Ratmannen der drei Städte zu Neuruppin, dass sie einer bei des anderen Hilfe bleiben sollten, und dass sie zusammen einen Bader halten wollten, der aus jedem Haus und jeder Bude der Städte Wusterhausen und Gransee jährlich 2 Pfennige erhalten sollte.[352] Aus Gransee waren bei dieser Gelegenheit Peter Marquart und Johann Schulze, aus Wusterhausen Steffen Hintzke und Johann Köritz zugegen. Die Urkunde, diese Vereinigung betreffend, befand sich in einem alten aus 85 Pergamentblättern bestehenden Stadtbuch zu Neuruppin. Darüber fand sich die Bemerkung: »ist geändert wegen der bösen Welt«. Und an der Seite: »der Räthe von Ruppin, Gransee und Wusterhausen wegen des Scharfrichters oder Baders Vereinigung«, woraus zur Genüge erhellt, dass die Geschäfte eines Baders (z. B. Aderlass, später auch Rasieren) und eines Scharfrichters in einer und derselben Person vereinigt waren. Aus der letzten Hälfte des 15. Jahrhunderts wird in den oft erwähnten Rechnungsbüchern sehr häufig auch der Kosten gedacht, welche dem Rat die Bader in unserer Stadt verursacht haben. Wir erwähnen bei dieser Gelegenheit noch, dass schon im folgenden Jahrhundert sowohl jede der Städte ihren eigenen Bader hatte als auch, dass Scharfrichter und Barbier ganz voneinander geschieden waren. Dieser wurde zwar auch wie jener vom Rat angenommen, war aber eine sehr achtbare Person, jener dagegen bürgerlicher Ehre ebenso unteilhaft wie der Schweinschneider. Der Scharfrichter zahlte, wenn er angenommen wurde, späterhin 12 Taler, der Schweinschneider 6 Taler Schutzgeld. Überdies musste er seit 1587 alljährlich einem jeden Bürgermeister zu zwei Paar Handschuhe ein gegerbtes Hundefell verehren, der Schweinschneider dagegen des Rates Schweine zu Treskow und dessen Pfauen umsonst schneiden.

Ungeachtet im Jahr 1758 Wusterhausen durch ein furchtbares Feuer die größere Hälfte der Stadt in Asche sinken sah, sodass in wenigen Stunden 169 Häuser, darunter das Rathaus und die Scharfrichterrei, vernichtet, 13 andere mehr oder weniger beschädigt wurden, so haben sich dennoch bis auf den heutigen Tag noch Denkmäler genug erhalten, welche in die Zeit der gräflichen Herrschaft hinauf reichen. Zwar sind die Wälle um dieselbe Zeit wie zu Ruppin, 1728, auf königlichen Befehl abgetragen, von dem Rathaus ist nur ein geringer Teil der Wut des Feuers entgangen, aber die Kirche in ihrer jetzigen Gestalt rührt wenigstens aus dem 15. Jahrhundert her, und hat einen schönen 1479 eingeweihten Altar. Über die Kirche ragte ehedem der Kirchturm zu einer sehr beträchtlichen Höhe empor. Gleich der Pfarrkirche zu Neuruppin besaß auch diese den Aposteln Petrus und Paulus geweihte Kirche mehrere Nebenaltäre, welche zum Teil von besonderen Altaristen belesen und besessen wurden. Es waren dies folgende zwölf: 1.) der Altar der drei Könige, 2.) der Maria, 3.) des heiligen Nikolaus, 4.) noch ein Altar der Maria, in einer Seitenkapelle, 5.) des Erasmus, welchen die Kalandsherren besaßen, 6.) der heiligen Barbara, 7.) der heiligen Anna, 8.) des Johannes, 9.) der Maria Magdalena, 10.) des Leibes Christi, 11.) der heiligen Katharina und 12.) der Reinigung Mariä, welche seit der Zeit der Kirchenverbesserung nicht wieder neu verlegt, sondern nach dem Aussterben der bisherigen Inhaber in den Gemeinen Kasten vereinigt wurden.

Vor dem nach dem Dorf Kampehl führenden Tor steht noch jetzt die freilich öde und verfallene Stephanskapelle mit einem dem heiligen Stephan geweihten Altar, welcher von einer Mühle bei Wusterhausen 4 Wispel 18 Scheffel Kornpächte besaß, und von dem Rat der Stadt verlegt wurde. Gestiftet wurde diese Kapelle 1351 eingezogen im Jahr 1541.[353]

Das an dem Wildberger Tor liegende Heilig-Geist-Hospital existierte schon vor 1307, da nach einer Stiftung des Rates von diesem Jahr den darin befindlichen Armen zu gewissen Zeiten Bier verabreicht werden sollte.[354] Der in der Kapelle befindliche Georgen-Altar bezog allein 7 Wispel 18 Scheffel Mühlenpächte.

Das St.-Gertrauden-Hospital mit einer kleinen Kapelle, welches vor dem Kyritzer Tor stand, und zur Aufnahme armer kranker Pilger bestimmt war, wurde 1541 eingezogen, der in der Kapelle befindliche Altar mit 4 Schock Einkünften zum Gemeinen Kasten, die Hospital-Einkünfte dagegen zum St.-Georgen-Hospital geschlagen. Das letztere mit einer Kapelle wurde anfangs nach der Reformation noch beibehalten. Das Hospital bezog 1541 3 Wispel Malzpacht aus der Vierraden-Mühle, der Altar in der Kapelle 2 Wispel Roggen und

1 Wispel 18 Scheffel Weizen alljährlich.[355] Das Patronatsrecht über diesen Altar hatten abwechselnd der Rat und der Pfarrer. Die Einkünfte der Kapelle wurden mit dem Archidiakonat, das Hospital in späterer Zeit mit dem Heiligen-Geist-Hospital vereinigt. Wo ein Bettelmönchskloster, dessen nur Leutinger gedachte, könnte gestanden haben, lässt sich nicht weiter angeben. Es ist spurlos aus der Geschichte von Wusterhausen verschwunden.

Der Kaland, dessen Haus an der Stelle der jetzigen Schule lag, war stark besetzt, und hatte bedeutende Einkünfte, welche, wie zu Ruppin, bei der großen in der ganzen Grafschaft 1541 abgehaltenen Kirchenvisitation eingezogen und mit dem Gemeinen Kasten vereinigt wurden.

3.10.2 Gransee

Die dritte unter den Städten des Landes Ruppin ist Gransee, in den älteren Urkunden gemeiniglich *Gransoye* genannt, ohne Zweifel zu derselben Zeit wie Neuruppin etwa entstanden, und den Markgrafen zugehörig, bis sie zugleich mit Wusterhausen unter dem ersten Markgrafen aus dem Haus Wittelsbach an die Herrschaft der Grafen von Lindow überging, der sie nur einmal bei Gelegenheit eines Krieges auf kurze Zeit von Prenzlau her entzogen wurde.

Von der Organisation der inneren Verhältnisse dieser Stadt wird es leicht sein, sich nach dem, was wir in Betreff Neuruppins ausführlich entwickelt haben, eine richtige Vorstellung zu machen. Ratmannen, Schulze, Vogt waren hier, wie überall in den märkischen Städten. Gleichwohl gelang es der Stadt Gransee nicht ebenso gut, wie Wusterhausen, das städtische Gericht an den Rat zu bringen. Erst 1719 wurde die Schöffenbank dem letztem übergeben, nachdem bis dahin die Gerichte von einem Richter, einem Schöffen und vier aus den Bürgern der Stadt genommenen Beisitzern waren verwaltet worden.

Wegen der Wichtigkeit, welche Gransee für die Mark durch seine Lage an den Grenzen von Mecklenburg und Pommern hatte (woher einige selbst den Namen *Granseye* herleiten wollen), war es wohl verwahrt mit Mauern und Wällen, jene mit 35 Wachtürmen versehen. Die Wälle wurden in den ersten Jahrzehnten des vorigen Jahrhunderts auf Befehl des Königs Friedrich Wilhelm I. abgebrochen und in Gärten umgewandelt, welche den Bürgern der Stadt übergeben wurden. Zwei Tore, beide ehedem durch Türme befestigt, eröffneten den Zugang zur Stadt, das Ruppiner oder das neue Tor, und das Johannis- oder Zehdenicker Tor.

Außer der Pfarrkirche, welche in die Ehre Unserer Lieben Frauen, der Jungfrau Maria, geweiht war, und welcher 1439 Graf Albrecht VIII. von Lindow 2 Hufen Landes in dem Dorf Häsen vereinigte und vereignete,[356] einem schönen, hohen mit seinem Gewölbe auf sechs Pfeilern ruhenden Gebäude, besaß Gransee noch zwei Hospitäler mit ebenso viel Kapellen, das Hospital St. Spiritus und St. Georgen, jenes in der Langen Straße am Ruppiner Tor, dieses vor dem obengenannten Tor gelegen. Die Ruinen von der St.-Georgen-Kapelle waren noch am Anfang des vorigen Jahrhunderts zu sehen.

Von den beiden Klöstern, welche in dem Umfang der Stadt lagen, war das eine ein Nonnenkloster nach den Regeln des heiligen Benedikt von Nursia, das zweite ein Barfüßer- oder Franziskanermönchskloster, gewiss von sehr bedeutendem Umfang, da die Wohnung des Superintendenten und vier Freihäuser auf des Klosters Grund und Boden stehen. Im Jahr 1541 war der Konvent unter dem Guardian Joachim Heiner noch beisammen.[357] Nach des letzteren Tod verkaufte Kurfürst Joachim II. 1561, sonntags nach Antonii, für 200 Gulden Münze Landeswährung den Bürgermeistern und Ratmannen der Stadt Gransee und ihren Nachkommen auf ihr untertäniges und fleißiges Bitten und angesehen ihrer angenehmen Dienste und allerlei Gelegenheit das Barfüßerkloster daselbst mit Garten, Bänken und Tischen, auch den Messgewanden so darin befunden, samt Holzung und Röhrung, so der vorige Guardian Joachim Heiner in Gebrauch gehabt und genossen hatte, erb- und eigentümlich, doch so, dass sie und ihre Nachkommen hinfüro das Kloster und die nötigen Gemache in baulichem Zustand und Würden unter Dach und Fach erhalten, und dass die Kirchendiener, als Pfarrherren und Kapläne, darin wohnen, auch in derselben Schule halten mögen.[358] Ferner sollten sie und ihre Nachkommen die in demselben befindlichen Fürstengemächer in sonderlichen Würden und wesentlichem Bau mit Dach und Fenster wohl versehen, damit dieselben nicht in Verwüstung gerieten oder verfielen, und der Kurfürst oder die kurfürstlichen Herrschaften oder fremden Fürsten an solchen Gemächern keinen Mangel hätten, wenn sie ihr Nachtlager darin zu halten beabsichtigten.

Das Stadtsiegel von Gransee besteht, gleich dem der Stadt Hamburg, aus drei Türmen, ist in Silber gestochen, und wie die Mönchsschrift dartut, sehr alt. Es hat die Umschrift: *Sigillum Civitatis Granzoye.* Das Stadtwappen von Wusterhausen ist ein halber Adler an einer halben französischen Lilie mit der Umschrift: *Sigillum Civitatis Wusterhusen.* Das von Neuruppin zeigt einen verkappten Adler mit der Umschrift: *Sigillum Civitatis Neo-Ruppinensis.* Die Veranlassung zu der Verkappung des Adlers war nach alten handschriftlichen Chroniken unserer Stadt folgende: Gräfliche Mannen von edler Geburt erstachen einen Bürger, als sie sich lustig machten. Der Magistrat nahm den Täter gefangen, und verurteilte ihn im Winter zum Köpfen. Sobald dieses Urteil und die zur Vollziehung desselben bestimmte Zeit draußen bekannt geworden war, versammelten sich die Edelleute dicht vor dem Tor in zwei Reihen, um den Delinquenten, wenn er herausgeführt würde, zu befreien. Das aber erfuhr der Rat, hielt das äußerste Alt Ruppiner Tor verschlossen, und ließ dem Verurteilten zwischen dem äußeren und dem inneren Tor, nahe bei jenem, damit die draußen Versammelten es hören könnten, den Kopf abschlagen. Nun wurde das Tor geöffnet, und die Edelleute nahmen den Leichnam mit sich. Dies geschah, wie es ausdrücklich heißt, nach *des Mönchen Hystorie und Bann*, also im 15. Jahrhundert, nicht unwahrscheinlich unter Graf Albrecht VIII., der, wie oben berichtet, geraume Zeit mit der Stadt in Fehde lag. Der Graf, heißt es weiter, klagte nach Berlin gegen den Markgrafen, und so wurde dem Rat als Strafe auferlegt, keinen bloßen oder freien Adler mehr im Siegel zu führen, sondern über den Kopf eine Kappe zu ziehen.

An der einen Seitenmauer des Alt Ruppiner Tores, dem Platz der Enthauptung gegenüber, erhielt ein kleines eisernes Kreuz, welches am Anfang des 18. Jahrhunderts noch zu sehen war, das Andenken an diese Tat, welche das, was wir oben über das Verhältnis zwischen dem Landadel und den Städten gesagt haben, vollkommen bestätigt.

Wir sehen daraus, mit welcher Festigkeit und Ruhe, von unbesonnener Leidenschaftlichkeit und von Zaghaftigkeit gleich weit entfernt, der Rat unserer Stadt das ihm zustehende Recht, innerhalb des städtischen Weichbildes verübte Exzesse zu verfolgen und zu strafen, dem Adel zum Trotz in Ausübung brachte. Wir haben nicht den geringsten Grund, an der Wahrheit und Glaubwürdigkeit dieser von uns mitgeteilten Nachricht zu zweifeln.

Es ist uns unbekannt, wie weit sich in dem Andenken der Bewohner Gransees eine das daselbst belegene Wendfeld betreffende Tradition erhalten hat. In der Nachbarschaft dieser Stadt soll nämlich ein von den Grafen von Lindow unabhängiger Graf namens Wend gewohnt haben, ein reicher, alter Herr, ohne Weib und ohne Kind, nur von wenigen Bedienten umgeben. Dem gehörten zu Eigen weite fruchtbare Landstrecken, welche bis dicht an das Ruppiner Tor reichten, schönes Kienen- und Eichholz, aus welchem die Bürger viele Eichen zu 30 Talern das Stück verkauften, schöne große Wiesen von gedeihlichem Graswuchs, und die fruchtbarsten Ackerfelder, darauf einige hundert Enden, von denen jedes Ende später wohl 100 Taler galt. Dieses sein Eigentum nun, über welches der gedachte Graf zu verfügen die vollste Freiheit hatte, verkaufte er der Stadt für 11 Taler, unter der Bedingung, dass die Bürger Zeit seines Lebens für seinen Unterhalt sorgten. Doch überlebte er den Abschluss dieses Handels nur anderthalb Jahre. Die Bürger benutzten nun ungehindert das so erstandene Feld. Wenige Jahre vor dem Ausbruch des Siebenjährigen Krieges jedoch wusste ein in Gransee ansässiger Bäcker das Wendfeld bei Hof als eigenen Besitz zu erlangen, indem er es mit Maulbeerbäumen zu besetzen versprach. Weil aber durch diese Verfügung viele Bürger würden ruiniert sein, und die Stadt in dem Amt Alt Ruppin in einem alten, ungeachteten Manuskript Nachricht vom Grafen Wend beibrachte, so wurde der Bäcker mit einem derben Verweis abgewiesen. Natürlich war jedermann in Gransee diesem Bäcker Feind, sodass er sich genötigt sah, nach Zehdenick zu ziehen, wo sein Vatcr fortfuhr zu backen, der Sohn aber einen Holzhandel betrieb. Mag es nun mit dem eben erwähnten Manuskript für eine Bewandtnis haben, welche es wolle, so ist doch die ganze Erzählung von dem Grafen Wend zu märchenhaft und dem Geist jener ganzen Zeit zu sehr widersprechend, als dass wir ihr irgendwie Glauben beizumessen vermögen. Wir haben ihr hier einen Platz gegönnt, um sie vor gänzlichem Vergessen zu bewahren. Wendfeld oder Wendland hieß jener Teil der städtischen Feldmark wohl nur deshalb, weil er den ursprünglich hier sesshaften Wenden zur Benutzung gelassen war. Wir wollen damit auch gar nicht geleugnet haben, dass nicht etwa ein wendischer Edler der Besitzer dieser Landstrecke blieb, wie er es vor der Eroberung durch Albrecht den Bären gewesen. Ein Graf Wend aber, wie ihn die Tradition ausgebildet hatte, hat nimmermehr gelebt und ist eine historische Ungereimtheit.

3.10.3 Alt Ruppin

In der Regel hielten die Grafen von Lindow ihr Hoflager auf der Burg Ruppin, welche schon im 13. Jahrhundert von der Stadt gleichen Namens durch den Zusatz »Alten« unterschieden wurde.[359] Ihre natürliche Lage schon machte sie geeignet, in der oben von uns angeführten Reihe von Grenzfesten, durch welche der große Markgraf seine Erwerbungen zu schützen beabsichtigte, eine wichtige Stelle einzunehmen. Ein tiefer mit dem See in Verbindung stehender Graben, eine 36 bis 40 Fuß hohe, von Werkstücken und gehauenen Steinen aufgeführte Mauer, über die einige zwanzig runde Türme hervorragten, machten die Burg, zu welcher nur eine einzige Zugbrücke und ein einziges Tor den Zugang eröffneten, noch fester, ja für jene Zeiten fast uneinnehmbar. Der Burghof war rund und von allen Seiten mit Gebäuden umgeben, welche sich an die Mauer lehnten. Dem Eingang gegenüber stand das gräfliche Schloss, ein massives, zwei Geschoß hohes Gebäude, mit vielen Zimmern und Sälen, deren Decken der meisterhaften Stuckaturarbeit wegen sehr sehenswert waren. Über dem Portal im zweiten Stock befand sich eine kleine der heiligen Anna geweihte Kapelle, mit einer gewölbten Decke, und mit verschiedenen in Stein gearbeiteten Standbildern der Grafen verziert. An dem Altar in der Kapelle wurden die täglichen Messen gelesen. Bis zum Jahr 1779 erhielt sich dieses Hauptgebäude, da aber stürzte das Dach ein, und zerschmetterte die gewölbten Decken des ersten und zweiten Stockes, und verwandelte so das Innere in einen Schutthaufen. Die übrigen Mauern wurden 1787 abgebrochen, und teils zu dem Bau in unserer Stadt, teils zu dem des neuen massiven Rathauses verwendet. Gleiches Schicksal hatten die Nebengebäude, welche den Schlosshof umgaben. Die Kirche aber, welche links vom Eingang denselben von der Südseite eingeschlossen hatte, wurde mit dem ganzen linken Flügel wahrscheinlich schon in der Zeit des Dreißigjährigen Krieges eine Beute der Flammen, da man, so lange noch Mauern davon übrig waren, die deutlichsten Spuren von Brand bemerkte.[360]

Vor dem Schlosshof stand noch 1525 ein Pilgerhaus, in welchem während der gräflichen Herrschaft den erschöpften Pilgern Brot und Wein gereicht wurde. Natürlich ging diese Stiftung mit der Einführung der Kirchenverbesserung in der Mark ein. Diese Burg also wurde bzw. war in der Regel die Residenz der gräflichen Familie. Freilich dienten auch der sogenannte gräfliche Hof zu Neuruppin, ferner das Schloss Goldbeck und andere Schlösser und Burgen der Herrschaft als Aufenthaltsorte.

So wie fast überall unter dem Schutz landesherrlicher Burgen Dörfer oder Städte entstanden, ebenso auch bei der Burg Ruppin das Städtchen Alt Ruppin. Von dem Kietz und dessen Verpflichtungen ist schon oben die Rede gewesen. Auch die Bewohner des Städtchens waren zu mancherlei Diensten verbunden. Sie mussten nicht bloß Handdienste auf dem Schloss leisten, sondern auch Getreide, Bauholz, Steine, Kalk, Wein anfahren, auf der Jagd die Netze fortschaffen, in der Ernte Korn binden und Heu machen, und die Schafe scheren helfen. Dagegen waren sie und die Kietzer von dem hiesigen gräflichen Brückenzoll, sowie überhaupt von allen Zöllen in der Grafschaft befreit, durften an den Markttagen ohne Abgabe Brot auf den Scharren zu Neuruppin liefern, konnten im Land frei und ungehindert mit Getreide handeln, waren von allen Schössen und Stellung der Rüstwagen entbunden, und hatten besonders freies Bau- und Brennholz aus den weiten gräflichen Forsten.

Städtische Gerechtsame hat der Ort in der Zeit der Grafen nie gehabt. Von Schulzen, Ratmannen, Stadtgericht kann daher gar nicht die Rede sein. Die Pfarrkirche zu Alt Ruppin trug den Namen des heiligen Nikolaus, dessen Bild noch im vorigen Jahrhundert in der Kirche zu sehen war. Der Schulmeister hatte, wie es in dem Landbuch heißt, alljährlich auf dem gräflichen Hof zwei Mahlzeiten, und was auf des Herrn Tisch überlief, nahm er samt zwei Kandel Biers und zwei Regen Brots mit ihm nach Hause. Nach dem Aussterben der Grafen von Lindow wurde er stattdessen auf bestimmte Pächte gesetzt. Er erhielt nämlich jährlich dafür 1 Wispel Roggen, 1 Wispel Malz, ein Schwein und ein Küchenschaf, überdies frei Holz gleich dem Pfarrer.

In historischer Hinsicht wissen wir aus den früheren Jahrhunderten über Alt Ruppin so gut wie gar nichts. Manche das Städtchen betreffende Papiere, welche sich in der hiesigen Pfarre befanden, waren bei der schwedischen Invasion während des Dreißigjährigen Krieges abhandengekommen, und so waren denn die Nachrichten, welche Christoph Popel, Prediger daselbst, zufolge eines königlichen Befehls vom 10. April 1713 einsandte, dermaßen dürftig, dass sie kaum erwähnt zu werden verdienen.

Die neue Mühle in der Nähe von Alt Ruppin war besonders zur Zeit der letzten Grafen ein Lieblingsaufenthalt der Herrschaft. Wir lesen zu wiederholten Malen, dass die Ratmannen unserer Stadt dorthin zu den Grafen Johann III. und Jakob I. beschieden, dass von dort aus Quittungen über empfangene Gelder von den Grafen ausgestellt wurden.[361] Wir wissen aber nicht, was ihnen den Aufenthalt daselbst so besonders angenehm zu machen im Stande war.

3.10.4 Lindow

Wann das »Städtchen« zu Lindow, so heißt es in der Tat in den alten Urkunden, entstanden sei, ob es schon vorhanden war, als das Prämonstratensernonnenkloster daselbst gestiftet wurde, oder ob es eben erst dieses Kloster war, welches zum Anbau in dessen Nähe einlud, alle diese Fragen lassen sich nicht mit entschiedener Sicherheit beantworten. Da während des Dreißigjährigen Krieges die Fundationsurkunde des Klosters verloren gegangen ist, so wird auch die Zeit unbestimmt bleiben müssen, in welche dessen Stiftung fällt, sollte es gleich wahrscheinlich sein, dass es schon dem Grafen Gebhard I. seinen Ursprung verdanke.

Wenn es wahr ist, wie Büsching versichert, dass es vor der Kirchenverbesserung eine Äbtissin mit 35 Konventualinnen enthalten habe, so muss es freilich zu den bedeutendsten Stiftungen dieser Art in unserer Stadt gehört haben, und in der Tat beweisen auch noch die Ruinen der alten Klostergebäude die ehemalige Größe des Stifts. Eine Abteilung der kaiserlichen Armee, welche unter dem Befehl des Generals Gallas stand, legte 1638, den 16. Oktober, den größten Teil der Klostergebäude in Asche. In diesem Brand gingen zugleich die meisten und wichtigsten Urkunden des Klosters mit verloren. Nach dem ruppinischen Landbuch von dem Jahr 1525,[362] sowie nach der Bestätigungsurkunde, welche Markgraf Joachim I. im Jahr 1530 dem Kloster wegen seiner Besitzungen erteilte,[363] besaß dasselbe die ganze Stadt Lindow mit der Gerichtsbarkeit, dem Kirchenlehen, drei Mühlen, zwei Seen, allen Gärten- und Ackerzinsen; ferner mit allen Pächten, Zinsen, dem Patronatsrecht und den Untergerichten die Dörfer, Banzendorf, Buberow, Dierberg, Dollgow, Grieben, Gühlen, Herzberg, Keller, Krangen, Lichtenberg, Menz, Rönnebeck, Rüthnick, Schönberg, Seebeck, Strubensee, Vielitz, Zechow, Zühlen, sechs Höfe in Karwe, in Nackel, Viechel, Wutzetz und Läsikow das Patronatsrecht, einige Pächte aus Alt Ruppin, einen jährlichen Erbzins von den Rathäusern zu Gransee und Wusterhausen, ferner die Mühlen zu Baumgarten, Kramnitz und Zippelsförde; ferner folgende schon 1530 wüste Dorfstellen, welche von den benachbarten Dorfschaften benutzt und dem Kloster verzinst wurden: Beerenbusch, Burow, Glambeck, Grieben, Hindenberg, Hohen Pählitz, Klosterheide, Köpernitz, Krukow, Lindow, Pritzkow, Rägelsdorf, Rheinshagen, Roofen, Steinfurth, Stamm-Stechlin, Stechlin, Wendisch Kramnitz, Zippelsförde, Zeuten, und einige Hufen auf den Feldmarken Schulzendorf und Sonnenberg. Bei einer so großen Menge von Gütern und Einkünften kann die Zahl von 35 Klosterjungfrauen keineswegs als übertrieben erscheinen. Das Vorwerk Groß Menow oder Feld-Lindow ist erst nach der Reformation der Kirche von dem Stift erworben worden.

Im Jahr 1541, welches für die Umgestaltung der kirchlichen Verhältnisse in unserem Land Ruppin das entscheidende war, wurde das

Kloster in ein adliges Fräuleinstift verwandelt, das Klosteramt aber zu den kurfürstlichen Domänen geschlagen,[364] und, nachdem es von 1542 bis 1550 für 8.000 Gulden an Johann von Arnim den Jüngeren verpfändet gewesen war, von einem kurfürstlichen Amtshauptmann und Arrendator verwaltet.[365] Die Zahl der Klosterdamen wurde 1551 auf eine Domina und 14 Konventualinnen festgesetzt, und zugleich deren Revenuen bestimmt.[366] Doch mussten diese Bestimmungen in dem folgenden Jahrhundert, nachdem der große deutsche Krieg auch das Kloster mit seinen Verheerungen betroffen hatte, in den Jahren 1644, 1648 und 1664 verändert werden, wo dann der Konvent auf eine Domina und vier Konventualinnen beschränkt wurde.

Seit dem Jahr 1764, in welchem das Klosteramt zu Lindow aufgehoben wurde, erhielten die Konventualinnen ihre Hebungen von dem Rentamt zu Alt Ruppin, und zwar in dem Verhältnis, dass von den sechs Teilen der Einkünfte jede der Konventualinnen eine, die Domina aber zwei Portionen erhielt. Die Einkünfte des Stifts, deren spezielle Angabe nicht in unsere Geschichte gehört, waren natürlich im Vergleich zu denen, welche das Kloster in den Zeiten der gräflichen Herrschaft besaß, nur gering zu nennen. Wie es aber dem Kloster möglich wurde, in so wenigen Jahrhunderten zum Besitz so vieler Dörfer und Güter zu gelangen, ist fast unerklärlich, wenn wir nicht annehmen, es sei das Stift in einer Zeit mit einem großen Teil derselben beliehen worden, in welcher die über Alt Ruppin hinaus belegenen Landstriche von ihren früheren Bewohnern verlassen waren und wüst lagen, sodass also die meisten jener Dörfer eben erst unter dem Schutz des Klosters auf dessen Grund und Boden angelegt wurden – eine Annahme, durch welche freilich der Ursprung des Klosters schon in das 12. Jahrhundert hinaufgerückt werden würde. So viele Beweise von der Frömmigkeit, solcher freigiebigen Frömmigkeit, jener Zeiten auch bisher schon aufgeführt worden sind, so hat sich dieselbe doch wenigstens in unserem Land weder in dem Umfang noch in der Weise geäußert, dass ganze Dörfer und große Feldmarken so an geistliche Stiftungen dahin gegeben wären. Überdies konnten dergleichen Vereinigungen nur mit Wissen und Zustimmung der Grafen geschehen, wenn sie anders dauernde Gültigkeit haben sollten.

Am Anfang des 15. Jahrhunderts muss eine gewisse Agnes, ungewiss aus welchem Geschlecht, dem Konvent als Äbtissin vorgestanden haben. Sie kaufte von dem Edlen Wedego von Quitzow und dessen Vettern Lüdeke von Quitzow, Propst zu Havelberg, und Nikolaus von Quitzow wiederkäuflich alle die Urbede, die sie in dem Städtchen zu Lindow hatten. Wahrscheinlich betrug dieselbe 10 Mark Brandenburgischen Silbers. Die Kaufsumme aber belief sich auf 100 Schock gute Böhmische Groschen. Um diesen Wiederkauf in einen rechten und ewigen Kauf zu verwandeln, gab die Äbtissin Luitgard im Jahr 1436 am Tag Johannis des Täufers noch 42 ½ Schock an Nikolaus von Quitzow, Wedegos Sohn, wofür dieser dem Konvent die 10 Mark Urbede zu einem ganzen Eigentum abtrat, und allen Rechten auf dieselben für sich und alle seine Nachkommen mit Einwilligung des Grafen Albrecht VIII. entsagte.[367] Diese Urbede entrichtete die Stadt unter dem Namen des Kloster- oder Jungfernschosses noch am Ende des vorigen Jahrhunderts, vielleicht noch jetzt, mit 10 Talern 16 Groschen an das Kloster. Es ist einleuchtend, dass die 10 Mark um das Jahr 1436 viel mehr Wert hatten, als jetzt 10 Taler. Gleichwohl ist dies ungünstige Verhältnis überall geblieben, wo die Naturallieferungen in Geldgefälle verwandelt worden sind.

Auch aus Neuruppin bezog das Kloster Renten, welche es vielleicht auf dem Weg des Kaufs an sich gebracht. Der ehrsame Rat unserer Stadt scheint sich mit der Bezahlung derselben nicht gerade sonderlich übereilt zu haben. Wenigstens sah sich Anna von Kröchern, Äbtissin, nebst dem ganzen Kapitel des Klosters Lindow genötigt, denselben im Jahr 1491 am Tag des Apostels Matthäus höflichst um 1 Schock Renten, zum Heiligedreikönigstag fällig, zu ersuchen,[368] und 1492 Sonntag nach Valentin um 1 Schock Renten, welche zu Martini zahlbar gewesen.[369] Im Jahr 1502 hatte das Kloster 100 Schock mit 15 Schock jährlichen Renten, welche auf Wiederruf bei dem Rat der beiden Städte Berlin und Cölln standen, an sich gebracht, und der Rat verpflichtete sich in einem Montag nach Mitfasten ausgestellten Schuldbrief, dem Kloster alljährlich zu Lichtmess die Zinsen richtig auszuzahlen.[370] Zur Aufhebung und Kündigung des Wiederkaufs sollte nur der Rat, nicht das Kloster, berechtigt sein, jener aber, im Fall er die Hauptsumme zurückzahlen wollte, wenigstens zu Martini kündigen und dann zu Lichtmess die Zahlung folgen lassen, nämlich

500 Schock, den Groschen zu 8 Pfennigen gerechnet.

Bei dem Mönchskloster zu Neuruppin besaß das Kloster ein Haus, welches Elisabeth von Zieten, von Gottes Gnaden Äbtissin, Margarethe Maßen, Priorin, und die ganze Versammlung des Jungfrauenklosters zu Lindow 1558 Sonntags Cantate für 60 Gulden Landeswährung und ganghaftiger Münze mit allen Gnaden und Gerechtigkeiten, schossfrei, wachefrei, den Brunnengang frei, auch brauensfrei, nichts davon abgenommen, aller Unpflichten frei, mit Wissen, Willen und Fulbort des Markgrafen Johann Georg, an den ehrbaren und ehrenfesten Joachim von Bellin, erbsessen zu Neuruppin verkauften, dasselbe Haus, welches, wenn wir nicht gar irren, später zur Wohnung für den reformierten Rektor angekauft wurde.[371]

3.10.5 Rheinsberg

Rheinsberg, in alten Urkunden *Rynesberge* genannt, hat so wenig von Remus, als Ruppin von dem Römer Rufius den Namen empfangen. Gleichwohl war es eine Lieblingsidee unserer Vorfahren, den Namen Rheinsberg aus »Remsberg« entstehen zu lassen. Zum ersten Mal wurde Rheinsberg im Jahr 1335 urkundlich erwähnt, wenn es auch schon früher muss existiert haben, da schon vor dem Jahr 1335 einer ritterlichen Familie gedacht wird, welche sich nach diesem Ort benannte.[372] Zum Zweiten Mal erscheint Rheinsberg in einer Urkunde, durch welche 1368 die Grafen Günther III. und Albrecht VI. von Lindow den Rheinsberger Geistlichen die Zollfreiheit bewilligten.[373] Wahrscheinlich waren damals die von Plote Besitzer von Schloss und Stadt.

Als Joachim von Plote 1464 starb, heiratete Bernhard von Bredow des Verstorbenen Tochter Anna, und wurde 1465 durch die Grafen Johann III. und Jakob I. von Lindow mit dem Haus, der Stadt, dem Schloss und dem Land Rheinsberg beliehen.[374] Joachim von Bredow erhielt 1524 nach dem Aussterben des Grafengeschlechts aufs Neue die Belehnung über diese Besitzungen. Ihm folgte 1526 Jobst, im Jahr 1539 Joachim, diesem 1594 sein Sohn Jobst von Bredow, Dompropst zu Havelberg, welcher sie 1618 an den Magdeburger Domherrn Konrad von Lochow verkaufte. Beim Aussterben dieser Familie nahm Kurfürst Friedrich Wilhelm 1685 von dem erledigten Lehen Besitz, und schenkte es dem Generalmajor du Hamel, welcher es aber noch in demselben Jahr für 1.200 Taler an den Hofrat von Beville verkaufte. Im Jahr 1733 endlich kaufte es der Kronprinz Friedrich, welcher, wie aus der Geschichte bekannt ist, sich von dieser Zeit bis zu seinem Regierungsantritt fast ununterbrochen in Rheinsberg aufhielt, dann aber 1744 seinem vortrefflichen Bruder, dem Prinzen Heinrich, damit ein Geschenk machte.

Nach einer alten Überlieferung soll die Stadt Rheinsberg große Privilegien und Freiheiten gehabt haben. Ein böswilliger Schreiber aber soll dieselben noch vor des letzten Jobsts von Bredow Zeiten, also noch vor 1594, über die Seite geschafft haben, indem er sie auf eine Bürge legte, Steine von oben darauf packte, dann damit auf den See fuhr und sie in demselben versenkte. Dieser Schreiber wurde nach seinem Tod in dem Gewölbe der Kirche beigesetzt, wo sein Leichnam zur Strafe für seine Schuld nicht in Verwesung übergehen konnte, sondern nur vertrocknet dalag, während schon mehr als der vierzehnte nach ihm beigesetzte Leichnam verwest war.

Vor diesem soll zu Rheinsberg auch eine hölzerne Rolandssäule gestanden haben, welche von den Prenzlauern – ich bediene mich gerade der Worte der Tradition – gestohlen wurde. Ist dem also, so kann das nur geschehen sein, als die Bürger von Prenzlau sich durch plötzlichen Überfall, wie oben erzählt worden, der Stadt Gransee bemächtigten, von wo sie vielleicht mit einer Abteilung sich bis nach Rheinsberg wagten.

3.10.6 Wildberg

Fast in der Mitte zwischen Wusterhausen und Neuruppin liegt das große Dorf Wildberg, welches in den alten Urkunden gleichwie Lindow, Alt Ruppin, *Stedeken* oder *Stedlin, Städtchen* oder *Städtlein zu Wiltperge* genannt wurde. Den Namen Städtchen führt es auch noch 1541 in dem Kirchenvisitationsabschied.[375] Wirklich war es ehedem auch mit einer Mauer umzogen, deren Fundamente noch jetzt hier und da bei der Bearbeitung der an ihrer Stelle angelegten Gärten entdeckt werden; ebenso wenig fehlte es dem Ort an Wall und Graben. Ein großer Platz in der Mitte des Dorfes mag ehedem als Marktplatz gedient haben. Wahrscheinlich entstand das Städtchen zu Wildberg unter dem Schutz einer Burg, welche östlich von demselben, von dem Städtchen durch die etwa 2 Meilen von hier aus einem Berg bei Rägelin entspringende Temnitz getrennt, sich mitten aus einer morastigen, fast ungangbaren Niederung erhob. Noch jetzt ragt der Burgwall zur Rechten der Straße, die von Wildberg über Kerzlin nach Ruppin führt, rings von Wasser umgeben, aus der Niederung hervor. Von der Höhe, auf welcher die Burg gestanden, kann man Neuruppin, Wusterhausen, Fehrbellin, 18 Dörfer übersehen – eine Lage, welche die Burg mehr als jede andere zu Räubereien geeignet machte.

Als Graf Jakob I. 1478 seiner Gemahlin Anna, der Gräfin Jakobine, diese Burg mit den beiden zu Wildberg befindlichen Gütern als Witwensitz verschrieb, versprach er zugleich, sie in den nächsten sechs Jahren aufzubauen und die beiden verpfändeten Güter wieder einzulösen.[376] Weder das eine noch das andere Versprechen wurde erfüllt, da ihn der Tod an der Ausführung hinderte. Also muss schon damals die Burg wüst gelegen haben und unbewohnbar gewesen sein. Wenigstens lebte und starb die Gräfin Jakobine in dem Haus zu Neuruppin, welches »der gräfliche Hof« genannt wurde.

Noch im Jahr 1713 war die Ruine des Schlosses ziemlich vollständig erhalten. Unsere Väter haben das alte Mauerwerk mehr und mehr verfallen und endlich fast ganz verschwinden sehen. Schon im Jahr 1525 gehörte das Burglehen der Zietenschen Familie.[377] Ob diese Burg nun, wie Bratring meinte, durch Markgraf Friedrich I. aus dem Haus Hohenzollern wegen der von hier aus verübten Räubereien zerstört wurde, müssen wir bei dem Mangel aller sicheren Nachrichten unentschieden lassen.[378] Nach einer alten, dieser Annahme widersprechenden Tradition, deren Glaubwürdigkeit wir jedoch nicht verbürgen wollen, wohnte auf diesem Raubschloss ein Edelmann, namens Voßföhlen. Ein Graf von Lindow ließ ihn nach Alt Ruppin zu sich zu Gast bitten, führte ihn dann auf den obersten Teil des gräflichen Schlosses, und zeigte ihm von hier die lodernden Flammen seiner Burg, welche der Graf wegen der Räubereien in Abwesenheit seines Besitzers hatte in Brand setzen lassen. »Das macht der Fraß«, sagte Voßföhlen. »Drum will ich künftig nicht mehr Voßföhlen, sondern Fratz heißen.« Und in der Tat sieht man nicht recht ab, wie der Markgraf dazu hätte kommen sollen, den gräflichen Lehnsmann, welcher schuldig geworden, zur Strafe zu ziehen, da von einer solchen Einmischung der Markgrafen in die Verhältnisse unseres Landes vor Joachim I. sich nicht die geringste Spur nachweisen lässt. Konnte Graf Ulrich IV. dem Burggrafen zur Eroberung des Schlosses Friesack so treffliche Dienste tun, wie uns berichtet wird, so war er gewiss auch im Stande, mit eigenen Streitkräften den entarteten Vasallen zu züchtigen und im Zaum zu halten.[379] Was aber die Verwandlung jenes Namens betrifft, so wurden uns die Edlen Gebhard und Otto von Fratz schon 1327 als gräfliche Lehnsmannen, welche zu Kränzlin ihren Sitz hatten, ja schon geraume Zeit vorher gehabt haben müssen, erwähnt, sodass die Zerstörung des Schlosses in sehr frühe Zeiten müsste gesetzt werden.[380]

Wir bemerken hier nur noch, dass dergleichen Traditionen höchstens drei Menschenalter hindurch mit vollkommener Zuverlässigkeit sich in dem Andenken des Volkes erhalten, dass sie dann allmählich durch fremdartige Auswüchse oft bis ins Unkenntliche entstellt werden, ohne dass man im Stande ist, jene Zusätze wieder abzulösen, und die ursprüngliche Lieferung in ihrer reinen und unverfälschten Gestalt wiederherzustellen. Besonders hat das der alten wie der neueren Sage so eigentümliche Streben zu etymologisieren zur Verderbnis der wahren Geschichte Veranlassung gegeben. Unbekümmert um die Verhältnisse der Zeit, um die Aufeinanderfolge der Personen, der Begebenheiten, überspringt die Sage Jahrhunderte, und setzt Na-men miteinander in Verbindung, welche sich in der Tat durchaus fremd sind.

3.10.7 Neustadt

Außerordentlich selten wurde während des Zeitraums der gräflichen Herrschaft das Städtlein *Nuwestadt, Newstadt, Nyestadt castrum* erwähnt, welches mit der dazu gehörigen Herrschaft im Jahr 1375 noch mit zur Prignitz gehörte, und das Landbuch Kaiser Karls IV. als dem Lippold von Bredow zugehörig aufführte.[381] Bald nachher müssen diese Besitzungen an die Grafen von Lindow gekommen sein, welche sie gegen das Ende des 15. Jahrhunderts an die von Quitzow verpfändeten.[382] Zu den Zeiten des Grafen Wichmann besaß Joachim von Bredow von ihnen drei Viertel, Balthasar von Rohr ein Viertel. Aber so unbedeutend war das Städtchen, dass es in dem Landbuch von 1525 von ihm hieß: »seyndt sieben Erben oder Höfe mit dem Krüger in dem Flecken, müssen dienen, Ställe rein machen, Gras mähen etc. Die Köritzer müssen es aber einfahren.«[383] Mit Mauern, Wall und Graben ist es nie umzogen gewesen, ebenso wenig hat es jemals in jener Zeit städtische Gerechtsame gehabt.

3.11 Die Dörfer

3.11.1 Allgemeine Verhältnisse

In ähnlicher Weise, wie man bei der Anlage von Städten verfuhr, wurden auch die Dörfer in den ursprünglich slawischen Ländern entweder ganz neu begründet oder aus slawischen in deutsche verwandelt. In der Mark Brandenburg, welche unter Markgraf Albrecht dem Bären und dessen nächsten Nachfolgern gänzlich germanisiert wurde, geschah diese Einrichtung der Dörfer in Masse und fast zu derselben Zeit. In Schlesien, wo noch jetzt neben deutschen Dörfern minder berechtigte von offenbar slawischem Ursprung sich finden, erfolgte diese Umgestaltung mehr allmählich, daher wir auch hier durch ausdrückliche Stiftungsurkunden über die Grundsätze belehrt werden, welche man hierbei zu befolgen pflegte.

Wir dürfen mit Zuversicht annehmen, dass das Verfahren in der Mark dem in Schlesien und Preußen im Ganzen durchaus analog war, wenn sich auch nicht eine einzige Lokationsurkunde erhalten hat. Das gänzliche Verschwinden derselben wird weniger auffallend erscheinen, wenn man berücksichtigt, dass diese Verträge reine Privatverträge waren, welche nur für die Familien der Stifter Wert hatten, mit dem Aussterben derselben aber verloren gehen mussten.

Wollte der Grundherr einer Feldmark behufs der besseren Benutzung des vielleicht in Wald oder Sumpf wüst liegenden Landes dieses an Bauern austun, so verkaufte er eine bestimmte Anzahl von Hufen zu einem natürlich nach der höheren oder geringeren Ergiebigkeit, Urbarkeit, Lage des Landes wechselnden Kaufgeld an einen persönlich freien, nicht zum Ritterstand gehörenden Mann, welcher es unternahm, diese Hufen anderweitig an Bauern unterzubringen.

Wurde auch in den uns erhaltenen Urkunden jenes Kaufgeldes nicht immer Erwähnung getan, so folgt doch daraus keineswegs, dass es überhaupt nicht gezahlt worden ist. Vielmehr bedurfte es, da die Kaufsumme aller Wahrscheinlichkeit gemäß in der Regel wohl gleich beim Abschluss des Vertrages dem Verkäufer ausgezahlt wurde, und die Verträge weniger als Quittungen angesehen wurden, jener Erwähnung eigentlich gar nicht. In dem Vertrag wurde nun zunächst die Anzahl der ausgegebenen Hufen bestimmt angegeben, sodann der Zins, welchen die zum Zins Verpflichteten alljährlich zu entrichten hatten. Mehrere von den Hufen wurden von diesem Zins frei gelassen, und teils dem Erbauer des Dorfes, teils dem Pfarrer und der Kirche zugewiesen. Aber auch für die übrigen Bauernhufen war eine Anzahl von Freijahren bestimmt, drei, sechs, zehn oder noch mehr, nach deren Ablauf erst die Bauern zu den im Vertrag bestimmt angegebenen Abgaben gehalten sein sollten. War der Boden wenig urbar, mussten erst Waldungen ausgerottet, Sümpfe trocken gelegt werden, so mussten, sollte anders das Unternehmen glücklich vonstattengehen, mehr Freijahre bewilligt werden. Der Zins von der Hufe betrug in der Mark in der Regel zwischen 10 Pfennigen bis 3 oder 4 Schillinge, und erreichte nur selten und nur in besonders fruchtbaren Gegenden eine Höhe von 6 bis 7 Schillingen. Die Verteilung dieser zins- und zehntpflichtigen Hufen an die Bauern zu größeren oder kleineren Ackerwerken war ganz dem Käufer überlassen, wenn er nur nach der urkundlich festgesetzten Frist für die Zahlung der Abgaben Sorge trug. Bei säumiger Zahlung hielt sich der Grundherr einzig an ihn und seine Nachkommen, nicht aber an die zahlungspflichtigen Hüfner.

Überall aber wurde mit den dem Erbauer des Dorfes zugestandenen Freihufen das Schulzenamt in Verbindung gesetzt. Es ist kein

Zweifel, dass der Name Schultheiß *(praefectus, Schultesse, Scholtis, Schulze)* aus »Schuld« und »heischen« zusammengesetzt ist. »Schuld« bezeichnete in den älteren Rechtsquellen die einem schuldig Befundenen, durch richterliches Urteil auferlegte Buße und Leistungen, sodass man also den Schultheiß insbesondere von demjenigen Teil seiner Amtspflichten benannte, nach welchen er die durch richterliches Urteil aufgelegten Leistungen einzutreiben hatte. Zur Errichtung eines Dorfschulzenamtes und zur Einsetzung des Dorfschulzen war nur derjenige berechtigt, welcher selbst im Besitz der oberen Gerichte war, daher der Landesherr, oder wer in dessen Namen das höchste Gericht ausübte. Beabsichtigten daher andere Grundeigentümer, welche nicht mit der höchsten Gerichtsbarkeit beliehen waren, auf ihrem Grund und Boden neue Dörfer anzulegen, so bedurfte es dazu immer der landesherrlichen Genehmigung und der Übertragung der Gerichtsherrschaft in dem erforderlichen Umfang.

Zur Übernahme des Schulzenamtes aber war nach dem sächsischen Recht nur derjenige tauglich gewesen, welcher erstens vollkommen frei, nicht nur an seiner Person sondern auch an seinem Eigen, und zweitens innerhalb des Gerichtsbezirks geboren war. Die letztere Bestimmung musste in den östlich von der Elbe belegenen Ländern, welche ganz durch deutsche Kolonisten germanisiert wurden, natürlich wegfallen, stattdessen forderte man wohl nur deutsche Abkunft und eine rechte und echte Geburt, wenn wir gleich schon im 13. Jahrhundert, zwar nicht im Land Ruppin, aber doch in dessen Nachbarschaft auch Slawen im Besitz des Lehnschulzenamtes erblicken. Auch in Betreff der Freiheit begnügte man sich in der Mark damit, dass die Erb- und Lehnschulzen nur nicht persönlich unfrei und untertänig wären. Eigentlich schöffenbarfreie Männer, d.h. solche, die ihre eigene Freiheit hatten, an ihrem Eigen und an ihrer Person, gab es in der Mark zu Brandenburg, zu Landsberg, in der Ober- und in der Niederlausitz überhaupt gar nicht, wie denn hier auch die Gerichte nicht bei des Königs Bann, sondern bei des Landgrafen Hulden gehalten wurden. Einzeln und als Ausnahme stehen die Beispiele davon da, dass auch Personen rittermäßigen Standes das Dorfschulzenamt übernommen haben, wie z.B. zu Satzkorn im havelländischen Kreis Hermann von Bardeleben, zu Falkenhagen ein Mann namens Falkenhagen, dessen Vater das Schulzengut von einem gewissen Stromer gekauft hatte, ebenso in dem uckermärkischen Dorf Werbelow ein gewisser Heinrich von Parmen. Auch Bürger von benachbarten Städten kamen als eigentliche Dorfschulzen vor. So hatte jener Hermann von Bardeleben das Schulzengut zu Satzkorn von Jakob Dedest, einem Bürger zu Brandenburg gekauft, und ein Bürger zu Gardelegen, namens Dieterich, war im 14. Jahrhundert Inhaber des Schulzengutes zu Engersen. Die Übernahme des Schulzenamtes entehrte den Edlen nicht. Denn schöffenbare Freiheit, lehrt eine treffliche Glosse zum Sachsenspiegel, ist ein Ambacht: Findet das Ambacht einen wohlgeborenen Mann, so ärgert es ihn nicht, und findet es einen schnöden Mann, es adelt ihn nicht. Darum adelt oder ärgert niemand ein Ambacht.

Es ist einleuchtend, dass das Verhältnis des Lehnschulzen in denjenigen Dörfern, welche neu gegründet wurden, ein viel günstigeres war, als wenn in den schon bestehenden slawischen Dörfern einer der Bauern mit dem Schulzenamt bekleidete, und zum Lohn für seine Mühe mit ein paar wüsten Hufen abgefunden wurde. Hatten mehrere Personen die Anlage eines neuen Dorfes übernommen und gemeinschaftlich aus ihren Mitteln den Kaufschilling zusammengebracht, so teilten sich die Unternehmer in die ausgeworfenen Freihufen gemeiniglich so, dass einer von ihnen das erbliche Schulzenamt erhielt, die anderen als Lehnsbauern oder Lehnsmänner sich in dem Dorf niederließen und von ihren Hufen weder zum Zins noch zum Zehnten, sondern nur zur Stellung des Lehnspferdes verpflichtet waren. Zur Belohnung für geleistete treue Dienste oder in augenblicklicher Geldnot gegen Zahlung einer entsprechenden Geldsumme konnten natürlich von den Grundherren zinsbare Bauern in Lehnsbauern verwandelt werden. In der Grafschaft Ruppin wurden, wenn wir nicht irren, nur zwei solcher Freihöfe, beide in Stöffin, erwähnt. In anderen Gegenden z.B. in den niederlausitzischen Herrschaften Beeskow und Storkow gab es fast in jedem Dorf zwei Schulzen, welche sich abwechselnd der Führung des Schulzenamtes zu unterziehen pflegten. Ebenso war es ehedem in mehreren Ämtern Ostpreußens. In dem Umfang der ganzen Mark Brandenburg scheint es ursprünglich kein Dorf gegeben zu haben, welches nicht seinen Frei- und Lehnschulzen gehabt hätte.

An die Stelle dieser Lehnschulzen traten sodann immer mehr und mehr Setzschulzen, wozu die Gerichtsherrschaft einen Bauern des Dorfes ernannte, der das Amt zwar übernehmen musste, aber nach mehrjähriger Verwaltung sich wieder von demselben lossagen durfte. In der Mark Brandenburg gab es 1798 gegen 720 Frei- und Lehnschulzen, 1.146 Setzschulzen. In den nächsten drei Jahren hatte sich die Zahl jener schon auf 697 vermindert, dagegen die der Setzschulzen auf 1.279 gestiegen war. Schon während des 13. und 14. Jahrhunderts nämlich veräußerten die Landesherren ihre Gerichtsherrschaft häufig an Privatpersonen, meist an Personen rittermäßigen Standes, welche in den betreffenden Dörfern ihre Lehnsgüter hatten. So kam das Obereigentum der Lehnschulzengüter bald an Edelleute, bald an Bürger, bald an Kirchen und Klöster. Sobald nun die Familie des Lehnschulzen ausstarb – es erbte aber das Schulzenamt eben nur auf die männliche Deszendenz fort – so zogen die nunmehrigen Gerichtsherren häufig die Schulzengüter ein, und vereinigten sie mit ihren eigenen Ritter- oder Knappenhufen. Die Schulzengerichtsbarkeit hörte auf, oder wurde von Seiten der Gutsherrschaft auf irgendeine Weise geübt. Die übrigen amtlichen Geschäfte des Schulzen, die Verwaltung der Gemeindeangelegenheiten und die niedere Ortspolizei nebst einer unbedeutenden Gerichtsbarkeit in Polizei- und Gemeindeangelegenheiten, kurz die Verrichtungen der Bauermeister in den jenseits der Elbe belegenen Dörfern, wurden einem von der Gutsherrschaft bestimmten Setzschulzen überwiesen. So sind in Mecklenburg alle Lehnschulzengüter, deren Lehnsherrschaft an Privatbesitzer gekommen war, in der Mark wenigstens die bei weitem meisten eingegangen.

In ähnlicher Weise haben sich auch die Verhältnisse der Lehnschulzen in dem Land Ruppin allmählich verändert und umgestaltet. Gegen das Ende des vorigen Jahrhunderts waren nur noch in dem kleineren Teile der zu unserem Kreis gehörigen Dörfer Lehnschulzen, nämlich zu Banzendorf, Braunsberg, Buberow, Dabergotz, Darritz, Dierberg, Dollgow, Gadow, Grieben, Herzberg, Keller, Kerzlin, Köritz, Kraatz, Krangen, Lichtenberg – von dem Lehnschulzenhof daselbst stammt dic Siepmannsche Familie in Neuruppin – Linde, Manker, Menz, Groß Mutz, Molchow, Nietwerder, Rägelin, Rönnebeck, Rüthnick, Schönberg, Sieversdorf, Sonneberg, Seebeck, Strubensee, Vielitz, Woltersdorf, Wuthenow, Zechow, Zootzen, Zühlen, vielleicht auch noch in einigen anderen. Gewiss aber waren ursprünglich überall Lehnschulzen mit der vollen Richter- und Bauermeistergewalt, ja wahrscheinlich um vieles früher als adelige Gutsherren, wie denn auch noch jetzt viele Namen der Dörfer darauf hinzudeuten scheinen, dass diese nach ihren Stiftern benannt sind z. B. Banzendorf, Lüdersdorf, Heinrichsdorf, Rauschendorf, Sieversdorf, Waltersdorf, Woltersdorf und andere. Mögen in neuerer Zeit in unserer Grafschaft wie überall in der Mark viele Dörfer von Edelleuten oder anderen Privatpersonen auf ihrem Grund und Boden angelegt worden sein. Für die Zeit, in welcher die Mark germanisiert wurde, für die Jahrhunderte der ballenstedtischen Herrschaft in der Mark, passt die Annahme durchaus nicht, als hätten etwa die Vasallen des Landesherrn, demnach bei uns der Grafen von Lindow, auf ihrem Grundeigentum Dörfer angelegt oder auch nur ohne besondere Genehmhaltung des Grafen anlegen dürfen. Wir bemerken dies nur aus dem Grund ausdrücklich, weil uns oft selbst bei Männern, welche der früheren Jahrhunderte und ihrer Verhältnisse gar nicht unkundig waren, diese im Allgemeinen durchaus irrige und ungereimte Ansicht aufgefallen ist, als hätten eben die Vasallen des Landesfürsten den Dörfern Ursprung und Namen verliehen.

Die Lehnschulzen waren also im Besitz mehrerer Freihufen, deren Anzahl natürlich stieg und fiel, je nach der Größe der Feldmark und der Höhe des Kauf-Schillings, welchen der erste Erbauer des Dorfes, als dessen Nachfolger der Lehnschulze anzusehen war, dem Grundherrn gezahlt hatte. Für den Genuss dieser Hufen war er, frei von Zins und Zehnten, nur zur Zahlung der Bede und zur Stellung eines Lehnspferdes verpflichtet, welches während der Dauer des Krieges vom Landes- oder Grundherrn benutzt, im Fall es aber verloren ging, von dem Lehnsherrn ersetzt wurde. Bis die Erstattung wirklich erfolgt war, blieb der Schulze von der Erfüllung jener Lehnspflicht durchaus entbunden. Überdies aber musste von dem Schulzengut sowohl beim Wechsel des Lehnsmannes als bei dem der Lehnsherrschaft an diese letztere ein bestimmtes Geschenk unter dem Namen Lehnware gezahlt werden. Zum Ersatz dafür, dass die Schulzen für die Leistung der bäuerlichen Dienste Sorge zu tragen hatten, waren sie selbst an den meisten Orten von denselben entbunden.

In der Regel stand ihnen auch das Recht zu, den Krug zu halten, womit im Allgemeinen in der ganzen Mark Brandenburg auch die Braugerechtigkeit verbunden war, wenn auch viele von der letzteren nicht eben Gebrauch machen, und so am Ende derselben ganz verlustig gingen. Die Mühlengerechtigkeit dagegen scheinen im Land Ruppin die Grafen sich selbst Vorbehalten zu haben.

Als Dorfrichter nun hatte der Schulze von den Gerichtsgefällen den dritten Pfennig; zwei Drittel derselben hatte er an die Gerichtsherrn abzuliefern. Jenes eine Drittel heißt das untere, diese beiden das obere Gericht in den Dörfern wie in den Städten. Der Schulze als Richter stand nun, wie leicht begreiflich, in einem doppelten Verhältnis, erstens zu dem Obergericht und zweitens zu dem Dorfgericht. Das Obergericht wurde ursprünglich unter dem Vorsitz des Gerichtsherrn oder des von ihm beauftragten Landrichters in altertümlicher Weise an hergebrachter Stätte so gehegt, dass dabei sämtliche Gerichtseingesessenen des Gerichtsdistrikts zugegen waren. Diese großen echten Dinge wurden alljährlich dreimal nach Verlauf von dreimal sechs Wochen gehalten. Weil aber das Erscheinen aller Dingpflichtigen für diese ebenso wie für das Gericht selber gleich störend war, so wurde – ähnlich wie bei den Bürgern von Kyritz im Jahr 1230 – jenen allmählich von diesem Gerichtszwang so viel nachgelassen, dass außer den besonders Geladenen und denen, welche etwas anzubringen hatten, nur die Schulzen mit ihren Gerichtsmännern erschienen. Wir wissen es nicht, ob in der Grafschaft Ruppin so eine befriedete Wahlstätte unter freiem Himmel vorhanden war, wie sie in der Altmark, in Pommern, an anderen Orten nicht selten erwähnt wurden. Bei diesem Obergericht nun bildeten die Schulzen ohne Zweifel die Schöffenbank, und waren die Urteilsfinder.

Der Oberrichter hatte die Pflicht, zuerst einen der Schulzen des ersten Urteils zu fragen. Bei der Hegung des Boddings in der Altmark legte der Richter vor allem die Frage vor, ob es am Tag sei, im Namen des Markgrafen sein Gericht zu hegen. Dann fragte er einen der anwesenden Schulzen, wie oft man das Gericht hegen müsse, was in dem Gericht müsse geboten und verboten werden. Erst nachdem

dem Richter diese Fragen von dem Schulzen in herkömmlicher Weise beantwortet worden waren, und er selber den üblichen Spruch getan hatte, »ich gebiete also Recht und verbiete Unrecht« etc., begannen die Rechtsverhandlungen. Die Schulzen besetzten aber nicht bloß die Schöffenbank, sondern sorgten auch für die Vollstreckung der gefällten Urteile, luden die Dorfeingesessenen zu demselben ein, zeigten dem Oberrichter sowohl die nicht erschienenen Dingpflichtigen als auch die im Dorf vorgefallenen Gewalttätigkeiten und Verbrechen an. Dies altertümliche Verfahren der Haltung des Gerichts an gemeinschaftlicher Dingstätte erlitt eine wesentliche Veränderung, sowie die Gerichtsherrschaft von dem Landesherrn an Privatpersonen überging. Brachten diese, wie dies bei den von Alvensleben in der Altmark der Fall war, bedeutende Besitzungen an sich, so konnten sie ihre sämtlichen Gerichtsuntertanen wieder zu einer gemeinschaftlichen Dingstätte vereinigen, und ein neues Landgericht errichten – so die Alvensleben im Jahr 1497 zu Calbe, so 1431 die gemeinschaftlichen Besitzer des Schlosses Aulosen an der Elbe. Bei dem Alvenslebenschen Landgericht sollten aus jedem Dorf der rechte Schulze und drei Bauern erscheinen, Versäumnis des Landgerichts von Seiten des Schulzen zog hohe Buße nach sich. War eine solche Vereinigung nicht möglich, so wurde das Obergericht zu den drei Zeiten in dem Schulzengehöft gehegt. Der Schulze saß hier dem Oberrichter zur Seite, und war der erste Schöffe und Urteilsfinder, während die übrigen Mitglieder der Schöffenbank aus den Bauern des Dorfes genommen wurden.

Alle diese Formen des Gerichts mussten verändert werden, sowie Schulze und Schöffen des bestehenden, geltenden Rechts nicht mehr kundig waren, und also auch nicht mehr das Urteil zu finden vermochten. Die Gerichtsherren beobachteten die Dingtage nicht immer in der alten Weise, verlegten das Obergericht von dem Schulzenhof auf das Gut. An die Stelle der Gerichtsherren traten besoldete, gelehrte Gerichtshalter. Die übrigen Formen des Gerichts gerieten mehr und mehr in Vergessenheit und verschwanden endlich ganz, und somit ging eine der Haupttätigkeiten des Lehnschulzenamtes gänzlich verloren.

In dem Dorfgericht dagegen nahm der Lehnschulze die erste Stelle ein und war selber der Richter, während er im Obergericht nur das Amt eines Schöffen versah. Richter aber war er eben nur in der alten Bedeutung des Wortes, nach welcher es nicht denjenigen bezeichnete, welcher des richterlichen Gebots wegen das Urteil fand, sondern denjenigen, der in einem Ding zu gebieten und zu verbieten hatte, und das Urteil fragte.

Die Urteilsfinder waren die Schöffen, in früheren Zeiten drei, in der Regel zwei, ja auch einer. Es war das Amt der Schöffen, das Urteil zu finden, Handlungen der dreiwilligen Gerichtsbarkeit, welche vor dem Schulzen im gehegten Ding konnten vorgenommen werden, zu beglaubigen, und auch sonst den Schulzen in seinen verschiedenartigen Amtsverrichtungen zu unterstützen. Natürlich mussten die Schöffen freie, unbescholtene Männer sein, Mitglieder der Gemeinde, des Dorfrechts wohl kundig, deutscher Herkunft wenigstens in den ersten Zeiten nach der Germanisierung unserer Marken. Wegen des Alters wurden sie wohl *seniores*, Alderleute, genannt. Kossäten waren übrigens ebenso wohl als Bauern befähigt und befugt, den Schöffenstuhl einzunehmen. Die Wahl der Schöffen wurde in den früheren Jahrhunderten gewiss nicht von dem Gerichtsherrn, sondern von der Gemeinde selber vorgenommen. Auf das schlichte Burding, so im Gegensatz zu dem alle 18 Wochen gehaltenen Ding der Herren oder Dreiding genannt, hatte der Gerichtsherr gar keinen rechtlichen Einfluss. Gegenstände, die nicht vor das letztere gehörten, wurden hier von dem Schulzen und den Schöffen abgemacht. Wichtigere Angelegenheiten, welche für das Dreiding mussten aufgespart werden, erfuhren von dem Dorfgericht nur eine vorläufige und vorbereitende Behandlung und mussten dem Obergericht zum Endurteil vorgelegt werden, welches mit dem dritten Schulzending zusammenfiel. Besonders bei Verbrechern, die auf handhafter Tat ergriffen wurden, gestattete man jedoch dem Schulzen eine Art kriminaler Gerichtsbarkeit. So, wenn im Dorf am Tag ein Diebstahl begangen, der Dieb aber noch an demselben Tag festgenommen war, und die gestohlene Sache nicht über 3 Schillinge an Wert betrug, hatte der Schulze das Recht, ihn zu Haut und zu Haar zu strafen oder mit 3 Schillingen loszugeben.

Ebenso wie in den Städten die Ratmannen die Aufsicht über den Verkehr führten, und Betrügereien in Maß und Gewicht und schlechter Arbeit selber bestraften, hatten auch wohl die Schulzen die Befugnis, falsches Maß und falschen Kauf, vielleicht selbst ohne Zuziehung der Schöffen, zur Strafe zu ziehen. Nicht minder war das Gericht über Verbal- und geringe Realinjurien, ebenso wie die Entscheidung der Streitigkeiten zwischen Herrschaft und Gesinde dem Schulzen anvertraut. Der Sachsenspiegel, welchem man in der Regel auch in den Ländern diesseits des Elbstromes folgte, bestimmte ausdrücklich, dass von dem Dorfgericht darüber sollte erkannt werden, wenn einer den anderen mit Knüppeln schlug, sodass ihm die Schläge schwollen, oder wenn einer den anderen blutrünstig machte ohne Fleischwunde.

Da von dem Erbauer des Dorfes die zinsbaren Hufen an die einzelnen Bauergehöfte verteilt waren, der Lehnschulze aber als der rechte Nachfolger des ersten Erbauers galt, so gehörten natürlich Grenzstreitigkeiten vor sein Gericht. Nur das Dorfgericht konnte der Grenzen innerhalb der Dorffeldmark kundig sein. Grenzstreitigkeiten zweier benachbarter Dörfern hatten kein anderes Forum als das Obergericht, vorausgesetzt, dass beide Dörfer ein und derselben Gerichtsherrschaft angehörten.

Wollte der bisherige Besitzer eines bäuerlichen Gutes dasselbe an einen anderen übergeben, so geschah dies ohne Weiteres vor dem Schulzen. Die Form der Übertragung war hierbei die, dass der Verkäufer oder überhaupt der auflassende Teil ein grünes Reis von dem Gut dem Schulzen übergab, der alsdann die Rechte des Richter- und Schöffenamtes daran wahrnahm, und es hierauf dem neuen Besitzer verabreichte. Es machte hierbei keinen Unterschied, wenn auch Verkäufer und Käufer von edler Geburt waren, wie denn 1383 Friedrich von Wagenschütz, ein Mann ritterlichen Standes, das Schulzengut zu Worin, welches er von dem Kloster zu Sagan zu Lehen getragen hatte, dem Prior dieses Klosters vor den Schöffen des benachbarten Dorfes Gödsdorf überließ. Im Erbachschen Landrecht vom Jahr 1520 heißt es in Betreff der Form bei Auflassung solcher Güter: »Der Verkäufer soll seine Wehrschaft thun und dem Schultheiß einen Zweig reichen. Darnach nimmt der Schultheiß den Zweig und spricht zum Käufer: Begehrst du den Zweig und solches Erbes? Wird geantwortet ja, so sagt der Schultheiß: So reich ich dir den Zweig mit solchem Erbe, und thu Dir dasselbige in Fried und Bann.« Ähnlich in einer Urkunde vom Jahr 1502: »Junker Michel von Hohenstein will seine Güter an Johann seinen Bruder abtreten und geht vor Gericht. Alsbald hat der Schultheiß einen Halm aufgehoben und hat den Halm Junker Micheln gereicht, und hat gesprochen: Junker, greift an den Halm und gebt ihm eurem Bruder Johann. Nachdem es geschehen, so spricht zu beiden der Schultheiß: Begehret ihr meines gnädigen Herren Recht über solche Gift? Da haben sie beide gesprochen ja. So thue ich euch Bann und Friede über solche Gift von meines gnädigen Herrn wegen und von des Gerichts wegen, dass euch Niemand hindern an solcher Gift, und erlaube euch, Junker Johann, solche Güter und verbiete sie aller männiglich.«

Wollte ein Bauer aber seines Gutes los und ledig sein, konnte er zu demselben keinen Käufer finden, und wollte der Gutsherr ihn nicht ziehen lassen, so musste er, nach einer zunächst zwar nur für die Uckermark getroffenen, aber gewiss auch allgemeiner gültigen Ordnung, erst den Acker pflügen zu drei Fahren und zu säen mit der Wintersaat, dann es von allen persönlichen darauf haftenden Verpflichtungen frei machen, dann es seinem Herrn aufsagen zu St.-Peters-Tag oder davor, und hierauf konnte er mit seinen beweglichen Gütern frei wegziehen, wohin er wollte. Und wollte sein Herr das Gut nicht aufnehmen, so sollte er es auf einen Zaun stecken vor Richter und Bauern, und dann frei wegziehen. Natürlich war mit dieser Übertragung und Aufnahme eines bäuerlichen Gutes eine Abgabe an den Schulzen verbunden. Auch bei der Erledigung des Gutes durch den Tod des bisherigen Eigners und dem Übergang desselben an den natürlichen Erben musste eine kleine Abgabe an das Dorfgericht bezahlt werden. Dass aber diese Auflassung vor dem Schulzen geschah, hatte darin seinen ganz natürlichen Grund, weil der Schulze ebenso für die Besetzung der bäuerlichen Güter durch tüchtige Wirte Sorge zu tragen hatte, wie der Erbauer des Dorfes bei der ersten Verteilung derselben. In welche Unannehmlichkeiten musste es ihn, der für die richtige Zahlung der im Stiftungsbrief festgesetzten Abgaben verantwortlich war, stürzen, wenn die Güter in schlechte Hände gerieten und verwahrlost und die Abgaben nicht nach Gebühr gezahlt wurden? Eine solche gerichtliche Auflassung war aber unumgänglich nötig, sobald ein Gut durch Erbvertrag einem anderen als dem nächsten Intestaterben übertragen werden sollte.

Jede Aufnahme von Testamenten vor dem Dorfgericht hatte vollkommene Gültigkeit. Unter besonderen Umständen, z.B. bei Erkrankung des wirklichen Schulzen, konnte dessen Person selbst durch einen anderen ersetzt werden, ohne dass dadurch das Testament an Gültigkeit verlor. So herrschte im Jahr 1631 in dem Dorf Dierberg bei Lindow eine ansteckende Krankheit, welche zu gleicher Zeit den Schulzen und die Frau des dasigen Predigers niederwarf. Die letztere hinterließ bei ihrem Tod ein Testament, welches der Sohn des Schulzen unter Zuziehung zweier Nachbarn aufgenommen hatte. Die Intestaterben griffen das Testament an, weil der Schulze nicht in eigener Person dabei zugegen gewesen. Aber der Schöffenstuhl zu Brandenburg, an den sich die Kläger dieserhalb wandten, wies sie mit ihrer Klage zurück, und erklärte, dass das Testament in rechtsbeständiger Form von dem Dorfgericht errichtet worden sei.

Es ist schon oben bei einer anderen Veranlassung auseinandergesetzt worden, dass in den Ländern diesseits der Elbe eigentlich kein Bürger, kein Bauer in der vollen Bedeutung des Worts schöffenbar frei war, d.h. frei an seiner Person und frei an seinem Eigen. Der eigentliche Grundherr des neu erworbenen Landes war der Markgraf. Er überließ, wo, wenn es ihm beliebte, von seinem Eigentum zu Lehen, zu Zins, und der Bauer, der seine Hufen bestellte, erkannte durch den Hufenzins, wie der Bürger durch Hufen- und Rutenzins, es an, dass er nichts weiter als den Nießbrauch und den erblichen Besitz *(hereditas)* derselben hatte, das wahrhafte Eigentum aber einem anderen zustand.

Aus der Anwendung der mosaischen Verfassung auf die dem Christentum zugewandten Völker hatte die Geistlichkeit das Recht der Zehnterhebung erworben. Schon in ihren ersten Stiftungsbriefen hatten so auch die Bischöfe von Havelberg und von Brandenburg von Kaiser Otto I. den Zehnten nicht allein von ihren Stiftsgütern, sondern in weiterer Ausdehnung von ihren geistlichen Sprengeln bewilligt erhalten. Da aber der größte Teil dieser Sprengel von den ballenstedtischen Markgrafen mit gewaffneter Hand erst hatte erobert werden müssen, und die Bischöfe, an ihre Bischofssitze heimgekehrt, sogleich auch den Zehnten als ein ihnen rechtmäßig zustehendes Gut in Anspruch nahmen, so erhoben sich Streitigkeiten über denselben zwischen den Bischöfen und den Markgrafen, in deren Folge jene gegen eine angemessene Entschädigung ihrem Anrecht entsagten, diese wenigstens in der Prignitz und dem daran stoßenden Land Ruppin den Geistlichen der Dörfer den dritten Teil des Zehnten zugestanden. Noch bis auf den heutigen Tag führt dieses Drittel des Zehnten, von welchem, wie überhaupt vom Zehnten die städtischen Hufen ganz befreit blieben, den alten Namen des Zehnten fort.

Nur von ihren eigenen Dörfern, welche sie auf ihrem Grund und Boden hatten anlegen lassen, oder welche sie durch Kauf, Tausch, Schenkung, Vermächtnis oder auf andere Weise erlangt hatten, bezogen sie nach wie vor diese drückende und lästige Abgabe. Mit dieser Zehnterhebung waren aber natürlich große Schwierigkeiten und Übelstände, Übervorteilung und Betrug von der einen, Gewalt und Bedrückung von der anderen Seite verbunden. Nach der größeren oder geringeren Fruchtbarkeit des Jahres wechselte überdies notwendig der Ertrag des Zehnten. Bald erkannten sowohl die Empfänger desselben als die zehntpflichtigen Bauern ihren beiderseitigen Vorteil, wenn sie sich statt der wirklichen Zehntlieferung über eine jährlich zu entrichtende (in der Regel zu Martini) ein für alle Mal bestimmte Quantität Korn, gemeiniglich halb Roggen halb Gerste, oder eine dementsprechende Summe Geldes einigten, die daher den Namen Pacht *(pactus, pactum)* führte. Bei etwaigem Misswuchs trug der Bauer den Schaden, wie er bei besonders gesegneter Ernte auch den Gewinn für sich behielt. Selten überstieg die Kornpacht für die Hufe das Quantum von 6 Scheffeln Roggen und ebenso viel Gerste. Anstatt dieses Kornfixums verpflichteten sich zuweilen auch die Empfänger ausdrücklich die Zahlung in Geld nach dem Marktpreis in dieser oder jener benachbarten Stadt annehmen zu wollen. Da die Festsetzung der Pacht auf einem von beiden Seiten durchaus freien Vertrag beruhte, so begreift sich leicht, dass der Betrag derselben je nach der verschiedenen Fruchtbarkeit des Bodens und nach dem mehr oder minder wohlwollenden und entgegenkommenden Verhältnis zwischen dem Zahlenden und dem Empfangenden sehr verschieden musste bestimmt werden, daher er z. B. im Teltowschen zwischen 3 Groschen und 30 Groschen schwankte.

Außer dem Kornzehnten waren die Bauern noch zu dem schmalen oder Fleischzehnten verpflichtet, welcher von dem Schlachtvieh gezahlt, aber in vielen Dörfern ebenso früh als jener auf eine bestimmte jährliche Abgabe festgesetzt wurde. In der Regel lieferte überdies jeder Rauchfang ein Huhn, welches daher Rauchhuhn genannt wurde. Statt des unbestimmten Fleischzehnten lieferte hier ein Dorf einen Ochsen, dort andere jährlich zwei Hammel, zwei Kälber und zwei junge Ziegenböcke, das Dorf Umfelde in der Altmark an das Kloster Dambeck eine Kuh, 27 junge Hühner, 27 Käse und 10 Schock Linnen, andere auch ein bestimmtes Ochsengeld von 24, 48, 72 Groschen, natürlich nach der Größe des Dorfes durchaus verschieden.

Zins und Pacht waren die einzigen Abgaben, welche die Bauern als solche von ihren Hufen an den Landesherrn oder denjenigen zu leisten hatten, der von diesem mit der Hebung derselben beliehen war. Außerdem aber sind sie bei Kriegszeiten, bei Reisen der Landesherren durch das Land, bei Ausbesserung von Brücken, Heerstraßen und Schlössern, die zum Schutz und zum Nutzen des platten Landes dienten, zu Fuhren, die Kossäten zu Handdiensten verpflichtet gewesen. Von diesen ihren Hofdiensten wurden die Bauern nun nach und nach durch den Landesherrn anfangs zu Gunsten eines geistlichen Stifts, dann auch weltlicher Personen, entbunden, welche, gewiss durch Vertrag und billige Schätzung jene dem Landesherrn schuldigen Dienste umwandelten, sodass jene statt der bisherigen Kriegs- und Baufuhren nun zu Ackerdiensten entboten wurden. An manchen Orten wurde auch dieser Dienst in eine bestimmte Geldabgabe, die sogenannten Dienstpfennige verwandelt, besonders da, wo der Landesherr seine Dienste nicht an andere überlassen hatte. Selten scheinen diese Dienstpfennige von der Hufe mehr als 12 Pfennige betragen zu haben.

Fast in allen Dörfern der Grafschaft Ruppin fanden sich Kossäten, so von der schlechteren Wohnung, »Kothe«, in der sie saßen, benannt. Es möchte fast scheinen, als ob gleich bei der ersten Gründung der deutschen Dörfer mehrere bedefreie Hufen in den Feldmarken für sie ausgeworfen worden sind. Nur mit Kossäten besetzte Dörfer gab es wenigstens in unserem Kreis nicht. Die Anzahl der Kossätenhöfe war natürlich sehr verschieden, da in einigen Dörfern, wie in Darritz, Krangen, Buberow, Molchow, Braunsberg nicht ein einziger sich fand, in anderen ihre Zahl von einem, zweien, drei, vier bis auf zehn, 13, ja in Wildberg bis auf 30 stieg, was freilich bei diesem Dorf eine aus unseren obigen Bemerkungen leicht erkennbare Veranlassung hatte. Die Schwierigkeit der Bewirtschaftung eines Kossätenhofs war häufig die Ursache davon, dass die Kossätenhöfe mehr als andere von ihren Besitzern verlassen wurden. Wo irgend möglich, suchte man zwei, selten mehr, unter einen Pflug zu vereinigen, daher sich die Zahl der Katen immer verringerte, und sogar noch seit der Abfassung des Landbuchs 1375 bedeutend abgenommen hatte. Von Selbelang im Havelland heißt es im Landbuch, dass ehedem dort 18 Kossäten gewesen, damals aber nach der Vereinigung von zwei und drei Katen nur noch neun. Wenn wir nun sehen, dass hier 3 Hufen von neun Kossäten bewirtschaftet wurden, dort zwei unter 18, vier unter 19 verteilt waren, dass hier Kossäten an drei, dort 22 an 5 Kossätenhufen Teil hatten, so ist von selbst klar, dass auch die meist in Geld festgesetzte Abgabe der Kossäten sehr verschieden sein musste. In der Regel betrug dieselbe 1 Schilling oder 2, stieg jedoch auch, wie wohl selten, auf 4, ja auf 10, 13 Schillinge jährlichen Zinses, der nur hier und da, wie vorzüglich in der Altmark, in Korn, und auch hier mehr in Gerste und Hafer als in Brotkorn ausgezahlt wurde.

Wir wählen, um das von uns nach den in der Vorrede angeführten Hilfsmitteln allgemeiner ohne ganz spezielle Beziehung auf die Grafschaft Ruppin Vorgetragene an einigen besonderen Beispielen nachzuweisen und zu erläutern, das etwa eine Meile von Neuruppin entfernte Dorf Werder. In diesem Dorf befand sich ehedem ein Freischulzengericht mit 4 Hufen Landes, von denen der Besitzer vor Alters ein Lehnspferd gehalten und den Gerichtsherren jährlich eine Kollation, ein Essen, ausgerichtet hatte. Diese Leistungen wurden aber auf 12 Taler Geld gestellt, welche der Schulze den Gerichtsjunkern zu zahlen hatte. Später ging das Schulzenamt ganz ein, der Hof verödete. Die Gerichtsherren nahmen die 4 Hufen und die beiden zum Schulzenamt gehörigen Wiesen an sich und teilten jene 12 Taler so, wie die auf das Schulzengericht fallenden Strafen untereinander. Wahrscheinlich hatte der Freischulze auch die Kruggerechtsamkeit gehabt, und von dem Krug für die jährliche Rekognition die übliche in 1 Pfund Pfeffer bestehende Abgabe bezogen. Mit der Einziehung des Lehnschulzengutes kam auch jenes Pfund Pfeffer jährlicher Zinsen an die Guts- und Gerichtsherrschaft.

Zu Johann von Wuthenows Gut in Werder lag ein Bauernhof, welcher jährlich 5 Scheffel Roggen und 5 Scheffel Gerste nebst einem Rauchhuhn zu geben hatte. Ein anderer Hof, welchen im 17. Jahrhundert Katerbow bewohnt hatte, und welcher ein Anderthalb-Hüfner-Hof genannt wurde, zahlte jährlich 20 Scheffel halb Roggen halb Gerste Pächte, dazu Rauchhuhn, Fleischzehnten und 9 Schillinge Wiesengeld. Überdies diente der Besitzer allwöchentlich einen Tag mit dem Vieh, und einen Tag mit der Hand, und bekam während des Hofdienstes nicht mehr als des Mittags eine Mahlzeit. Die Dienste leistete er ein Jahr um das andere bald dem Fratzschen, bald dem von der Groebenschen Hof zu Werder. Die übrigen Leistungen erhielt jenes Gut allein, wie ihm denn auch die Zaungerichte auf diesem Gut allein zustanden. In dem Dorf Kränzlin gehörten zu Wulfs von Fratz Rittergut ein Hüfner und drei Kossäten, von denen jener alljährlich 1 Wispel Roggen und ebenso viel Gerste, 12 Stendalische Schillinge Wiesengeld nebst gebräuchlichem Fleischzehnten und Rauchhühnern, nebst 6 Pfund bei eigener Kost gesponnenen Heeden-Garns auf das Gut liefern musste, wo denn der Überbringer einen Trunk Koffent und ein Stück Essen erhielt. Jeder der drei Kossäten aber entrichtete 6 Stendalische Schillinge, 16 Hühner, 6 Pfund gesponnenen Garns und den gewöhnlichen Fleischzehnten. Einen anderen Kossäten hatte der fratzsche Hof mit dem groebenschen gemeinsam. Dieser gab abwechselnd bald an diesen bald an jenen jährlich über seinen Hofzins 22 Pachthühner, 5 Stendalische Schillinge Wiesegeld und nebst dem gesponnenen heedenen Garn den gebührenden Fleischzehnten. Auf eigene Kost mussten überdies die Kossäten 3, 4, ja 6 Meilen laufen. Ehedem hatten sie sowohl als die Bauern bei adligen Hochzeiten Zulage halten (aufwarten) müssen.

Schon im 16. Jahrhundert hatte überdies in Kränzlin das Haus eines Krämers gestanden, welcher Esswaren gleich wie die Höker in den Städten feilhatte und dafür oder deswegen dem Amt zu Alt Ruppin 20 Märkische Schillinge abtragen musste. An die Gerichtsjunker musste überdies auch der Gemeindehirte zu Kränzlin den Zehnten von Schafen und anderen geben. In demselben Dorf waren noch zwei Bauernhöfe, die wiederkäuflich an die von Zernikow überlassen, von dem Herrn von Wildenstein aber im 17. Jahrhundert wieder eingelöst waren. Jeder der beiden Höfe besaß 2 Hufen Landes, von denen jeder Hof 2 Wispel Korn, also beide Höfe zusammen 4 Wispel, zur Hälfte Roggen, zur Hälfte Gerste, zahlen mussten, welche sie auf Verlangen der Edelleute selbst bis Berlin zu fahren verpflichtet waren. Jeder der beiden Höfe lieferte alljährlich ein Rauchhuhn, 15 Pachthühner, den gewöhnlichen Fleischzehnten, 8 Pfund heeden gesponnenes Garn, 12 Stendalische Schillinge Wiesengeld. Von dem Priesterzehnten waren diese 4 Hufen frei gewesen, wahrscheinlich weil sie ehedem Kalandsgüter und deshalb von allen Landbeden befreit gewesen waren. Es kann aber nicht unsere Absicht sein, hier Beispiele auf Beispiele von den einzelnen Dörfern zu häufen. Die vorliegenden mögen genügen.

3.11.2 Persönliche Freiheit

Mochte nun allerdings auch ein großer Abstand sein zwischen dem Lehnschulzen mit seinen 2 oder 4 von Zins und Zehnt freien Hufen und dem Kossäten, der von seinen wenigen Morgen schlechten Landes oft kaum das geplagte Leben zu fristen im Stande war. Im Allgemeinen hatten doch alle Bewohner des platten Landes das edle Gut persönlicher Freiheit miteinander gemein, und wenn auch in Mecklenburg und Pommern die Leibeigenschaft, wie sie ohne allen Zweifel vor der Germanisierung der Mark auch bei den Slawen in der letzteren stattgefunden hatte, noch fortdauerte, so zeigen in der Mark nur einige in der Nähe von Zechlin belegene, ehedem zu Mecklenburg gehörige Dörfer Spuren von derselben. Daher werden auch in mehr als einer Urkunde von den Markgrafen die Bauern nächst den Rittern und Knappen, Schulzen und Bürgern genannt, und im Jahr 1313 forderte Markgraf Woldemar die Vasallen, die Bürger und die Bauern, *villani*, zur Errichtung eines Fehmdings auf, Beweis genug, dass sie im Allgemeinen sich durchaus gleicher persönlicher Freiheit wie Mannen und Bürger erfreuten. Alle Abgaben, Pflichten und Dienste, welche sie zu leisten hatten, leisteten sie daher nicht von ihrer Person, sondern von dem Gut, welches sie bewirtschafteten. Los und ledig standen sie da, sobald sie jenen Besitz aufgelassen hatten nach Herkommen und Gebrauch, und nicht Landesherr, nicht Gutsherr waren sie mit Gewalt auf demselben zurückzuhalten berechtigt.

Wie ganz anders war es mit dem Besitz! Vollkommenes Eigentum in der Mark zu Brandenburg, zu Lausitz, zu Landesberg hatte nur der Landesherr. Kein Bürger, kein Bauer war frei an seinem Eigen. Es war eigentlich nur die Nutzung, welche ihnen von Grund und Boden zustand. Freies Schalten mit diesem letzteren bei Verkauf, Vermächtnis usw. war daher nur insofern gestattet, als daraus demjenigen kein Abbruch entstand, welcher in den Besitz der von dem Gut zu hebenden Abgaben kam. Daher besaß die Gutsherrschaft auch das Recht, bei einem abgeschlossenen Kaufvertrag unter denselben Bedingungen, über welche Käufer und Verkäufer übereingekommen waren, selber den Hof zu übernehmen (Recht des Vorkaufs). Freilich verdunkelte sich die Vorstellung der persönlichen Freiheit mehr und mehr, als die Markgrafen allmählich Zins, Pacht, Bede, Dienste, kurz alle ihnen an die Bauerhufen zustehenden Forderungen an benachbarte Kirchen, Klöster, Stifter oder auch an ritterliche Privatpersonen, die entweder schon in dem Dorf ihren Sitz hatten oder ihn nun wenigstens darin nahmen, verschenkten oder verkauften, und sich so Gutsherrschaften bildeten, von denen sich bei der ersten Gründung der Dörfer, im Fall die Urkunden ausreichten, gewiss nur wenige würden nachweisen lassen. Nun trat die Vorstellung der Untertänigkeit immer mehr hervor, und wir lesen in den Urkunden häufig, dass dieser oder jener Hof, dieser oder jener Bauer einem Vasallen des Gutes gehöre, obwohl in der Tat der Edelmann nur mit den Einnahmen von jenen Höfen belieben war, an Grund und Boden aber so wenig als an die Person des Hüfners irgendein Anrecht hatte.

3.11.3 Untergegangene Dörfer

In der Regel misst man den Untergang so vieler Dörfer, von deren Existenz in der Zeit des Mittelalters sichere Zeugnisse vorhanden sind, den Verheerungen des Krieges bei, namentlich denen des großen deutschen oder Dreißigjährigen. Aber schon während der Regierung der Grafen von Lindow müssen viele ehedem bestehende Dörfer eingegangen sein, da in dem 1525 aufgenommenen Landbuch schon folgende 30 wüste Feldmarken aufgeführt werden:[384] 1.) Lüdersdorf, um 1666 wieder mit Schweizer Kolonisten besetzt; 2.) Gnitzdorf, zu dem vorigen Dorf zugelegt; 3.) Weitzke; 4.) Rüstendorf; 5.) Königstedt und 6.) Schulzendorf, beide gleichfalls gegen Ende des 17. Jahrhunderts an Schweizer Kolonisten ausgegeben; 7.) Schwanow; 8.) Fristow; 9.) Rägelsdorf. Von dem Dorf Schwanow lag der Kirchhof mit einigen Mauerresten von der alten Kirche in der Heide, an der Stelle, die noch jetzt auf dem Schwanow heißt. Selbst innerhalb des Gemäuers der Kirche standen im vorigen Jahrhundert noch große Buchen und Tannen, die zum Teil 1 bis 2 Klafter Umfang hatten. Etwa ¾ Meilen von Schwanow nach Zühlen hin, links von der nach Rheinsberg führenden Straße in dem bloß buchenen Wald, der die Zühlensche Heide heißt, lagen und liegen vielleicht noch jetzt die Gemäuer von der Kirche des alten Dorfes Rägelsdorf, unter alten Buchen, die im vorigen Jahrhundert noch die Dicke von Tannen hatten. Beide Dörfer sollten nach alter Überlieferung zur Pestzeit untergegangen sein; 10.) Tornow, worauf jetzt die sogenannte Rottstieler Mühle steht; 11.) Linow; 12.) Briesen; 13.) Wallitz; 14.) Basdorf, jetzt ein neues Etablissement aus dem vorigen Jahrhundert. Zu Basdorf stand in der ersten Hälfte des vorigen Jahrhunderts eine 500-jährige Eiche, die schon von Alter abnahm, und von der es hieß, dass sie auf einem Brunnen stehe. Als nun an jenem Ort die Porzellan-, spätere Glashütte angelegt wurde, so ließ der Förster Kusig zu Zühlen nach 1750 die Eiche umhauen, und fand in der Tat das noch im Viereck liegende hölzerne Gebinde des Brunnens, freilich in der langen Reihe von Jahren fast ganz vergangen, und in der Tiefe sechs menschliche Skelette, deren Knochen noch ganz fest waren. Nach tieferem Graben entdeckte man unten auch den Brunnenkasten, von dessen Holz sich der Förster zum Andenken an diesen merkwürdigen Fall ein Lineal und andere Gerätschaften arbeiten ließ; 15.) Frankendorf; 16.) Ziegelsdorf; 17.) Nabelsdorf; 18.) Gühlen, wo später ein Teerofen stand; 19.) Lukow; 20.) Eggersdorf in der Heide, welche dem Magistrat zu Neuruppin gehörte; 21.) Steinberge; 22.) Arnstede; 23.) Neukammer; 24.) Tramnitz;

25.) Kagar, am Anfang des 17. Jahrhunderts mit Franzosen besetzt. Sämtliche bisher aufgeführten wüsten Feldmarken gehörten zum Amt Alt Ruppin. Zu Goldbeck gehörten 26.) Neuendorf; 27.) Repente; 28.) Buchholz; 29.) Kleinzerlang; 30.) Gadow, war gleichfalls wüst gewesen, und erst um die Zeit der Abfassung des Landbuchs wieder bebaut worden. Gewiss aber gab es in dem Umfang des Landes Ruppin zu jener Zeit noch mehr verödete Dorfstellen, welche dem Verfasser des Landbuchs, Dr. Wolfgang Rehdorf entgingen. In dem Erbregister des Amtes Ruppin, welches im Jahr 1590 durch den damaligen Amtshauptmann Hünert von Zerbst und den Amtskastner Valentin Zützel aufgenommen wurde, wird noch folgender wüsten Feldmarken gedacht: 31.) Warenthin, später ein Erbpacht-Vorwerk; 52.) Stendenitz, im 18. Jahrhundert mit Kolonisten besetzt; 33.) Kunst, wo die Kunsterspringer Mühle angelegt wurde; 34.) Fristow, später nur ein Teerofen; 35.) Kahleheide; 36.) Häsen oder Feldhäsen; 37.) Rheinshagen, später eine Mahl- und Walkmühle. Zwischen Katerbow und Walsleben lag noch eine andere wüste Feldmark Namens Lindow, welche an den Katerbower See grenzte.

Dem Grafen von Schwerin zu Walsleben gehörten um die Mitte des vorigen Jahrhunderts folgende wüste Feldmarken, von denen wir es dahingestellt lassen, wann sie das Los der Verödung getroffen hatte: 1.) Woltersdorf, welches er an den Major von Jürgaß zu Ganzer verkaufte, und worauf dieser 1754 das Dorf und Vorwerk Woltersdorf anlegte; 2.) Wildhagen, gleichfalls an den von Jürgaß abgetreten; 3.) Schadeland; 4.) Kemnitz; 5.) Bütow; 6.) Bertikow; 7.) Dannenfeld, von denen Dannenfeld ein Vorwerk, Schadeland Acker, die übrigen Holzung und Acker waren. Woltersdorf war noch 1551 ein Dorf, welches damals denen von der Groeben und denen von Gühlen zugehörte. Gleich nachher aber muss es schon wieder wüst geworden sein, da der Major von Jürgaß drei Eichen von dessen mit Bäumen überwachsenen Kirchhof konnte schlagen lassen, welche ohne das Nutzholz 30 Klafter Holz gaben. Auf Wildhagen baute derselbe das Vorwerk Charlottenhof. An Woltersdorf grenzte die wüste Feldmark Lindow und die von Eggersdorf, diese mit Buchen und Tannen, jene mit Tannen und Eichen bewachsen. Noch um das Jahr 1759 sah man in den Holzungen die Fahren und Rücken der alten Äcker, ja auch die Dorfstellen. Zwischen dem Pfefferteich und Woltersdorf lag ehedem das Dorf Luckow. Randersleben war eine wüste Feldmark, welche die Rägeliner behüteten und beackerten. Der Herr von Pauli zu Barsikow hatte um 1759 die Schulzenhufe darauf, sodass an der wirklichen Existenz des Dorfes nicht wohl gezweifelt werden kann.

Wir geben es wohl zu bedenken, ob sich nicht bei einer genaueren Nachfrage an Ort und Stelle nicht noch andere wüste Feldmarken als zu verödeten Dörfern gehörig würden nachweisen lassen, wie z. B. in. der Nähe von Kerzlin die wüste Feldmark Nietzmar war, und schon im 16. Jahrhundert viel von der Storbeckschen Feldmark die Rede war, was ungereimt sein würde, wenn sie nicht schon früher zu einem eingegangenen Dorf dieses Namens gehört hätte. Gewiss aber ist, dass in der ersten Zeit der gräflichen Herrschaft das platte Land keineswegs so arm an Dörfern war, als in den unmittelbar darauf folgenden Jahrhunderten. Die unaufhörlichen Fehden, gegen welche die Städte durch ihre Mauern und Warten einigermaßen geschützt waren, trafen das unverwahrte platte Land mit unbarmherziger Schwere. Ein einziger Überfall, der das Dorf seiner Herden, seines Getreides beraubte, genügte vollkommen, um es ganz zu ruinieren. Weder die Gutsherrschaft noch der Graf beeilten sich, den Verarmten beizustehen. Woher das Saatkorn nehmen, um die Äcker zu bestellen, woher das Vieh, wenn der Bauer nicht etwa selber sich vor den Pflug spannen sollte? Wir verwundern uns daher weniger, dass so viele Dörfer eingehen, so viele Feldmarken mit Holz bewachsen konnten, als darüber, dass nicht noch mehr Dörfer wüst gelegen sind. Rechnet man hierzu die Bedrückungen, welche sich der Adel gegen die ihm untergebenen Bauern erlaubte, die Verheerungen, mit denen die Pest Städte und Dörfer gleich schonungslos heimsuchte! Wir lesen oftmals, dass in Amerika durch ansteckende Krankheiten z. B. durch die Pocken ganze Stämme der Eingeborenen bis auf den letzten Mann vernichtet sind. Wir bedürfen es aber nicht, in der Fremde Gegenstände für unser Mitleid zu suchen. Es gab Dörfer genug, welche im buchstäblichen Sinne des Wortes ausstarben bis auf den letzten Mann, und in den Städten lagen nicht bloß einzelne Häuser, sondern ganze Straßen verödet, wie bei uns z. B. die Poststraße und andere. Da, wo einst Häuser gestanden, sah man Ackerfelder innerhalb der Ringmauer.

3.12 Der Adel

Diese Dörfer nun, über deren Entstehung und Einrichtung wir bisher gehandelt haben, waren oder wurden nun die Sitze eines Standes, welcher sich aus Waffen- und anderen Dienstverhältnissen frühzeitig zu besonderer Geltung erhoben hatte. In einer Zeit, in welcher die Begriffe von Staat, Verfassung, Regierenden, Regierten entweder noch ganz fremd und unbekannt oder doch wenigstens noch sehr unentwickelt waren, in welcher der Landesherr eben auch nur als Herr des Landes gedacht wurde, und die Verpflichtungen der Bewohner des Landes von den Grundstücken und Besitzungen derselben sich herleiteten und durchaus nicht an der Person derselben hafteten, in einer Zeit, in welcher von höheren Pflichten gegen ein Vaterland, gegen einen angeborenen Fürsten, von aufopfernder Liebe und inniger Anhänglichkeit an das Vaterland noch gar nicht die Rede war, in jener Zeit, sage ich, konnte auch an gar keine allgemeine Verpflichtung aller Untertanen zum Dienst des Staates gedacht werden.

Bürger und Bauern zahlten Zins und Zehnten, leisteten ihre Bede, andere urkundlich von ihnen übernommene Dienste. Mehr als das konnte und mochte der Graf nicht von ihnen fordern, ein allgemeines Aufgebot, die Waffen zu ergreifen, würde als unerhörte Ungerechtigkeit erschienen sein, wäre es anders möglich gewesen, dass ein Fürst jener Zeit auf diese Idee hätte geraten können. Allerdings waren die Bürger nicht selten in Waffen, auf dem Rathaus waren Harnische, Helme, Lanzen, Armbrüste genug. Dann aber geschah es nicht auf des Grafen Gebot, nicht auf des Vaterlandes Ruf, sondern weil ihre eigene städtische Feldmark in Gefahr schwebte, überfallen zu werden, oder weil es galt, den Räubern eine weggetriebene Herde wieder abzujagen, gefangene Bürger frei zu machen.

Was sie dem Grafen schuldig waren, war durch Verträge unwandelbar bestimmt. Von denen ließ der eine nichts nach, darüber konnte der andere nicht hinaus. Es war daher eine besondere Verpflichtung erforderlich, mit ihrer Person dem Grafen zu Dienst zu sein oder sein zu wollen, besonders aber zum Waffendienst. Diejenigen aber, welche diese Verpflichtung übernommen hatten, wurden »seine Mannen« genannt. Mag auch immerhin aus diesen so persönlich

Verpflichteten sich späterhin der niedere Adel entwickelt haben, so scheinen sie doch ursprünglich und noch in den Zeiten der ersten Grafen durchaus keiner besonderen Standes- oder Geburtsehre, sondern nur derjenigen genossen zu haben, welche ihnen aus dem Gebrauch und der Führung der Waffen erwuchs. Zur Belohnung für diesen ihren Waffendienst und zum Unterhalt für sich und die ihrigen, zur Bestreitung der notwendig mit jenem Dienst verknüpften Kosten, übergab ihnen der Landesherr gemeiniglich nicht bloß mehrere ganz abgabenfreie Knappen- oder Ritterhufen, dergleichen sich überall in den Dörfern für sie anweisen ließen, sondern auch wohl die ihm ursprünglich als rechtem Grundherrn zustehenden Zinsen und Zehnten, nebst den übrigen Gefällen. Die Zahl der zu einem Knappengut gehörigen Hufen betrug in der Regel vier, die eines Rittergutes sechs. Von diesen zahlten sie nicht Zins, nicht Zehnten, nicht Bede. Vereinigten sie mit diesen noch andere bäuerliche Hufen unter ihren Pflug, so zahlten sie von diesen wenigstens die Bede, und standen um ihretwillen unter dem Dorfgericht und dem Lehnschulzen.

Die Nähe, in welcher indes diese Edlen zu dem Landesherrn standen, die Dienstverhältnisse, welche sie in der Umgebung desselben festhielten, gaben ihnen vielfach nicht unbenutzt gelassene Gelegenheit, von diesem auch die übrigen landesherrlichen Gefälle und Gerechtsame z.B. die Einnahme der Bede, die Gerichtsherrschaft usw. zu erlangen. Unter diesen Umständen musste es ihnen wünschenswert sein, das Lehnschulzengericht an den Edelhof zu bringen. Das aber geschah entweder auf dem Weg des Kaufs, wie noch am Anfang des vorigen Jahrhunderts der Leutnant von Woldeck zu Gnewikow von Joachim Siegmann das Schulzengericht zu Lichtenberg erkaufte, oder dadurch, dass der Guts- und Gerichtsherr im Fall des Aussterbens der Lehnschulzenfamilie – was bei deren beschränktem Erbrecht so leicht möglich war – das Schulzengericht nicht wieder verlieh, sondern mit der Gutsherrschaft vereinigte, den Schulzenhof aber entweder gleichfalls mit dem Rittergut verband, oder an einen jüngeren Sohn als Knappen- oder Rittergut verlieh, oder endlich an einen Bauern nicht mehr als Lehnsgut, sondern als zins- und zehntpflichtiges Erbgut austat. Die Vorstandschaft über die Bauern wurde dann immer dem von der Gutsherrschaft wählbaren und zur Übernahme verpflichteten Setzschulzen übertragen.

Auf diese Weise nun ist der Adel zu jener höheren Stellung in der bürgerlichen Gesellschaft und zu Vorrechten gelangt, durch welche nicht nur die landesherrliche Gewalt in ihrem tiefsten Grund erschüttert, ihrer sichersten Einkünfte beraubt wurde und auf eine wahrhaft klägliche Weise verarmte und dem guten Willen der Untertanen preisgegeben wurde, sondern auch der Keim eines höheren geistigen und politischen Lebens unter den Bewohnern des platten Landes mitten in seinem frischen und frohen Gedeihen erstickt wurde und gänzlich erstarb. Aus seinem unmittelbaren Verband mit dem Landesherrn herausgestoßen, sah sich der Bauer fast überall unter die Gewalt einer im Dorf selbst sesshaften Herrschaft gestellt, vor deren Willkür ihm nur die Städte einen sicheren Zufluchtsort eröffneten, wenn er sich entschließen konnte, das väterliche Gut aufzulassen und zu meiden, um die persönliche Freiheit zu retten.

Wir sind weit davon entfernt zu glauben, dass der Adel jener Zeit im Allgemeinen von dieser Gesinnung gegen die ihm untergebenen Bauern erfüllt gewesen sei, wir wollen im Gegenteil selbst zugeben, dass viele, ja dass die meisten Edlen ihre Herrschaft auf eine väterlich milde und gerechte Weise geübt, und für den Wohlstand und die Sicherheit ihrer Bauern nicht minder als für ihre eigene Sorge getragen haben. Nichtsdestoweniger bleibt es jedenfalls ein trauriger Anblick, einen ganzen zu selbständigem Leben berufenen und tüchtigen Stand mitten in seiner Entwicklung gestört und der Willkür eines im Waffendienst verhärteten Adels hingegeben zu sehen, gegen die ihm kein rechtliches Mittel als Flucht übrig blieb.

3.12.1 Adlige Familien

Unter den edlen Familien des Landes Ruppin und der Grafschaft Lindow wurden uns während der Herrschaft unserer Grafen besonders folgende namhaft gemacht: In einer Urkunde vom Jahr 1256 unterzeichnen sich als Zeugen folgende Ritter, welche bei dem Grafen auf der Burg Alt Ruppin anwesend waren: Albrecht von Luge, Burchard Benessen, Heidenreich Hobuse, Heinrich Freitag, Hoyer von Buskow, außerdem der Vogt Simon Reinbart und der Schulze Hugo.[385] In einer 1290 dem Johann von Bellin auf Radensleben und seinen Kindern Volkmar, Heinrich und Nikolaus ausgestellten Bestätigungsurkunde ihrer Güter unterschrieben sich als Zeugen Johann von Wildhagen (vielleicht mit dem oben erwähnten wüsten Dorf *Wildhaven* gleiches Namens, nach einer dem Niederdeutschen eigentümlichen Vertauschung des f und g z.B. »Vowel« statt »Vogel«, und umgekehrt »wahnhachtig« statt »wohnhaftig«, »Lucht« statt »Luft«), Albrecht und Friedrich von Rönnebeck, Johann von Menz, Andreas von Gühlen, Heidekin von Seedorf, Werner von Luge, sämtlich Ritter, und die Knappen Konrad von Rönnebeck und Thilo von Wildhagen.[386] Im Jahr 1315 lernen wir diesen Konrad von Rönnebeck neben Albrecht als tüchtige Ritter *(magni milites)*, ebenso Johann von Gühlen, außerdem aber einen Peter von Rheinsberg und Beteko von Wildberg geheißen, sowie den Burchard von Tryppehna als Knappen *(famulus)* kennen.[387] Im Jahr 1319 erschien in den Urkunden zuerst der Name der in der Grafschaft Lindow ansässigen Familie von Redern,[388] 1323 und 1325 ein Arndt oder Arnold von Eickendorf, ein Heinrich von Neukammer, beide als Ritter, ein Dietrich von Lo als Knappe,[389] 1327 ein Johann von Sandow,[390] 1334 zwei Herren Heinrich, die Schenken von Schenkendorf, Herr Loser, Gerhard von Wederen und Nikolaus von Wuthenow,[391] 1347 Johann von Lo, Heinrich von Poppentin, Peter von Rheinsberg, Konrad von Wartenberg, Beteko von Königsmarck, welche die Grafen *unse Man* nannten,[392] drei Jahre später ein Robert von Mulei, Knappe,[393] 1358 Gödicke von Zorren und Johann von Verdersdorf, Ritter, Konrad Reiche und Albrecht von Quast, wahrscheinlich Knappen.[394] Zu diesen kamen 1377 Lippold von Bredow, Otto von Woldeck, Eduard von Deibow und Johann von der Hagen,[395] gegen das Ende des 14. Jahrhunderts Nikolaus von Zieten der Ältere, Hermann von Gadow[396] und Matthias von Arnsdorf,[397] am Anfang des folgenden der Knappe Heidekin von Raven,[398] Steffen von Kerzlin und Johann von Kletzke,[399] im Jahr 1418 ein Heinrich Fuck, und ein dem Vornamen nach nicht bekannter von Schnakenbek,[400] sowie 1420 ein Heinrich von Barnewitz, Otto von Gladow, Johann von Lüderitz und Nikolaus von der Linde,[401] 1428 Peter von Sternberg, Burchard von Bassute und Nikolaus von Alem,[402] 1436 Liborius und Johann von der Groeben,[403] bald nachher ein Stellentin von Kröchern,[404] im Jahr 1445 mehrere Herren von Rathenow,[405] später ein Richard von Randow.[406]

Da es uns hier weder darum zu tun ist, ein folgendes Verzeichnis sämtlicher edlen Familien unseres Landes zu entwerfen, noch auch, die einzelnen Familien näher ins Auge zu fassen, so wiederholen wir hier nicht die Namen derer, welche schon in der Geschichte der Grafen von Lindow oder bei einer anderen Gelegenheit erwähnt worden sind. Außerdem, dass einige von ihnen in den Verzeichnissen der Räuber *(raptores)* ihre Stelle gefunden haben, deren die Ratmannen unserer Stadt sich glaubten besonders erinnern zu müssen, wissen wir von diesen edlen Geschlechtern wenig oder nichts, was einer Aufzeichnung würdig wäre.

Wir erinnern übrigens bei dieser Gelegenheit nochmals daran, dass auch diese Ritter und Knappen so gut wie Bürger und Bauern nur einen Namen führten, dass sie sich aber zum Unterschied von anderen gleichbenannten durch Hinzufügung des Namens entweder ihres Geburtsortes oder dessen, in welchem ihre Güter lagen, näher bezeichnen. Das Wörtchen »von« lässt durchaus nicht sicher auf edle Abkunft schließen. Personen anerkannt ritterlichen Standes bedienten sich desselben bald, bald ließen sie es weg. Erst, wenn sie wirklich als gräfliche Mannen bezeichnet, oder spezieller als Ritter *(milites)* oder Knappen *(armigeri, famuli)* aufgeführt wurden, kann man ihres edlen Geschlechts gewiss sein.

Ferner haben sie in der Regel mit den Geistlichen, welche jedoch dem Rang nach den Adligen immer voranstanden und daher in den Urkunden sich ebenso vor diesen, wie die Ritter vor den Knappen mitunterzeichnen, den ehrenden Zusatz »Herr« gemein, der sich später bei den Geistlichen in das nun längst veraltete »Ern« verwandelte. Sehr häufig scheinen auch die Geistlichen, besonders in Städten, edlen Geschlechtern angehört zu haben. So finden wir einen Johann von Redern,[407] einen Otto von Gladow[408] als Pfarrer von Neuruppin, einen Nikolaus von Bassute zu derselben Zeit als Propst in Lindow,[409] in welcher ein Burchard von Bassute als gräflicher Mann unter den Zeugen einer Urkunde erschien.

Von den Mannräten ist schon oben die Rede gewesen. Der Name

derselben ist das einzige, was von ihnen zu unserer Kenntnis gekommen ist. Die Art und Weise, wie sie aus der Ritterschaft gewählt zu werden pflegten, ist uns ebenso unbekannt als das Verhältnis, in welchem sie zu dem Grafen und zu den übrigen gräflichen Mannen standen.

3.12.2 Lehnsbriefe

Unter den Lehnsbriefen aus der von uns bis jetzt behandelten Periode heben wir besonders einen hervor, welchen die Grafen Ulrich IV. und Albrecht VIII. im Jahr 1418 am Tag der Geburt Unserer Frauen dem Johann von Dressler und Georg von Poppentin über die Güter, Pfennige und Kornabgaben erteilten, die bis dahin Eckhart von Zieten seliges Gedächtnisses in Langen besessen und zu Lehen gehabt hatte.[410] Es legten nämlich die genannten Grafen jenen beiden Vasallen drei Achtel an dem obersten Gericht, drei Achtel an dem Kirchlehen und die Hälfte an dem Luch zu Langen mit Holz und mit Gras, mit aller Zubehörung und mit allem Recht und mit aller Freiheit. Ferner 19 Stücke Geldes, weniger 6 Schillinge. Es waren freilich nicht 19 Stück weniger 6 Schillinge, sondern mit einem sehr geringen Fehler gerade 19 Stück, wie es auch wirklich in einer Urkunde vom Jahr 1420 heißt, in welcher dieselben Stücke an Heinrich von Barnewitz und seine rechten Erben gegeben wurden.[411] Diese Güter nun liehen die Grafen mit aller Zubehörnis und Freiheit, und bestimmten, dass ihre untersässigen Bauern weder an sie, die Grafen, noch an sonst einen Mann *breken* sollten, sondern an die vorbeschriebenen Männer. Auch sollten diese vorbenannten Güter, Pfennige und Korne fallen von dem einen zu dem anderen, so lange Johann und Georg und ihrer Erben einer lebe, d. h. sie sollten abwechselnd ein Jahr um das andere im Genus jener Güter sein. Eben dieselben Güter verliehen die Grafen Ulrich IV. und Albrecht VIII. 1420 dem von Barnewitz, sie zu besitzen mit aller Freiheit und Gerechtigkeit, sobald Johann von Dressler, Georg von Poppentin und Katharina, seine ehrliche Hausfrau, nach Gottes Willen würden verstorben sein.

Eine andere sehr interessante Verleihungsurkunde ließ Markgraf Joachim I. 1539 Jakob und Jasper von Bellin zu Radensleben ausfertigen. In und kraft derselben verlieh er ihnen zu rechten Mannlehen und gesamter Hand zu Radensleben die Hälfte des Kirchlehens und des Straßengerichts, Jagd und Holzung, und überdies die Höfe des Johann von Bellin, des Vetter Selmeker, des Arnold Schreiber, jeden mit 2 Hufen, Dienst, Zehnt, Rauchhuhn, Wiesen, mit allen Gnaden und Gerechtigkeiten, einen Kossätenhof, mit Dienst und Rauchhuhn, den Kossäten Matthias Schmidt mit Dienst, Zehnt und Wiesen, Georg Stoppels Hof mit 1 Hufe und der Wiese, Kossätendiensten, Pachten, 16 Hühnern, 15 Schillingen, auf Storbecks Hof 6 Scheffel Gerste, einen andern Kossätenhof mit 9 Schillingen, 8 Hühnern, Dienst, Zehnten, und Rauchhuhn, Johann Stendals Hof mit 2 Hufen, 1 Talent, Dienst, Zehnt und Rauchhuhn, den Krüger mit 2 Hufen, 31 Hühnern, 2 Scheffel Weizen, 1 Scheffel Erbsen, 1 Pfund Zapfenzins, den Schulzen halb mit allen Gerechtigkeiten, Martin Wedikow mit 2 Hufen, Dienst, Zehnt und Rauchhuhn, Wiesen, Matthias Stoppel mit 2 Hühnern, Lietzow mit 3 Schillingen wegen drei den Bellinen gehörenden Morgen, Christian Zermigs Kossätenhof mit 6 Schillingen, 16 Hühnern und einer Wiese, hierzu die wüste Feldmark Rägelsdorf, mit Wasser, Weiden, Holzung, Fischerei, Jagd und Pacht, dazu die wüste Feldmark Frankendorf, nämlich den dritten Scheffel vom Sommerkorn und 10 Schillinge von der Bede, von den Bauern zu Radensleben alle Jahr 18 Pfennige Triftgeld, das Hofgericht, freie Holzung, zu Dierberg 13 Hufen, 3 Pflugdienste mit Zehnt und Rauchhuhn, eine Wiese in dem Luch zu Radensleben, welche sie bis dahin den Klosterjungfrauen zu Lindow überlassen hatten.[412]

4. Neuruppin unter den Hohenzollern

4.1 Die Quellen

Unsere bisherige Geschichte hat es versucht, die politischen und historischen Verhältnisse eines dem äußeren Umfang nach nur kleinen, in weltgeschichtlicher Hinsicht durchaus unbedeutenden Landes nach allen Seiten hin zu betrachten und ebenso auch bei anderen zur Anschauung zu bringen. Wir haben schon öfters bemerkt, und bemerken es wiederholentlich, dass unser Werk keineswegs darauf Ansprüche macht, Werken wie der vortrefflichen Geschichte des Bistums Lebus von Wohlbrück an die Seite zu treten. Es wird vollkommen seine Bestimmung erfüllt haben, wenn es ihm gelingt, neue und lebendige Teilnahme für die frühere Geschichte unseres Landes zu erwecken, zu gemeinschaftlichen Untersuchungen und Forschungen aufzuregen, und so einem größeren, allseitig durchgearbeiteten Werk den Weg zu eröffnen.

Für die Geschichte unserer Grafen von Lindow waren es besonders die Urkunden, welche uns als Quellen dienten. Im 16. Jahrhundert dagegen stehen uns schon fast gleichzeitig niedergeschriebene Nachrichten zu Gebote. Namentlich verfasste Kaspar Witte eine Geschichte von Ruppin auf 106 Folioblättern, welche nach seinem Tod von einer uns unbekannten Hand bis fol. 119 mit ähnlicher Handschrift fortgesetzt worden ist. Der Titel lautete: »Kurzer Bericht vom seligen Absterben der Herrschaft und hohen Obrigkeit dieser Stadt Neuen Ruppin, dabeneben auch etlicher vornehmer Regenten Tod hieselbst mit gedacht wird, sambt den Kurfürstlichen Erhuldungen und was sich sonsten denkwürdig begeben und zugetragen. Moyses Ps. 90: Doce nos Domine cogitare quod sit moriendum, ut ambulemus corde sapienti. Nosse deum et bene posse mori sapientia summa est. Angefangen Ao. Christi 1598.«[413]

Seit dem Ende des 16. Jahrhunderts wurden nach dem Beschluss eines ehrbaren Rates von dem Stadtsekretär alle wichtigen die Stadt betreffenden Ereignisse aufgezeichnet, laut einer 1604, am 15. Juli, in den Turmknopf der Pfarrkirche gelegten, von dem Stadtschreiber Joachim Witte verfassten Nachricht. Außerdem aber gab es in den bürgerlichen Familien handschriftliche Chroniken, welche vom Vater auf den Sohn forterbten, und in welche die verschiedenen Besitzer die ihnen wichtigen Ereignisse, welche sich zu ihrer Zeit zugetragen, recht und schlecht niederschrieben. Eine solche hatte noch am Anfang des vorigen Jahrhunderts der Vater eines gewissen Leinewebers Eichner hieselbst, eines siebzigjährigen Greises, (um 1760) besessen, welche in recht groß Oktav wie die Berlinischen Bibeln und eine starke Handbreit dick gewesen, mit Pappdeckeln, die nur mit schmutzigem Papier überzogen waren, inwendig aber von sauberem Papier und deutlich geschrieben, hinten noch mit einer Partie weißer Blätter, welche der Direktor Golle von des Eichners Mutter geliehen und nicht wiedergegeben. In dieser Chronik wollte unter anderem der Eichner als Knabe gelesen haben, dass die jetzige Scharfrichterstraße ehedem den Namen der Ritterstraße geführt. An der Stelle der Scharfrichterei habe das Ritterhaus gestanden, in dessen großem bis an die Schalanderstraße reichendem Garten sich die Ritter zur Zeit des großen Turniers vom Jahr 1512 geübt hätten. Bei schlechtem Wetter habe zu diesen ihren Übungen das große, damals noch nicht ausgebaute Ritterhaus gedient.

Diese und andere Chroniken nun sind entweder ganz verschwunden und verloren gegangen, oder doch in uns unbekannte Hände geraten. Überdies aber setzen sie häufig Sachen, Verhältnisse als bekannt voraus, welche in unseren Tagen längst unbekannt geworden und außer Gebrauch gekommen sind, sodass ihre Kenntnis zum Teil erst aus ganz zufälligen beiläufigen Nachrichten wiederhergestellt und erneut werden mussten.

4.2 Die Erbhuldigung

Kaum war die Nachricht von dem plötzlichen und unerwarteten Ableben des jungen Grafen Wichmann nach Berlin gekommen, so sendete der Kurfürst sogleich seinen ältesten Sohn, den nachmaligen Markgrafen Joachim II. ab, um die herrenlos gewordenen Lande als ein erledigtes Lehen der Mark in Besitz zu nehmen, und sich die Huldigung leisten zu lassen. Schon am Sonnabend in der Osterwoche empfing er dieselbe zu Gransee. Dann eilte er nach Ruppin, um hier der Beisetzung des Verstorbenen in der Gruft seiner Väter am Montag nach Quasimodogeniti beizuwohnen, und des Tages darauf von dem Magistrat, den Vierwerken und der ganzen Bürgerschaft unserer Stadt sich huldigen zu lassen. In den Rechnungsregistern des hiesigen Rates haben wir 5 Pfund und 8 Schillinge berechnet gefunden, welche für Bernauer Bier zu der Huldigung verwandt waren. Am folgenden Mittwoch reiste Joachim darauf nach Wusterhausen, um sich auch hier huldigen zu lassen, und kehrte von da nach dem Schloss zu Alt Ruppin zurück, wo er die Ritterschaft und die übrigen Lehnsvasallen in Pflicht nahm, und sie dagegen im Besitz ihrer gegenwärtigen und in Zukunft zu erwerbenden Güter bestätigte. So wurde noch im Jahre 1524 dem Joachim von Bredow ein neuer Lehnsbrief über Stadt und Herrschaft Rheinsberg,[414] so 1525, Montags nach Reminiscere, den von Zieten ein gleicher zur gesamten Hand über ihre Güter zu Wildberg, Wustrau, Protzen, Langen, Walchow, Buskow, Radensleben etc. ausgefertigt.[415] So bestätigte 1524 ein Lehnsbrief der Stadt Wusterhausen die hohen und niederen Gerichte, das Dorf Läsikow, die Klempowische Mühle und die übrigen städtischen Besitzungen.[416]

Mit Recht konnte man Joachim I. Nestor einen Wiederhersteller der Grafschaft Ruppin nennen *(restitutor comitatus Ruppinensis)*, da während der letzten gräflichen Regierungen fast das ganze platte Land mit allen Einkünften, Rechten und Freiheiten in die Hände von Privatpersonen gekommen war. Als Markgraf Joachim, heißt es ausdrücklich in dem 1590 abgefassten Erbregister, 1524 nach dem Ableben des Grafen Wichmann das Land aufnahm, so waren von den früheren Besitzungen der Grafen nur noch das Haus Ruppin mit dem daran stoßenden Städtchen, ferner die Städte Neuruppin, Wusterhausen und Gransee, das Städtchen zu Wildberg und zehn Dörfer übriggeblieben.

Dessen ungeachtet soll der Römische Kaiser nicht abgeneigt gewesen sein, das Land Ruppin nicht allein, sondern auch die übrigen Lehen und Güter, welche die Grafen von Lindow innegehabt, als erledigte Reichslehen einzuziehen, ohne Zweifel aus dem Grund, weil es gefürstete Grafen gewesen.[417] Es sollen deshalb auch viele Tageleistungen gehalten und Zeugen verhört worden sein, und der kaiserliche Fiskal den Auftrag erhalten haben, die Sache vor dem kaiserlichen Kammergericht zu Speyer zu betreiben und mit dem Prozess vorzufahren. Indes die Zeitumstände waren wenig geeignet, ein so ungerechtes und verkehrtes Begehren des kaiserlichen Hofes zu unterstützen, und des Markgrafen Charakterfestigkeit zu bekannt, als dass man hätte hoffen können, auf jenem Weg wirklich zum Ziel zu gelangen. Hatten doch die Markgrafen schon vor dem Aussterben des gräflichen Hauses in dem Land Ruppin die Bierziese erhoben, und zur Erhebung derselben einen eigenen vom Grafen unabhängigen Ziesemeister in dem Land gehalten. Und so blieben denn allen Reklamationen zum Trotz die Markgrafen im erblichen Besitz der Herrschaft.

Anmerkungen

1 Diese Darlegungen gehören ins Reich der Legenden. Fest steht, dass die Arnsteiner aus dem schwäbischen Geschlecht der Herren von Steußlingen hervorgingen, dem u. a. die Erzbischöfe Anno II. von Köln († 1075) und Werner von Magdeburg († 1078) sowie Bischof Burchard II. von Halberstadt († 1088) angehörten. Erst ein Bruder Annos und Werners, Walther I. († 1126), der sich noch nach dem Dorf Arnstedt (s Aschersleben) nannte, kann als Stammvater der Grafen von Arnstein betrachtet werden. Die ausführlichsten und verlässlichsten Untersuchungen sowie Karten und Stammtafeln zum Thema bietet nach wie vor HEINRICH, Gerd: Die Grafen von Arnstein (= Mitteldeutsche Forschungen, Bd. XXI). Köln, Graz 1961 (künftig HEINRICH: Arnstein), hierzu insb. S. 9–12. G. Heinrichs Buch ist neuerdings im Verlag Klaus-D. Becker zu Potsdam als Nachdruck erhältlich.

2 09.03.1256, Alt Ruppin – DIETERICH, Martin: Historische Nachrichten von denen Grafen zu Lindow und Ruppin. Aus bewehrten Urkunden und Geschichts-Schreibern gesammlet, und nebst einem Anhang von denen Inspectoribus und Predigern, welche in der Haupt-Stadt Neuen-Ruppin, seit der Reformation das Lehr-Amt geführet haben. Imgleichen einigen andern Gelehrten, welche aus selbiger Graffschaft bürtig gewesen, oder daselbst eine Zeitlang in Bedienung gestanden. Berlin 1725, Ndr. Karwe, Neustadt a. d. Aisch 1995 (künftig DIETERICH), S. 23–28. – BUCHHOLTZ, Samuel: Versuch einer Geschichte der Churmark Brandenburg von der ersten Erscheinung der deutschen Semnonen an bis auf jezige Zeiten, Bd. IV. Berlin 1771 (künftig BUCHHOLTZ IV), Urkundenanhang S. 87–89, Nr. 72. – Codex diplomaticus Brandenburgensis. Sammlung der Urkunden, Chroniken und sonstigen Quellenschriften für die Geschichte der Mark Brandenburg und ihrer Regenten, hrsg. v. Adolph Friedrich RIEDEL in 41 Bdn. Berlin 1838–1869 (künftig CDB), hier Hauptteil I, Bd. 4, S. 282f., Nr. 2. – SCHNEIDER, L.: Über die Neu-Ruppiner Urkunde vom 9. März 1256, in: Historischer Verein für die Grafschaft Ruppin, Bd. I. Neuruppin 1887, S. 15–25, hier S. 17–20 [mit dt. Übers.]. – v. BUCHWALD, Gustav: Regesten aus

den Fischerei-Urkunden der Mark Brandenburg 1150–1710. Berlin 1903 (künftig v. BUCHWALD), Nr. 37. – SCHULTZE, Johannes: Geschichte der Stadt Neuruppin. 4. Aufl. (1. Aufl. 1932), Berlin 2012, S. 202f. [dt. Übers.]. – MEYER, Paul (Hrsg.): 700 Jahre Ruppin. Festschrift zur Siebenhundertjahrfeier der Stadt Neuruppin und des Kreises Ruppin. Neuruppin 1939 (künftig 700 Jahre Ruppin), S. 34–37 [mit dt. Übers.].

3 HEINRICH: Arnstein, S. 12–15. Hier ist nach G. Heinrichs Zählweise Graf Walther II. gemeint.

4 Ebd., S. 15–19.

5 16.08.1211, Burg – CDB I/10, S. 80f., Nr. 12.

6 RIEDEL, Adolph Friedrich: Geschichte der auf Befehl Seiner Majestät des Königs Friedrich Wilhelm III. wiederhergestellten Kloster-Kirche und des ehemaligen Dominicaner-Mönchs-Klosters zu Neu-Ruppin. Neuruppin um 1840, Ndr. Karwe 2000 (künftig RIEDEL: Klosterkirche), S. 39–42. – CDB I/4, S. 38–40, Nr. 1.

7 Hier irrte Kampe: Wichmann starb tatsächlich erst 1270. – LECHELER, Eugenie: Wichmann von Arnstein (1180–1270), in: ELM, Kaspar (Hrsg.): Wichmann-Jahrbuch des Diözesangeschichtsvereins Berlin NF IV/1997, S. 15–46. – KUNZ, Tobias: Die Steinfigur des Dominikus (sog. Bruder Wichmann) in der Neuruppiner Klosterkirche. Ein wichtiges Zeugnis dominikanischen Bildgebrauchs im 14. Jahrhundert, in: BADSTÜBNER, Ernst; KNÜVENER, Peter; LABUDA, Adam S.; SCHUMANN, Dirk (Hrsg.): Die Kunst des Mittelalters in der Mark Brandenburg. Tradition – Transformation – Innovation. Berlin 2008, S. 366–376.

8 Dazu grundlegend PARTENHEIMER, Lutz: Die Entstehung der Mark Brandenburg. Mit einem lateinisch-deutschen Quellenanhang. Köln, Weimar, Wien 2007.

9 Gemeint ist Markgraf Otto X. von Brandenburg, auch »der Faule«-genannt, aus dem Geschlecht der Wittelsbacher. Er war ab 1351 Mitregent und 1365 bis 1373 Alleinherrscher über Brandenburg.

10 Gemeint ist Jakobus der Ältere, dessen Gedenktag der 25. Juli ist.

11 02.05.1232, Wusterhausen/Dosse – CDB I/1, S. 366, Nr. 1. – CDB I/17, S. 4, Nr. 5. – CDB I/22, S. 4, Nr. 4. – Mecklenburgisches Urkundenbuch, hrsg. v. Verein für Mecklenburgische Geschichte

und Altertumskunde. Schwerin, Leipzig 1863–1977 (künftig MUB), hier Bd. I (786–1250), Nr. 403. – ALTRICHTER, Karl: Geschichte der Stadt Wusterhausen an der Dosse. Auf Grund öffentlicher und privater, zum Teil noch ungedruckter Urkunden, unter Beifügung einer Sammlung der letzteren. Neuruppin 1888, Ndr. Karwe 2000 (künftig ALTRICHTER), S. 267, Nr. 1. – KRABBO, Hermann; WINTER, Georg: Regesten der Markgrafen von Brandenburg aus askanischem Hause. 12 Lieferungen (= Veröffentlichungen des Vereins für Geschichte der Mark Brandenburg). Leipzig, München, Berlin 1910–1955 (künftig KW), Nr. 647.

[12] 06.01.1238, Ruppin – CDB I/2, S. 305, Nr. 1. – CDB II/1, S. 20, Nr. 29. – MUB I, Nr. 477. – Pommersches Urkundenbuch, Bd. VI (1301–1310), bearb. v. Georg WINTER. Stettin 1903 (künftig PUB), Nr. 4128. – ALTRICHTER, S. 267, Nr. 1. – KW, Nr. 647.

[13] HEINRICH: Arnstein, S. 70–82.

[14] Ebd., S. 66–69.

[15] Wie Anm. 2.

[16] 15.09.1273, Dossow – CDB I/5, S. 40, Nr. 39. – Regesta Archiepiscopatus Magdeburgensis. Sammlung von Auszügen aus Urkunden und Annalisten zur Geschichte des Erzstifts und Herzogthums Magdeburg, Bd. III (1270–1305 nebst Nachträgen), hrsg. v. George Adalbert v. MÜLVERSTEDT. Magdeburg 1886, S. 47, Nr. 114. – KW, Nr. 1048.

[17] HEINRICH: Arnstein, S. 70–82, widerlegte, dass Günther I. mit einer Eufemia von Rügen vermählt war. Die tatsächliche Ehefrau ist allerdings nicht zu identifizieren.

[18] Ebd., S. 82–84.

[19] Ebd., S. 84–90.

[20] Ebd., S. 90–92.

[21] 23.06.1291, [Neuruppin] – RIEDEL, Adolph Friedrich: Diplomatische Beiträge zur Geschichte der Mark Brandenburg und ihr angrenzender Länder, Teil I [zugleich einzig erschienener Teil]. Berlin 1833 (künftig RIEDEL: Beiträge), S. 299–301, Nr. 197. – CDB I/4, S. 283f., Nr. 3. – Wenn Ausstellungsorte von Urkunden wie an dieser Stelle in eckige Klammern gesetzt sind, bedeutet es, dass sie nicht überliefert sind, sondern auf Grund des Kontextes erschlossen werden konnten.

[22] 14.08.1310, Quitzöbel – v. RAUMER, Georg Wilhelm: Codex diplomaticus Brandenburgensis Continuatus. Sammlung ungedruckter Urkunden zur Brandenburgischen Geschichte, Teil I. Berlin, Stettin, Elbing 1831 (künftig v. RAUMER: CDB Cont. I), S. 15f., Nr. 19. – CDB I/3, S. 287–289, Nr. 1. – KW, Nr. 2176.

[23] 09.09.1310, Kremzow–GERCKEN, Philipp Wilhelm: Fragmenta Marchica oder Sammlung ungedruckter Urkunden und Nachrichten zum Nutzen der Brandenburgischen Historie, Teil II. Wolfenbüttel 1756, S. 31–34, Nr. 14. – BUCHHOLTZ IV, Urkundenanhang, S. 169f., Nr. 150. – CDB II/1, S. 296f., Nr. 380. – PUB IV, Nr. 2629. – KW, Nr. 2179.

[24] HEINRICH: Arnstein, S. 96f.

[25] Ebd., S. 93f.

[26] Ebd., S. 106–113, erläuterte G. Heinrich, dass jene Agnes weder die Tochter Burchards III. noch die Günthers, sondern aller Wahrscheinlichkeit nach die Ulrichs I. war.

[27] Ebd., S. 100–102.

[28] Ebd., S. 102–104.

[29] Ebd., S. 97f.

[30] Ebd., S. 99f.

[31] 30.04.1315, o. O. – DIETERICH, S. 44–46. – RIEDEL: Beiträge, S. 301f.,Nr. 198. – CDB I/4, S. 284f., Nr. 4.

[32] 08.09.1327, o. O. – RIEDEL: Beiträge, S. 308f., Nr. 204. – CDB I/4, S. 289, Nr. 10.

[33] 20.03.1334, Berlin – GERCKEN, Philipp Wilhelm: Fragmenta Marchica oder Sammlung ungedruckter Urkunden und Nachrichten zum Nutzen der Brandenburgischen Historie, Teil I. Wolfenbüttel 1755 (künftig GERCKEN: Fragmenta I), S. 170f., Nr. 93. – CDB, I/4, S. 50f., Nr. 17. – MUB VIII, Nr. 5509. – Codex diplomaticus Anhaltinus, Bd. III (1301–1350), hrsg. v. Otto v. HEINEMANN. Dessau 1877, Ndr. Osnabrück 1986 (künftig CDA III), S. 451, Nr. 634. – ALTRICHTER, S. 272, Nr. 16.

[34] HEINRICH: Arnstein, S. 104f.

[35] Ebd., S. 105–113. – Hier übersah Kampe anscheinend, dass es sich bei dieser Agnes, die sich in dritter Ehe mit Herzog Rudolf I. von Sachsen-Wittenberg vermählte, um dieselbe Agnes handelte,

die zuvor mit den Fürsten Wizlaw III. von Rügen und Heinrich II. von Mecklenburg verheiratet war.

[36] Ebd., S. 91, schloss G. Heinrich Eufemia von Holstein als Ehefrau Ulrichs I. aus und nahm Adelheid von Schladen als mögliche Gemahlin an.

[37] 11.09.1347 – CDB I/4, S. 55, Nr. 25. – v. Klöden, Karl Friedrich: Diplomatische Geschichte des Markgrafen Waldemar von Brandenburg. Unmittelbar nach den Quellen dargestellt, Bd. III. Berlin 1845 (künftig v. Klöden: Waldemar III), S. 466f., Nr. 7. – CDA III, S. 577f., Nr. 814. – Kampe übersah hier, dass Markgraf Ludwig I. dem Grafen Ulrich II. lediglich die Anwartschaft auf Adolfs Güter zusicherte. Adolf war 1347 noch unter den Lebenden.

[38] 08.11.1395, Neuruppin – Riedel: Beiträge, S. 340–342, Nr. 220. – CDB I/4, S. 308f., Nr. 24.

[39] 03.02.1406, Neuruppin – Riedel: Beiträge, S. 348, Nr. 224. – CDB I/4, S. 315, Nr. 32.

[40] 04.02.1358, o. O. – Beckmann, Johann Christoph: Historie des Fürstenthums Anhalt von dessen Einwohnern und einigen annoch verhandenen alten Dokumenten, natürliche Bütigkeit, Eintheilung, Flüssen, Stäten, Flecken und Dörfern, fürstl. Hoheit, Geschichte der fürstl. Personen, Religions-Handlungen, fürstlichen Ministris, adelichen Geschlechtern, Gelehrten und andern Bürger-Standes vornehmen Leuten., Bde. I–IV. Zerbst 1710, Ndr. Dessau 1995 (künftig Beckmann: Anhalt I–IV), S. 339. – Dieterich, S. 68f. – CDB I/4, S. 59, Nr. 31. – CDA IV, S. 130f., Nr. 200. – Riedel zog in Erwägung, dass die von Beckmann und Dieterich übernommene Zeile, die einen Vetter der Grafen namens Albrecht nennt, »wahrscheinlich ungenau ist«.

[41] Wie Anm. 33.

[42] 10.04.1340 – CDB I/4, S. 53, Nr. 21. – CDA III, S. 513, Nr. 728. – In dieser Urkunde wird der Grafen aber nachträglich gedacht; Günther II. war wahrscheinlich bereits vor 1340, aber nach dem 11.06.1337 gestorben. Die Aussage der Sterbetafel ist zweifellos falsch.

[43] 05.03.1347, Goldbeck – CDB I/2, S. 334, Nr. 7. – CDA III, S. 574, Nr. 810.

[44] 02.10.1319, o. O. – Riedel: Beiträge, S. 303f., Nr. 200. – CDB I/4,

S.428f., Nr. 4. – Kw, Nr. 2767a.

[45] 03.12.1333, Würzburg – GERCKEN, Philipp Wilhelm: Codex Diplomaticus Brandenburgensis, Teil I. Salzwedel 1769 (künftig GERCKEN: CDB I), S. 162–164, Nr. 89. – CDB, I/4, S. 49f., Nr. 16. – MUB VIII, Nr. 5466. – BÖHMER, Johann Friedrich: Die Urkunden Kaiser Ludwigs des Baiern, König Friedrich des Schönen und König Johanns von Böhmen. Frankfurt/Main 1839 (künftig RI KS. Ludwig), S. 99, Nr. 1588. – ALTRICHTER, S. 271, Nr. 15. Die Grafen hatten Gransee und Wusterhausen tatsächlich von Markgraf Woldemar erhalten.

[46] 09.05.1285, Vietmannsdorf – DIETERICH, S. 37. – CDB I/4, S. 427, Nr. 2. – CDB I/24, S. 338, Nr. 29. – KW, Nr. 1377.

[47] 24.09.1262, Liebenwalde – v. RAUMER: CDB Cont. I, S. 1, Nr. 1. – CDB I/4, S. 426f., Nr. 1. – 700 Jahre Gransee, S. 24f. [mit dt. Übers.]. – KW, Nr. 879.

[48] Eine offizielle Aufnahme der Grafen von Lindow-Ruppin in die Vormundschaftsregierung für Markgraf Ludwig I. von Brandenburg ist nicht überliefert.

[49] 02.02.1324, Stendal – CDB I/7, S. 309, Nr. 7.

[50] 20.11.1324, Ruppin – CDB I/7, S. 202, Nr. 2. – CDB I/24, S. 357, Nr. 55.

[51] 23.02.1324, Brandenburg a. d. Havel – GERCKEN, Philipp Wilhelm: Fragmenta Marchica oder Sammlung ungedruckter Urkunden und Nachrichten zum Nutzen der Brandenburgischen Historie, Teil III. Wolfenbüttel 1757, S. 53–56, Nr. 14. – BUCHHOLTZ, Samuel: Versuch einer Geschichte der Churmark Brandenburg von der ersten Erscheinung der deutschen Semnonen an bis auf jezige Zeiten, Bd. V. Berlin 1775 (künftig BUCHHOLTZ V), Urkundenanhang S. 40f., Nr. 9. – CDB I/9, S. 26f., Nr. 36. – v. BUCHWALD, Nr. 148.

[52] 27.08.1325, Wusterhausen/Dosse – CDB I/25, S. 13f., Nr. 20.

[53] 13.02.1326, Ruppin – DIETERICH, S. 53f. – CDB I/4, S. 394, Nr. 7. – ALTRICHTER, S. 271, Nr. 11.

[54] 01.04.1327, Seehausen – CDB I/6, S. 348f., Nr. 3.

[55] 18.10.1329, Liebenwalde – DIETERICH, S. 56f. – CDB I/4, S. 394, Nr. 8. – ALTRICHTER, S. 271, Nr. 13.

[56] 23.10.1324, Bardeleben – CDB I/4, S. 43, Nr. 8. – CDA III, S. 316f., Nr. 478. – Urkundenbuch der Stadt Magdeburg, Bd. I (bis 1403)

(= Geschichtsquellen der Provinz Sachsen und angrenzender Gebiete, Bd. XXVI), hrsg. v. d. Historischen Kommission der Provinz Sachsen, bearb. v. Gustav HERTEL. Halle (Saale) 1892, Nr. 311.

[57] 25.08.1326, zw. Lippehne und Pyritz – CDB II/2, S. 31f., Nr. 633. – PUB VII, Nr. 4219. – v. WEDEL, Heinrich Friedrich Paul: Urkundenbuch zur Geschichte des Schlossgesessenen Geschlechtes der Grafen und Herren von Wedel, Bd. II, Abt. 2. Die Herren von Wedel im Märkischen Lande über der Oder, im Herzogthum Pommern und im Bistum Camin (1324–1348 Juli). Leipzig 1888, S. 6, Nr. 10. – SELLO, Georg: Geschichtsquellen des burg- und schloßgesessenen Geschlechtes der v. Borke, Bd. I. Bis zum Ausgang des 14. Jahrhunderts. Berlin 1903, S. 173, Nr. 175.

[58] 01.07.1335, Berlin – GERCKEN, Philipp Wilhelm: Codex Diplomaticus Brandenburgensis, Teil III. Salzwedel 1771, S. 96–98, Nr. 23. – CDB I/12, S. 489f., Nr. 7. – Urkundenbuch zur Berlinischen Chronik, hrsg. v. Verein für die Geschichte Berlins durch Ferdinand VOIGT. Berlin 1869 (künftig UB Berl. Chronik), S. 65f., Nr. 24.

[59] 13.04.1327, Avignon – CDB II/2, S. 37–40, Nr. 639.

[60] 24.05.1325, Daber – GERCKEN, Philipp Wilhelm: Diplomataria Veteris Marchiae Brandenburgensis, Bd. I. Salzwedel 1765, S. 602–608, Nr. 249. – GERCKEN: CDB I, S. 231–234, Nr. 136. – CDB I/2, S. 265–267, Nr. 7. – MUB VII, Nr. 4630 B. – v. KLÖDEN, Karl Friedrich: Nachrichten zur Geschichte des Geschlechts der Herren von Kröcher. Aus Urkunden, Archivalien und Familiennachrichten zusammengestellt. Berlin 1852 (künftig v. KLÖDEN: Kröcher), S. 86f.. – PUB VI, Nr. 3847.

[61] 23.06.1327, Alt Ruppin – GERCKEN: CDB I, S. 165, Nr. 40. – CDB I/4, S. 45, Nr. 10. – v. KLÖDEN: Kröcher, S. 89. – MUB VII, Nr. 4840. – ALTRICHTER, S. 271, Nr. 12.

[62] Wie Anm. 55.

[63] Wie Anm. 33.

[64] 29.09.1291, Rathenow – DIETERICH, S. 37f. – BUCHHOLTZ IV, Urkundenanhang S. 125, Nr. 108. – CDB I/4, S. 392, Nr. 1. – ALTRICHTER, S. 268, Nr. 4. – KW, Nr. 1525.

[65] 27.04.1293, Rathenow – DIETERICH, S. 38–40. – BUCHHOLTZ IV, Ur-

kundenanhang S. 126f., Nr. 110. – CDB I/4, S. 392f., Nr. 2. – ALTRICHTER, S. 268, Nr. 5. – KW, Nr. 1571.

[66] 30.09.1308, Werbellin – GERCKEN: Fragmenta I, S. 49–52, Nr. 28. – CDB I/4, S. 393f., Nr. 4. – ALTRICHTER, S. 271, Nr. 8. – KW, Nr. 2081. – Die Urkunde wurde in Werbellin, nicht, wie Kampe schrieb, in Fehrbellin, ausgestellt.

[67] Wie Anm. 55.

[68] 30.01.1323, Bötzow – GERCKEN: Fragmenta I, S. 64f., Nr. 35. – CDB I/4, S. 394, Nr. 5. – ALTRICHTER, S. 271, Nr. 9. – KW, Nr. 2721.

[69] 14.04.1325, Alt Ruppin – DIETERICH, S. 52f. – BUCHHOLTZ V, Urkundenanhang S. 49, Nr. 17. – CDB I/4, S. 394f., Nr. 6. – ALTRICHTER, S. 271, Nr. 10.

[70] Wie Anm. 53.

[71] Wie Anm. 67.

[72] 11.01.1351, Kyritz – DIETERICH, S. 64–66. – BUCHHOLTZ V, Urkundenanhang S. 98f., Nr. 56. – CDB I/4, S. 396, Nr. 10. – Codex diplomaticus Anhaltinus, Bd. IV (1351–1380), hrsg. v. Otto v. HEINEMANN. Dessau 1879, Ndr. Osnabrück 1986 (künftig CDA IV), S. 3, Nr. 1. – ALTRICHTER, S. 273, Nr. 23.

[73] Wie Anm. 40.

[74] 25.10.1325, Lychen – CDB I/2, S. 331f., Nr. 4. – v. BUCHWALD, Nr.152.

[75] 16.08.1325, Alt Ruppin – CDB I/2, S. 332f., Nr. 5.

[76] Ansonsten nicht überliefert.

[77] 14.09.1345, o. O. – BECKMANN: Anhalt I–IV, S. 334f. – CDB I/4, S. 55, Nr. 24. – CDA III, S. 559, Nr. 790.

[78] Wie Anm. 43.

[79] Wie Anm. 72.

[80] 22.07.1351, Tempelhof – CDB II/2, S. 333f., Nr. 956. – UB Berliner Chronik, S. 116–118, Nr. 92. – v. WEDEL, Heinrich Friedrich Paul: Urkundenbuch zur Geschichte des Schlossgesessenen Geschlechtes der Grafen und Herren von Wedel, Bd. III, Abt. 1. Die Herren von Wedel im Märkischen Lande über der Oder, im Herzogthum Pommern und im Bistum Camin (1348 September–1355). Leipzig 1889 (künftig UB Wedel III/1), S. 43, Nr. 80.

[81] 13.04.1356, Neuruppin – RIEDEL: Beiträge, S. 312–314, Nr. 208. –

CDB I/4, S. 292, Nr. 14.

[82] HELWING, Heinrich Christian Karl Ernst: Geschichte des preußischen Staates, Bd. I. Lemgo 1833.

[83] Die erste Urkunde, in der Graf Ulrich II. auf der Seite Woldemars auftrat, datiert vom 20. September 1348 (CDB I/11, S. 36f., Nr. 53), die letzte vom 6. April 1349 (CDB III/3, S. 31f., Nr. 31). Am 10. November 1349 befand sich Ulrich spätestens wieder im Lager Markgraf Ludwigs I. (CDB I/4, S. 56, Nr. 26).

[84] 06.04.1349, Spandau – BECKMANN, Johann Christoph: Historie des Fürstenthums Anhalt von dessen Einwohnern und einigen annoch verhandenen alten Dokumenten, natürliche Bütigkeit, Eintheilung, Flüssen, Stäten, Flecken und Dörfern, fürstl. Hoheit, Geschichte der fürstl. Personen, Religions-Handlungen, fürstlichen Ministris, adelichen Geschlechtern, Gelehrten und andern Bürger-Standes vornehmen Leuten, Bde. V–VII. Zerbst 1710, Ndr. Dessau 1995, S. 34, Nr. 9. – GERCKEN, Philipp Wilhelm: Codex Diplomaticus Brandenburgensis, Teil II. Salzwedel 1770 (künftig GERCKEN: CDB II), S. 583–585, Nr. 351. – BUCHHOLTZ V, Urkundenanhang S. 80f., Nr. 49. – v. KLÖDEN: Waldemar III, S. 497f., Nr. 35. – CDB II/2, S. 244f., Nr. 877. – UB Berl. Chronik, S. 102f., Nr. 76. – CDA III, S. 610f., Nr. 860. – FIDICIN, Ernst: Historisch-diplomatische Beiträge zur Geschichte der Stadt Berlin, Teil III. Berlinische Regesten von 949 bis 1550. Berlin 1837 (künftig FIDICIN III), S. 224, Nr. 108. – Regesta Imperii, Bd. VIII: Die Regesten des Kaiserreichs unter Kaiser Karl IV. 1346–1378, bearb. v. Alfons HUBER. Innsbruck 1877, Ndr. Hildesheim 1968 (künftig RI VIII), S. 797, Nr. 663.

[85] 14.05.1350, Avignon – BECKMANN, Johann Christoph: Kurze Beschreibung der alten löblichen Stadt Frankfurt an der Oder, auch von ihrer Fundation, Erbauung und Herkommen nebst unterschiedenen historischen Accessionen. Frankfurt (Oder) 1706, S. 98–104. – BUCHHOLTZ V, Urkundenanhang, S. 82–95, Nr. 51. – CDB II/2, S. 302–313, Nr. 933. – UB Wedel III/1, S. 24f., Nr. 46. – Graf Adolf I. befand sich zu dieser Zeit aber sicher nicht mehr unter den Lebenden.

[86] In diesem Fall irrte Kampe: In der betreffenden Urkunde vom 11. September 1347 (CDB I/4, S. 55, Nr. 25) ist nicht davon die Rede,

dass Ludwig I. dem Grafen Ulrich II. die Güter und Angefälle des Grafen Adolf verleiht, sondern davon, dass der Markgraf dem Ruppiner die Anwartschaft auf die in Zukunft anfallenden Güter bestätigt: [...] *alle die gut und angeuelle, die vns vnd vnsen nachkomelingen mogen angeuellen* [...]. Adolf war 1347 noch nicht tot, er starb wahrscheinlich ein bis zwei Jahre später, auf jeden Fall vor dem 10. November 1349 (CDB I/4, S. 56, Nr. 26). Adolfs Erwähnung 1350 beruhte auf einem Irrtum.

[87] 07.12.1353, o. O. – DIETERICH, S. 66f. – CDB I/4, S. 59, Nr. 30. – CDA IV, S. 48f., Nr. 65.

[88] HEINRICH: Arnstein, S. 102–104. – Ulrich II. starb allerdings nicht 1360, sondern bereits am 3. Februar 1356.

[89] RIEDEL: Beiträge, S. 312–314, Nr. 208. – CDB I/4, S. 291f., Nr. 14. – Die Urkunde stammt allerdings aus dem Jahr 1355 *(Anno domini MCCCL. quinto)*.

[90] 12.07.1356, Lindau – CDA IV, S. 94f., Nr. 137.

[91] HEINRICH: Arnstein, S. 129.

[92] Ebd., S. 124f., ging G. Heinrich aber davon aus, dass Ulrich III. bereits einige Zeit vor 1377 starb.

[93] Ebd., S. 128f.

[94] Ebd., S. 125–128.

[95] Ebd., S. 130–132.

[96] Nach 04.02.1358, o. O. – u. a. LISCH, Georg Christian Friedrich: Vermischte Urkunden, in: Jahrbücher des Vereins für Mecklenburgische Geschichte und Altertumskunde XVI/1851, S. 209–246, hier S. 228f., Nr. 10. – CDB I/24, S. 370f., Nr. 71. – CDA IV, S. 170, Nr. 257. – MUB XIV, Nr. 8455.

[97] 14.06.1369, o. O. – CDB II/2, S. 494f., Nr. 1099.

[98] 28.08.1367, Alt Ruppin – DIETERICH, S. 71f. – CDB I/2, S. 334, Nr. 8. – CDB I/4, S. 61, Nr. 35. – MUB XVI, Nr. 9676.

[99] BRATRING, Friedrich Wilhelm August: Die Grafschaft Ruppin in historischer, statistischer und geographischer Hinsicht. Ein Beitrag zur Kunde der Mark Brandenburg. Berlin 1799 (künftig BRATRING: Ruppin), S. 147f.

[100] »Stellmeiser« wurden Leute genannt, die sich mit den sog. Raubrittern zusammenschlossen und mit ihnen gemeinsam Dörfer ver-

wüsteten und plünderten.

[101] Dieses Schossregister ist nicht gedruckt.

[102] 24.01.1386, Neubrandenburg – RIEDEL: Beiträge, S. 335f., Nr. 218. – CDB I/4, S. 306f., Nr. 22. – MUB XXI, Nr. 11753.

[103] BEHRENDS, Peter Wilhelm: Neuhaldenslebische Kreis-Chronik oder Geschichte aller Oerter des landräthlichen Kreises Neuhaldensleben, im Magdeburgischen, Bd. I u. II. Neuhaldensleben 1824 u. 1826.

[104] 23.11.1379, Alt Ruppin – CDB I/24, S. 385f., Nr. 87. – CDB I/4, S. 397, Nr. 13. – ALTRICHTER, S. 273, Nr. 25.

[105] Wie Anm. 40.

[106] 19.07.1370, Zerbst – CDA IV, S. 267–269, Nr. 401.

[107] 18.10.1372, o. O. – Ebd., S. 297, Nr. 437.

[108] 04.06.1373, Luckau – CDB I/4, S. 66–68, Nr. 39. – CDA IV, S. 302f., Nr. 442.

[109] 04.06.1373, Luckau – CDA IV, S. 300–302, Nr. 441. – RI VIII, S. 767, Nr. 7384.

[110] Beide 03.05.1376, Weiden i. d. OPf. – GERCKEN: CDB II, S. 629, Nr. 371. – CDB I/4, S. 69–72, Nr. 43. – CDA IV, S. 335f., Nr. 482. – PODEHL, Wolfgang: Burg und Herrschaft in der Mark Brandenburg. Untersuchungen zur mittelalterlichen Verfassungsgeschichte unter besonderer Berücksichtigung von Altmark, Neumark und Havelland (= Mitteldeutsche Forschungen, Bd. LXXVI). Köln, Wien 1975, S. 560, Anm. 768. – RI VIII, S. 464, Nr. 5581 u. GERCKEN: CDB II, S. 624–628, Nr. 370. – CDB I/4, S. 72, Nr. 44.

[111] 22.03.1457, Zerbst – BECKMANN: Anhalt I–IV, S. 337. – DIETERICH, S 100–102. – CDB I/4, S. 101, Nr. 84.

[112] Und zwar am 22. August 1371 von Markgraf Otto X. von Brandenburg: *dem Edeln Albrechte, graue zu Lyndowe vnd zu Reppyn, vnserme lieben Oheme, Graue vlriche vnd grauen Gunthere, synen sonen, vnd iren rechten eruen* (CDB I/4, S. 65f., Nr. 38). Aber bereits Graf Günther I. wurde am 8. September 1273 von den Markgrafen Johann II., Otto IV. und Konrad I. als *dominus Guntherus, Comes de Rupin* bezeichnet (GERCKEN: CDB II, S. 412–414, Nr. 225. – CDB I/13, S. 216, Nr. 17. – PUB VI, Nr. 3975. – v. BUCHWALD, Nr. 45. – KW, Nr. 1047).

[113] 08.06.1377 – DIETERICH, S. 78f.; CDB I/4, S. 397, Nr. 12. – ALTRICHTER, S. 273, Nr. 24. – Laut der Gedächtnistafel für die in der Dominikanerklosterkirche St. Trinitatis zu Neuruppin bestatteten Mitglieder der Grafenfamilie ist Ulrich III. im Jahr 1360 verstorben. In der Urkunde von 1377 treten die Grafen Ulrich, Albrecht und Günther ausdrücklich als *Broder* auf, weshalb es sich bei diesem Ulrich nur um Ulrich III. handeln kann. HEINRICH: Arnstein, S. 124f., nahm daher an, die vorliegende Urkunde bzw. deren Abschrift sei entweder falsch datiert oder eine Fälschung aus späterer Zeit.

[114] KRANTZ, Albert: Saxonia. De Saxonica gentis vetusta origine, longinquis expeditionibus susceptis et bellis domi pro libertate diu fortiterque gestis. Frankfurt am Main 1580, S. 259.

[115] In PONTANUS, Johann Isaak: Rerum Danicarum Historia. Amsterdam 1631, S. 519, ist nicht von einem Ulrich von Lindow-Ruppin, stattdessen aber von einem *Comes Rupensis Otho* die Rede. Viele Geschichtsschreiber, darunter Dieterich und Bratring, übernahmen die irrige Nachricht, ein Otto von Ruppin habe in Schweden gekämpft, aber HEINRICH: Arnstein, S. 135f., Anm. 661 u. S. 137, Anm. 669, ging mit Recht davon aus, dass es sich um eine Verschreibung handelt. Die verwirrende Quellenlage, die sich aus unterschiedlichen, teils voneinander abhängigen Chroniken speist, macht eine genaue Aussage über den Kampfeinsatz eines Arnsteiners in Schweden unmöglich. Es ist aber wahrscheinlich, dass sich Günther V. seit dem Ende der 1380er-Jahre bis zum Frühjahr 1396 in Skandinavien aufhielt und zwischendurch sogar in Gefangenschaft geriet, während sein Bruder Ulrich IV. die Herrschaft antrat und sie in beider Namen ausübte.

[116] Wie Anm. 38.

[117] Wie Anm. 39.

[118] 16.10.1396, Wusterhausen/Dosse – RIEDEL: Beiträge, S. 342f., Nr. 221. – CDB I/4, S. 309f., Nr. 25.

[119] HEINRICH: Arnstein, S. 135f.

[120] Ebd., S. 136f.

[121] 18.09.1418, Alt Ruppin – RIEDEL: Beiträge, S. 352–354, Nr. 227. – CDB I/4, S. 513f., Nr. 5.

[122] Mittlerweile unübliche Bezeichnung für einen Scharfrichter.
[123] 17.09.1398, Brandenburg a. d. Havel – v. Raumer: CDB Cont. I, S. 22, Nr. 28. – CDB I/4, S. 80f., Nr. 54. – Altrichter, S. 273, Nr. 26.
[124] 17.09.1398, Brandenburg a. d. Havel – CDB I/4, S. 79, Nr. 52.
[125] Genauer am 5. März 1401.
[126] 02.04.1402, Gnoien – CDB I/4, S. 84, Nr. 60.
[127] Um den 25.07.1402, o. O. – CDB IV, S. 28 [= Aufzeichnungen Engelbert Wusterwitz'].
[128] 06.02.1414, Friesack – Ebd., S. 23–45, insb. S. 40 [= Aufzeichnungen Engelbert Wusterwitz']. – Ebd., S. 46–167, insb. S. 53 [= Aufzeichnungen Peter Hafftiz']. – Eine ausführliche Darstellung bieten Partenheimer, Lutz; Stellmacher, André: Die Unterwerfung der Quitzows und der Beginn der Hohenzollernherrschaft über Brandenburg. Potsdam 2014 (künftig Partenheimer/Stellmacher).
[129] 27.09.1414, Konstanz – CDB IV, S. 23–45, insb. S. 42 [= Aufzeichnungen Engelbert Wusterwitz'].
[130] 09.05.1415, Konstanz – CDB I/4, S. 91, Nr. 70. – Monumenta Zollerana. Urkundenbuch zur Geschichte des Hauses Hohenzollern, Bd. VII. Urkunden der fränkischen Linie 1411–1417, hrsg. v. Rudolph Freiherr v. Stillfried u. Traugott Mercker. Berlin 1861, Nr. 406. – Regesta Imperii, Bd. XI,1: Die Urkunden Kaiser Sigismunds 1410–1437, bearb. v. Wilhelm Altmann. Innsbruck 1896–1897, Ndr. Hildesheim 1968, S. 107, Nr. 1665.
[131] 27.08.1420, o. O. – Riedel: Beiträge, S. 354–356, Nr. 228. – CDB I/4, S. 515, Nr. 6.
[132] 13.12.1425, o. O. – Riedel: Beiträge, S. 361, Nr. 231. – CDB I/4, S. 321, Nr. 39.
[133] Ansonsten nicht überliefert.
[134] 24.06.1441, Ruppin – CDB I/4, S. 329, Nr. 47. – v. Klöden: Kröcher, S. 117.
[135] 23.04.1445, Ruppin – Riedel: Beiträge, S. 384–386, Nr. 242. – CDB I/4, S. 483f., Nr. 2.
[136] 25.09.1447, [Neuruppin] – Riedel: Beiträge, S. 394–396, Nr. 244. – CDB I/4, S. 334f., Nr. 51.
[137] Ansonsten nicht überliefert.
[138] 31.03.1448, Ruppin – Riedel: Beiträge, S. 396f., Nr. 245. – CDB

I/4, S. 335, Nr. 52.

[139] Ansonsten nicht überliefert.

[140] 24.02.1435, Leipzig – v. RAUMER: CDB Cont. I, S. 106, Nr. 70.

[141] 09.11.1438, Berlin – Ebd., S. 106f., Nr. 71.

[142] 08.04.1421, Krakau – CDB II/3, S. 396–399, Nr. 1393.

[143] 22.05.1427, Eberswalde – GERCKEN, Philipp Wilhelm: Codex Diplomaticus Brandenburgensis, Teil VII. Stendal 1782, S. 133–143, Nr. 47. – CDB II/3, S. 470–476, Nr. 1457.

[144] 18.05.1427, Eberswalde – v. RAUMER: CDB Cont. I, S. 108–111, Nr. 73.

[145] Ansonsten nicht überliefert.

[146] 31.12.1433, Ruppin – LENZ, Samuel: Diplomatische Fortsetzung und zum Theil Ausbesserung von Friedrich Luca Grafen-Saal, worinn dießmahl die Grafen von Arnstein, und die davon abstammende Grafen von Barby und Mülingen, auch die Grafen von Lindow und Ruppin, dann die Grafen von Dornburg, die von Arneburg, die von Osterburg und Altenhausen aus zuverläßigen Scribenten und gedruckten und ungedruckten Urkunden beschrieben und aufgestellet werden. Halle (Saale) 1751, S. 161. – FIDICIN, Ernst: Historisch-diplomatische Beiträge zur Geschichte der Stadt Berlin, Teil IV. Berlinische Urkunden von 1232 bis 1700. Berlin 1842, S. 147, Nr. 163. – CDB I/4, S. 93, Nr. 73.

[147] 27.08.1437, Eberswalde – v. RAUMER: CDB Cont. I, S. 95–97, Nr. 59.

[148] 13.01.1438, Perleberg – Ebd., S. 102f., Nr. 66. – CDB I/2, S. 496, Nr. 70.

[149] 07.03.1440, Berlin – CDB I/4, S. 96f., Nr. 77. – Mit der *nuwe margk czu Brandemburg* war damals allerdings nicht die erst später so genannte Neumark jenseits der Oder, sondern die Mittelmark zwischen Elbe und Oder gemeint.

[150] Ohne Tag, 1440, o. O. – v. RAUMER: CDB Cont. I, S. 145, Nr. 124. – DEVRIENT, Ernst: Das Geschlecht von Arnim, Teil I: Urkundenbuch. Leipzig 1914 (künftig Arnim I), S. 65, Nr. 106.

[151] Ansonsten nicht überliefert.

[152] 09.10.1452, Cölln a. d. Spree – CDB III/3, S. 63–65, Nr. 54.

[153] Hier irrte Kampe: Kurfürst Friedrich II. stiftete den »Orden der Ritter Unserer Lieben Frau zum Schwan« bereits am 29. September

1440, am 15. August 1443 erweiterte er lediglich dessen Statuten.

154 15.08.1443, o. O. – v. STILLFRIED-RATTONITZ, Rudolph Maria Bernhard: Der Schwanenorden. Sein Ursprung und Zweck, seine Geschichte und seine Alterthümer. 2. Ausg. (1., wesentlich kürzere Ausg. 1842), Halle (Saale) 1845, S. 31–42. – CDB III/1, S. 257–269, Nr. 161.

155 12.12.1444, Berlin – v. ERATH, Anton Ulrich: Codex diplomaticus Quedlinburgensis. Frankfurt/Main 1764, S. 747f., Nr. 175. – CDB II/4, S. 350, Nr. 1667.

156 29.08.1442, Berlin – v. RAUMER: CDB Cont. I, S. 207–209, Nr. 67. – UB Berl. Chronik, S. 381–383, Nr. 98. – FIDICIN III, S. 320f., Nr. 372. – Arnim I, S. 70f., Nr. 116.

157 25.05.1448, Spandau – DIETERICH, S. 97. – v. RAUMER: CDB Cont. I, S, 209–211, Nr. 68. – UB Berl. Chronik, S. 400f., Nr. 145. – FIDICIN III, S. 331f.

158 28.04.1452, Möllendorf – CDB II/4, S. 470–472, Nr. 1733.

159 Wie Anm. 152.

160 10.01.1456, Alt Ruppin – CDB I/2, S. 506–508, Nr. 85. – v. KLÖDEN: Kröcher, S. 117.

161 CDB IV, S. 89 [= Aufzeichnungen Peter Hafftiz'].

162 Diese Urkunde ist nicht gedruckt, dafür aber eine ganz ähnliche vom 24. Juni 1441 (CDB I/4, S. 329, Nr. 47. – v. KLÖDEN: Kröcher, S. 117).

163 HEINRICH: Arnstein, S. 148–151.

164 Wie Anm. 132.

165 24.06.1436, o. O. – CDB I/4, S. 445f., Nr. 3.

166 04.11.1439, Neuruppin – v. RAUMER: CDB Cont. I, S. 125–127, Nr. 95. – Das von Kampe und auch von Raumer angegebene Jahr 1437 muss falsch sein, denn erst 1439 starb Albrechts VIII. zweite Gemahlin Anna, die Tochter Herzog Johanns I. von Niederschlesien-Sagan. Albrecht heiratete seine dritte Frau Margarethe von Pommern-Stettin im Mai 1439 (CDB I/4, S. 95f., Nr. 76. – HEINRICH: Arnstein, S. 141). Die betreffende Urkunde stammt demnach eher vom 4. November 1439.

167 HEINRICH: Arnstein, S. 147f. – An dieser Stelle irrte Kampe: Auch Albrechts VIII. Söhne Johann III., Jakob I., und Gebhard entstamm-

ten mit großer Wahrscheinlichkeit der zweiten Ehe mit Anna von Niederschlesien-Sagan.

[168] Ebd., S. 148–151.

[169] Wie Anm. 154.

[170] Heinrich: Arnstein, S. 142–145. – Johanns III. Todestag war der 14. Juni 1500.

[171] Ebd., S. 145f. – Jakobs I. Todestag war der 1. Mai 1499.

[172] Ebd., S. 146f. – Gebhard verstarb entgegen Kampes Annahme vor 1466.

[173] 28.03.1461, o. O. – CDB I/4, S. 339f., Nr. 59.

[174] Bratring: Ruppin, S. 216. – Diese wie auch die Quellennachricht zum Jahr 1517 halte ich wie Heinrich: Arnstein, S. 146, Anm. 730, für fraglich. Höchstwahrscheinlich handelt es sich um Verschreibungen. Graf Gebhard starb zwischen 1461 und 1466.

[175] Dieses Stadtbuch ist ansonsten nicht überliefert.

[176] 11.01.1478, Alt Ruppin – CDB I/4, S. 105–107, Nr. 90.

[177] Ansonsten nicht überliefert.

[178] 25.03.1461, Neuruppin – CDB I/4, S. 102f., Nr. 86.

[179] Die beiden erwähnten Urkunden stammen nicht vom selben Tag, sondern vom 25. *(Mitwochen vnnser frawen tag Annunciationis)* und vom 28. März *(sabato ante palmarum)* 1461.

[180] 27.10.1462, Cölln a. d. Spree – v. Raumer: CDB Cont. I, S. 229f., Nr. 92.

[181] 12.07.1463, Wilsnack – v. Raumer: CDB Cont. I, S. 222f., Nr. 83.

[182] 18.05.1465, Magdeburg – CDB IV, S. 68.

[183] 15.08.1469, o. O. – Beckmann, Johann Christoph: Historische Beschreibung der Chur und Mark Brandenburg nach ihrem Ursprung, Einwohnern, natürlichen Beschaffenheit, Gewässer, Landschaften, Stäten, geistlichen Stiftern und Regenten, deren Staats- und Religions-Handlungen, Wapen, Siegel und Münzen, wohlverdienten Geschlechtern adelichen und bürgerlichen Standes, Aufnehmen der Wissenschaften und Künste in derselben, theils aus schriftlichen und aus Archiven hergenommen, oder auch gedruckten Urkunden, theils aus der Erfahrung selbst zusammen getragen und verfasset, Bd. II. Berlin 1753, Ndr. Hildesheim 2004, Sp. 97f. – CDB I/15, S. 309f., Nr. 374.

[184] 24.04.1472, o. O. – v. Raumer: CDB Cont. II, S. 9f., Nr. 8 [dort statt

»Johann« fälschlich »Ludwig«]. – Regesta Stolbergica. Quellensammlung zur Geschichte der Grafen zu Stolberg im Mittelalter, bearb. v. Botho Gf. v. STOLBERG-WERNIGERODE u. George Adalbert v. MÜLVERSTEDT. Magdeburg 1885, Nr. 1785 [auch dort statt »Johann« fälschlich »Ludwig«].

[185] Ohne Tag, 1470ff., [Neuruppin] – CDB I/4, S. 342–346, Nr. 65.

[186] 10.04.1478, Frankfurt (Oder) – Ebd., S. 104f., Nr. 89.

[187] 26.06.1479, Prenzlau – v. RAUMER: CDB Cont. II, S. 42–44, Nr. 45.

[188] Ansonsten nicht überliefert.

[189] 22.11.1480, Neuruppin – CDB I/7, S. 171, Nr. 79.

[190] 01.03.1491, Cölln a. d. Spree – v. RAUMER: CDB Cont. II, S. 197, Nr. 154. – CDB I/13, S. 151, Nr. 35. – v. BUCHWALD, Nr. 637. – Arnim I, S. 158f., Nr. 320.

[191] 25.07.1492, Königsberg i. d. Neumark – CDB II/5, S. 478, Nr. 2186. – Arnim I, S. 161, Nr. 324b.

[192] In Worms erwirkte Graf Johann III. am 2. September 1495 überdies von König Maximilian I. ein Diplom, den Straßenausbau im Land Ruppin betreffend: CDB I/4, S. 143f., Nr. 98. – ALTRICHTER, S. 275, Nr. 35.

[193] HEINRICH: Arnstein, S. 153f.

[194] Hier verwechselte Kampe zwei Personen: Der Vater von Gräfin Margarethe von Lindow-Ruppin war Graf Johann II. von Hohnstein-Vierraden, ihre Mutter Anna von Anhalt-Zerbst (HEINRICH: Arnstein, S. 154).

[195] 14. Februar 1507 – CDB IV, S. 83 [= Aufzeichnungen Peter Hafftiz'].

[196] 15. Oktober 1508 – Ebd.

[197] HEINRICH: Arnstein, S. 155f.

[198] Ebd., S. 156.

[199] Ebd., S. 156f.

[200] Ansonsten nicht überliefert.

[201] 07.11.1501, o. O. – CDB I/4, S. 146, Nr. 101.

[202] Ansonsten nicht überliefert.

[203] 28.11.1502, Neuruppin – FELDMANN I, S. 466. – Zu Feldmanns Aufzeichnungen siehe Anm. 220.

[204] 25.10.1505, Neuruppin – Ebd., S. 410.

[205] 20.04.1507, Neuruppin – Brandenburgisches Landeshauptar-

chiv, Rep. 37, Herrschaft Ruppin/Ruppin, U 23.

206 28.03.1508, Zerbst – CDB I/7, S. 218f., Nr. 28.

207 Ansonsten nicht überliefert.

208 Dieses Rechnungsbuch, aus dem die nachfolgenden Angaben stammen, ist ansonsten nicht überliefert.

209 1512–1517, o. O. – Landeshauptarchiv Schwerin, 2.11-2/1 Auswärtige Beziehungen, Nr. 2053.

210 22.–28.02.1512, Neuruppin – WAGNER, Friedrich: Das Turnier zu Ruppin 1512, in: Hohenzollernjahrbuch V/1901, S. 99–120. – Verein für Geschichte der Mark Brandenburg (Hrsg.): Publius Vigilantius. Bellica Progymnasmata a divo Ioachimo Sa. Ro. Im. Sept. vi. Marchione Brandenburgensi & Heinrico Magnopolitano duce Nouirupini celebrata ... (= Faksimiledr. des Originals mit einem Nachwort v. Johannes Schultze). Berlin 1937. – BELLIN, Rudolf: Neuruppin als Schauplatz eines glanzvollen Turniers vom 22. bis 28. Februar 1512, in: 700 Jahre Ruppin, S. 96–105. – RIEGER, Günter: Publius Vigilantius. Das Neuruppiner Turnier 1512 [= Ndr. der Ausgabe des Vereins für Geschichte der Mark Brandenburg von 1937]. Karwe 2012.

211 ZEUMER, Karl: Quellensammlung zur Geschichte der Deutschen Reichsverfassung in Mittelalter und Neuzeit (= Quellensammlungen zum Staats-, Verwaltungs- und Völkerrecht, Bd. II). Tübingen 1913, S. 313–317, hier S. 316. – Die Reichsmatrikel von 1521 verzeichnete die »Die Graven von Rapin« als Reichsstände des Heiligen Römischen Reiches mit drei Rossen, 12 Personen Fußvolk und 42 Gulden.

212 28.02.1524 – CDB IV, S. 89 [= Aufzeichnungen Peter Hafftiz'].

213 In bearbeiteter Form zu finden bei FONTANE, Theodor: Wanderungen durch die Mark Brandenburg, Bd. I: Die Grafschaft Ruppin (= Große Brandenburger Ausgabe). Berlin 2005, S. 60f., u. bei DRUDE, Otto (Hrsg.): Theodor Fontane. Gedichte in einem Band. Berlin 2011, S. 215f.

214 Dieses Buch ist ansonsten nicht überliefert.

215 CDB I/4, S. 149, Nr. 105. – 26.05.1524, o. O.

216 Ebd., S. 148f., Nr. 104. – 31.05.1524, o. O.

217 Das alles findet sich im Bericht über den sich von 1549 bis 1583

hinziehenden Prozess vor dem Reichskammergericht (Geheimes Staatsarchiv Preußischer Kulturbesitz, I. HA Rep. 174, Nr. 30).

218 31.05.1524, Cölln a. d. Spree – CDB I/8, S. 491f., Nr. 533.

219 08.09.1548, Schönebeck (Elbe) – CDB Suppl., S. 495, Nr. 99.

220 Ausführungen zu Leben und Werk Feldmanns bietet MEYER, Paul: Ungedruckte Chroniken aus und über Neuruppin, in: 700 Jahre Ruppin, S. 106–119. – Im Kreisarchiv finden sich Feldmanns Aufzeichnungen als fünf verschiedene hand- bzw. maschinenschriftliche Abschriften unter den Signaturen II/9.1/1–5, das Original befindet sich als Depositum z. Zt. in der Dauerausstellung zur Stadtgeschichte im Museum Neuruppin. – Zudem gibt es eine im Druck erschienene und mit einem erhellenden Vorwort versehene Auswahl von Feldmanns Aufzeichnungen. – FELDMANN, Bernhard: Miscellanea Historica der Stadt Neu Ruppin, ausgewählt und erläutert v. Ulrich KRIELE. Karwe 2005.

221 Stipulationen: Voraussetzungen.

222 13.02.1323, o. O. – CDB I/4, S. 287f., Nr. 7.

223 Ansonsten nicht überliefert.

224 Wie Anm. 2.

225 Wie Anm. 31.

226 25.07.1323, [Neuruppin] – RIEDEL: Beiträge, S. 306f., Nr. 202. – CDB I/4, S. 288, Nr. 8.

227 Ansonsten nicht überliefert.

228 Ansonsten nicht überliefert.

229 Dieser Codex ist ansonsten nicht überliefert.

239 22.04.1453, [Neuruppin] – CDB I/4, S. 337, Nr. 55.

231 04.07.1479, [Neuruppin] – Ebd., S. 348f., Nr. 67.

232 Ansonsten nicht überliefert.

233 Wie Anm. 21: *Johannes de Pritzwalk, Heynricus Scriptor, Johannes Plumeke, Gerhardus de Rynesberge, Johannes Guderthyr, Johannes Morinch, Consules nove Repin civitatis.*

234 06.03.1321, [Neuruppin] – CDB I/4, S. 285–287, Nr. 6: *Johann van Wyltbergh ghehyten, Thydeman Schadelant, Vrederik Budeler, Werner Ruschebom, Hinrik van Aken, Thydeke Witte, Wy Ratmann in Ruppin.*

235 Wie Anm. 226: *Nos Consules Reppinenses Conrad Ruschebom, Jo-*

hannes Scadelant, Wilelmus pellifex, Gerardus aurifaber, Johannes Cranepul et Johannes Appelmann.

236 23.05.1360, [Neuruppin] – Ebd., S. 292, Nr. 15: *Petrus de Lyndow, Johannes Wedegonis, Hermannus Witte, Johan Paschedach, Thidericus Pricerwe, Nycolaus Rostuscher, hoc anno consules in Ruppyn.*

237 13.01.1362, [Neuruppin] – Ebd., S. 293–297, Nr. 17: *Consules in Ruppyn, [...] fuerunt videlicet Henninghus Gotberch, Arnoldus Bardeleve, Albertus de Aken, Lentze Knokenhower, Wichmann Glude et Johannes Appelmann.*

238 03. o. 10.06.1382, Neuruppin – Ebd., S. 305f., Nr. 21: *Lodewich vnd Henning Palendorp, Tydeke Rostusger, Lowe Schumeker, Hennyg Tarmo vnde Clawes Walsleue, Ratmanne des jares der Stad Nyen Reppin.*

239 Vor 25.05.1393, [Neuruppin] – Ebd., S. 307f., Nr. 23: *Radmanne olde unde Nye in der stad thu nyen Ruppin* [...] *Henning Palendorp, Heyne Vos, Kersten Tyse, Meus Stremmen, Matthias Steven unde Henning Berteholz.*

240 26.01.1406, o. O. – Ebd., S. 314f., Nr. 31: *Claus Slywen, Simon Knakenhower, Coppe Witte, Matthis Steven, Gerardus Muss, Henningk vom Kager, Radtmhanne tho Nien Ruppin.*

241 27.03.1423, [Neuruppin] – Ebd., S. 319, Nr. 37: *Arndt Frese, Henningh Kelk, Hans Frisagk, Pauel Livesiell, Nicolaus Wrede und Claues Pengkow in dieseme gegenwardigen jaere Radtmhanne in der stadt tho Nienn Ruppin.*

242 Wie Anm. 2: *Salomon Monetarius, Lambertus de Moringe, Johannes de Sualenberg, Bertoldus Plumcow, Hermannus Sutor, Consules.*

243 22.08.1315, [Neuruppin] – Ebd., S. 285, Nr. 5: *Hinricus de Jerichow, Jacobus de Sluden, Henningus Storman, Nicolaus Gunthir, Hinricus de Beeken, Henning Clot, Johannes Gherdang, Eghart de Kyritz, Johannes Herbord, Herbordus Franconis, Conradus de Scepelitz, Arnoldus Noppow.*

244 05.06.1430, [Neuruppin] – Ebd., S. 322f., Nr. 41: *Burgemeyster und Radtmanne der Stadt Nien Ruppin disses jars, als Hans Meyenborch, Kone Stolle, Gercke Blankenberch, Claus Verwer, Hans Wildelow, Claus Katerbou, Heine Suringk und Claus Hakenberch.*

[245] 26.02.1434, [Neuruppin] – Ebd., S. 324–327, Nr. 44: *Ratmannen der stadt nien Ruppin tu desseme jare, alse Clawes Walsleve, Peter Symon, Gherke Blanckenberch, Hans Wildelow, Cune Stolle, Hans Meienborch, Heine Suringh unde Hans Storbeck.*

[246] 06.01.1446, [Neuruppin] – Ebd., S. 331–334, Nr. 50: *Ratmanne der stad Nyen Ruppin tu dessen jare, alse Claus Walschleve, Peter Symon, Hans Meigeborch, Cune Stolle, Claus Storbek, Heyne Suringh, Hans Runge unde Claws Symon.*

[247] Wie Anm. 233: *Ratman der stad Nien Ruppin, Peter Symon, Mathies Botzin, Claus Storbek, Claus Gartow, Hans Langen, Balte Gerwer, Heyne Grever vnde Jasper Treppene, tu desseme iegenwardige jare Ratman.*

[248] Ansonsten nicht überliefert.

[249] 03.04.1490, [Neuruppin] – Riedel: Beiträge, S. 416–419, Nr. 257. – CDB I/4, S. 350f., Nr. 70: *Gorges Gloeden, Hans Untzelman, Busso Frattz, Lenttze Ludecke, Clawes Ghevert, Bolde Prignitze, Philippus Grelle und Jesper Ladewich, Borgermeistere unde Radtmanne der stadt Nien Ruppin.*

[250] 25.09.1447, [Neuruppin] – Ebd., S. 334f., Nr. 51: *Jacob Saffe, Heine Barsekow, Hans von Langen, Claus Gartow, Otto Storbeke, Heine Molner und Jasper Trippene, Burgemeistere unde Ratman der stad Newen Ruppin.*

[251] Eine von Kampe herausgegebene Urkundensammlung ist nicht überliefert; seine Recherchen gingen in Riedels CDB I/4 ein.

[252] Wie Anm. 31.

[253] Wie Anm. 222.

[254] Wie Anm. 69

[255] Wie Anm. 113.

[256] 07.05.1503, Wusterhausen/Dosse – Dieterich, S. 126–128. – CDB I/4, S. 399, Nr. 17. – Altrichter, S. 275, Nr. 36.

[257] 22.05.1503, Wusterhausen/Dosse – Dieterich, S. 128f. – CDB I/4, S. 400, Nr. 18. – Altrichter, S. 275, Nr. 37.

[258] Wie Anm. 21.

[259] Wie Anm. 31.

[260] Ansonsten nicht überliefert.

[261] Ansonsten nicht überliefert.

[262] Wie Anm. 38.

[263] Wie Anm. 39.

[264] Ansonsten nicht überliefert.

[265] Ansonsten nicht überliefert.

[266] Wie Anm. 134.

[267] Wie Anm. 31.

[268] Ansonsten nicht überliefert.

[269] Wie Anm. 237.

[270] Wie Anm. 243. – Riedel stellte allerdings eine etwas andere Reihenfolge als Kampe auf: 1231 Bäcker, 1298 Schuster, 1301 Weber und Fleischer und 1312 Fischer.

[271] Wie Anm. 243.

[272] Ansonsten nicht überliefert.

[273] Wie Anm. 235.

[274] Ohne Tag, 1360, [Neuruppin] – RIEDEL: Beiträge, S. 315f., Nr. 210. – CDB I/4, S. 292f., Nr. 16. – v. BUCHWALD, Nr. 230.

[275] Wie Anm. 239.

[276] Wie Anm. 245.

[277] Wie Anm. 246.

[278] Wie Anm. 237.

[279] Ansonsten nicht überliefert.

[280] 24.12.1355, Alt Ruppin – RIEDEL: Beiträge, S. 312–314, Nr. 208. – CDB I/4, S. 291f., Nr. 14.

[281] Wie Anm. 81.

[282] Wie Anm. 236.

[283] Wie Anm. 240.

[284] Wie Anm. 241.

[285] 21.12.1498, o. O. – RIEDEL: Beiträge, S. 426–428, Nr. 264. – CDB I/4, S. 356f., Nr. 77.

[286] Wie Anm. 238.

[287] 27.05.1496, Wittstock/Dosse – DIETERICH, S. 120–122. – CDB I/4, S. 354, Nr. 74.

[288] 01.06.1327, o. O. – RIEDEL: Beiträge, S. 307f., Nr. 203 [Teildr.]. – CDB I/4, S. 288f., Nr. 9.

[289] Wie Anm. 234.

[290] Wie Anm. 249.

[291] DIETERICH, S. 117–120. – CDB I/4, S. 353f., Nr. 73. Die Urkun-

de stammt allerdings nicht aus dem Jahr 1491, sondern vom 17.05.1493.

[292] 06.07.1451, o. O. – CDB I/4, S. 379, Nr. 99.

[293] 09.06.1433, o. O. – RIEDEL: Beiträge, S. 364–366, Nr. 234. – CDB I/4, S. 323f., Nr. 42.

[294] 30.06.1433, Ruppin – RIEDEL: Beiträge, S. 366–368, Nr. 235. – CDB I/4, S. 324, Nr. 43.

[295] 30.06.1443, o. O. – RIEDEL: Beiträge, S. 380–382, Nr. 240. – CDB I/4, S. 329f., Nr. 48. – v. KLÖDEN: Kröcher, S. 117.

[296] 14.02.1467, Wittstock/Dosse – RIEDEL: Beiträge, S. 405f., Nr. 251. – CDB I/4, S. 342, Nr. 63.

[297] Dieses Versprechen wird hier im Anhang eingelöst.

[298] Wie Anm. 222.

[299] Wie Anm. 162.

[300] Wie Anm. 234: *Thydeke Witte.*

[301] Wie Anm. 236: *Hermannus Witte.*

[302] Wie Anm. 240: *Coppe Witte.*

[303] SCHUMACHER, Karl Wilhelm: Vermischte Nachrichten und Anmerkungen zur Erläuterung der sächsischen, besonders aber der eisenachischen Geschichte, Bd. III. Eisenach 1767, S. 43f.

[304] Wie Anm. 38.

[305] Wie Anm. 185.

[306] 25.01.1416, o. O. – RIEDEL: Beiträge, S. 349f., Nr. 225. – CDB I/4, S. 317f., Nr. 35.

[307] Wie Anm. 65.

[308] 12.01.1370, Neuruppin – RIEDEL: Beiträge, S. 330, Nr. 214. – CDB I/4, S. 304, Nr. 19.

[309] Wie Anm. 286.

[310] 14.11.1397, Alt Ruppin – RIEDEL: Beiträge, S. 344f., Nr. 222. – CDB I/4, S. 312, Nr. 28.

[311] Ansonsten nicht überliefert.

[312] 23.11.1416, Neuruppin – RIEDEL: Beiträge, S. 350–352, Nr. 226. – CDB I/4, S. 318f., Nr. 36.

[313] Wie Anm. 244.

[314] 25.11.1428, Alt Ruppin – RIEDEL: Beiträge, S. 361–363, Nr. 232. – CDB I/4, S. 321f., Nr. 40.

[315] Ansonsten nicht überliefert.

[316] 16.05.1518, Wittstock/Dosse – RIEDEL: Beiträge, S. 440f., Nr. 270 – CDB I/4, S. 365, Nr. 87.

[317] Wie Anm. 29.

[318] 17.04.1328, o. O. – RIEDEL: Beiträge, S. 309f., Nr. 205. – CDB I/4, S. 289f., Nr. 11. – In der Urkunde ist allerdings nur von Heinrich Appelmann und seinen Söhnen, den Brüdern Johannes und Nikolaus [*Johannis et Nicolai fratris*], die Rede.

[319] 30.05.1328, Ruppin – RIEDEL: Beiträge, S. 310f., Nr. 206. – CDB I/4, S. 290, Nr. 12.

[320] Wie Anm. 118.

[321] Wie Anm. 310.

[322] Wie Anm. 312.

[323] 25.10.1425, o. O. – RIEDEL: Beiträge, S. 358–360, Nr. 230. – CDB I/4, S. 320, Nr. 38.

[324] Wie Anm. 132.

[325] Wie Anm. 314.

[326] Wie Anm. 244.

[327] 29.01.1436, o. O. – RIEDEL: Beiträge, S. 375, Nr. 237. – CDB I/4, S. 327f., Nr. 45.

[328] Ansonsten nicht überliefert.

[329] 13.11.1463, Ruppin – RIEDEL: Beiträge, S. 403–405, Nr. 250. – CDB I/4, S. 340, Nr. 60.

[330] 15.05.1474, Neuruppin – RIEDEL: Beiträge, S. 406–409, Nr. 252. – CDB I/4, S. 346f., Nr. 65.

[331] Wie Anm. 231.

[332] 25.10.1486, Neuruppin – CDB I/4, S. 349f., Nr. 68.

[333] 08.01.1488, Neuruppin – CDB I/4, S. 350, Nr. 69.

[334] 06.05.1502, Alt Ruppin – RIEDEL: Beiträge, S. 433f., Nr. 267. – CDB I/4, S. 359, Nr. 80.

[335] Ansonsten nicht überliefert.

[336] 01.10.1507, [Neuruppin] – CDB I/4, S. 361f., Nr. 83.

[337] 01.02.1508, Wittstock/Dosse – CDB I/4, S. 362, Nr. 83.

[338] 09.12.1507, [Neuruppin] – RIEDEL: Beiträge, S. 434–437, Nr. 268. – CDB I/4, S. 360f., Nr. 82. – Samt bischöflicher Bestätigung: 11.02.1508, Wittstock/Dosse – RIEDEL: Beiträge, S. 434–437, Nr.

268. – CDB I/4, S. 361, Nr. 82.

[339] 19.06.1508 [Neuruppin] – CDB I/4, S. 362f., Nr. 84.

[340] Ohne Tag, 1519, Alt Ruppin – RIEDEL: Beiträge, S. 441–443, Nr. 271. – CDB I/4, S. 402, Nr. 21.

[341] 18.07.1510, Wittstock/Dosse – Feldmann I, S. 242. – Zu Feldmanns Aufzeichnungen siehe erneut Anm. 220.

[342] Ansonsten nicht überliefert.

[343] Ansonsten nicht überliefert.

[344] Ohne Tag, 1541, o. O. – CDB I/4, S. 367f., Nr. 93.

[345] 19.09.1541, [Neuruppin] – Ebd., S. 367, Nr. 91.

[346] Ansonsten nicht überliefert.

[347] 19.09.1396, Alt Ruppin – RIEDEL: Beiträge, S. 274–276, Nr. 159. – CDB I/4, S. 311, Nr. 27.

[348] Ansonsten nicht überliefert.

[349] Wie Anm. 327.

[350] Wie Anm. 69. – Gransee und Wusterhausen kamen aber nicht erst – wie Kampe schrieb – unter Ludwig I. an die Arnsteiner, sondern wurden diesen bereits 1319 durch Markgraf Woldemar von Brandenburg verpfändet (KW, Nr. 2724).

[351] 28.03.1450, [Wusterhausen/Dosse] – RIEDEL: Beiträge, S. 398f., Nr. 246. – CDB I/4, S. 398f., Nr. 16. – ALTRICHTER, S. 274, Nr. 31: *Arnt Mestmeker, Clawes Kerwedder, Hans Raghelin, Clawes Kruse, Cone Reefelt, Ghise Kabbutzs, Jacob Veddeler unde Balte Wagenitze, In desseme jegenwardighen jare Radmanne der Stad Wusterhusen.*

[352] 28.10.1466, [Neuruppin] – CDB I/4, S. 341, Nr. 62. – ALTRICHTER, S. 274, Nr. 32.

[353] 13.01.1351, [Wusterhausen/Dosse] – CDB I/24, S. 367, Nr. 68. – Nach 13.01.1351, [Wusterhausen/Dosse] – CDB I/4, S. 396, Nr. 11. – ALTRICHTER, S. 273, Nr. 22.

[354] 24.06.1307, Wusterhausen/Dosse – CDB I/4, S. 393, Nr. 3. – ALTRICHTER S. 270, Nr. 7.

[355] 21.07.1541, o. O. – CDB I/4, S. 403–412, Nr. 22. – ALTRICHTER, S. 276, Nr. 45.

[356] 13.05.1439, o. O. – CDB I/4, S. 415.

[357] 08.02.1541, Gransee – RIEDEL: Beiträge, S. 446f., Nr. 274. – CDB

I/4, S. 435f., Nr. 17. – In Bezug auf die Granseer Nonnen irrte Kampe. Dort gab es – wie in Neuruppin – lediglich Beginen, auf die sich die erwähnten Quellen bezogen. – RIEDEL, Peter: Gransee. Franziskaner, in: HEIMANN, Heinz-Dieter; NEITMANN, Klaus; SCHICH, Winfried et al. (Hrsg.): Brandenburgisches Klosterbuch. Handbuch der Klöster, Stifte und Kommenden bis zur Mitte des 16. Jahrhunderts, Bd. I. Berlin 2007, S. 536–542.

358 19.01.1561, o. O. – RIEDEL: Beiträge, S. 447f., Nr. 275. – CDB I/4, S. 436f., Nr. 19.

359 Zuerst in der Stadtrechtsverleihungsurkunde für Neuruppin vom 9. März 1256, siehe Anm. 2.

360 BRATRING: Ruppin, S. 391.

361 26.02.1496, [Neumühle] – CDB I/4, S. 355, Nr. 75. – 29.10.1496, Neumühle – RIEDEL: Beiträge, S. 422f., Nr. 261.

362 Ohne Tag, 1525, o. O. – CDB I/4, S. 151–183, Nr. 107.

363 06.01.1530, Cölln a. d. Spree – CDB I/4, S. 452–455, Nr. 13. – ALTRICHTER, S. 276, Nr. 44. – v. BUCHWALD, Nr. 786. – Das Kloster Lindow unterstand aber nicht dem Prämonstratenser-, sondern dem Zisterzienserorden.

364 Ohne Tag, 1541, o. O. – CDB I/4, S. 456f., Nr. 17.

365 08.05.1542, Cölln a. d. Spree – CDB I/21, S. 511f., Nr. 60.

366 27.06.1551, Lindow – CDB I/4, S. 458–460, Nr. 19.

367 Wie Anm. 165.

368 24.02.1491, Lindow – Ebd., S. 450, Nr. 8. – v. KLÖDEN: Kröcher, S. 140.

369 19.02.1492, [Lindow] – CDB I/4, S. 450, Nr. 8. – v. KLÖDEN: Kröcher, S. 140.

370 07.03.1502, Berlin – RIEDEL: Beiträge, S. 431–433, Nr. 266; CDB I/4, S. 451, Nr. 11.

371 08.05.1558, [Lindow] – CDB I/4, S. 460f., Nr. 20.

372 Wie Anm. 21.

373 Ansonsten nicht überliefert.

374 BRATRING: Ruppin, S. 547.

375 Ohne Tag, 1541, o. O. – CDB I/4, S. 488f., Nr. 11.

376 Wie Anm. 176.

377 Wie Anm. 362.

[378] BRATRING: Ruppin, S. 443f.
[379] PARTENHEIMER/STELLMACHER, S. 10f. u. 36.
[380] Wie Anm. 29.
[381] SCHULTZE, Johannes: Das Landbuch der Mark Brandenburg von 1375 (= Veröffentlichungen der Historischen Kommission für die Provinz Brandenburg und die Reichshauptstadt Berlin, Bd. VIII, 2). Berlin 1940, S. 65: *Nuwestat habet Lippoldus de Bredow.*
[382] Ansonsten nicht überliefert.
[383] Wie Anm. 377.
[384] Wie Anm. 326.
[385] Wie Anm. 2.
[386] 21.05.1290, o. O. – RIEDEL: Beiträge, S. 273f., Nr. 158. – CDB I/4, S. 511, Nr. 1. – CDA II, S. 477f., Nr. 675a.
[387] Wie Anm. 31.
[388] Wie Anm. 44.
[389] Wie Anm. 222 und 69.
[390] Wie Anm. 29.
[391] Wie Anm. 33. – In dieser Urkunde traten die Schenken von Schenkendorf, ein gewisser Loser und Gerhard von Wederen jedoch als Mannen der Markgrafen von Brandenburg auf, die der Grafen von Lindow-Ruppin wurden sorgfältig von jenen getrennt: *Tughe sint desser vorbescreuenen Sake: die edel Vorste Hertoghe Rudolph van Sassen, Her Hinric, Her Hinric, die Schencke van Schenkendorpe, Her Loser, Gherard van Wederen unde dar thu unse Man: Her Herman van Ghulen, Herman Vrobergher, Thideke van Lo, Clawes van Wothenower* [...].
[392] Wie Anm. 43.
[393] Ansonsten nicht überliefert.
[394] Wie Anm. 40.
[395] Wie Anm. 113.
[396] Wie Anm. 38.
[397] Wie Anm. 310.
[398] Wie Anm. 240.
[399] Wie Anm. 39.
[400] 08.09.1418, Alt Ruppin – RIEDEL: Beiträge, S. 352–354, Nr. 227. – CDB I/4, S. 513f., Nr. 5.

[401] Wie Anm. 131.

[402] Wie Anm. 314. – Ein Nikolaus von Alem taucht zwar nicht in der Zeugenreihe dieser Urkunde, dafür allerdings u. a. in der eines Diploms vom 9. Juni 1433 (wie Anm. 293) auf.

[403] 08.08.1436, o. O. – RIEDEL: Beiträge, S. 377–380, Nr. 239. – CDB I/4, S. 328f., Nr. 46.

[404] Wie Anm. 134.

[405] 24.06.1445, Wusterhausen/Dosse – DIETERICH, S. 95–97. – CDB I/4, S. 397f., Nr. 15. – ALTRICHTER, S. 274.

[406] Wie Anm. 334.

[407] Wie Anm. 306.

[408] Wie Anm. 327.

[409] Wie Anm. 165.

[410] Wie Anm. 400.

[411] Wie Anm. 131.

[412] 01.11.1539, Cölln a. d. Spree – RIEDEL: Beiträge, S. 277f., Nr. 161.

[413] Den Abdruck von Kaspar (Caspar) Wittes Chronik gab MEYER, Paul: Ungedruckte Chroniken aus und über Neuruppin, in: DERS.: 700 Jahre Ruppin. Festschrift zur Siebenhundertjahrfeier der Stadt Neuruppin und des Kreises Ruppin. Neuruppin 1939, S. 106–119, hier S. 110–119.

[414] Ansonsten nicht überliefert.

[415] Ansonsten nicht überliefert.

[416] 06.04.1524, Wusterhausen/Dosse – Brandenburgisches Landeshauptarchiv, Rep. 10 C, Peter u. Paul-Kirche Wusterhausen a. d. Dosse, U 1.

[417] Es gibt keinen Hinweis darauf, dass die Grafen von Lindow-Ruppin jemals gefürstet waren; sie schwebten vom 14. bis 16. Jahrhundert in einem Zustand zwischen Landsässigkeit und Reichsunmittelbarkeit.

Ungedruckte Quellennachrichten

1326, ohne Tag, o. O. Nr. 1

Die Gfn. Günther II., Ulrich II., Adolf I. und Burchard v. Lindow-Ruppin befreien die Stadt Neuruppin vom landesherrlichen Zoll.

Reg.: KAMPE, S. 144, Anm. 268.

1355, ohne Tag, Berlin Nr. 2

Bernhard Kober, Albrecht, Gottfried und Johann v. Stangen, und Thilo und Konrad v. Dysten erklären und versprechen, dass die Stadt Neuruppin, die sie gekauft haben, dem Markgrafen stets offenstehen soll und dass dieser sie ihnen ersetzen müsse, falls sie in seinem Dienst verloren gehen würde.

Reg.: KAMPE,, S. 49, Anm. 76.

Komm.: Bereits Kampe sah diese Nachricht sehr skeptisch; es handelt sich dabei um eine Verwechslung mit der Stadt Reppen jenseits der Oder im Landes Sternberg.

1368, ohne Tag, o. O. Nr. 3

Die Gfn. Albrecht VI. und Günther III. v. Lindow-Ruppin bestätigen der Rheinsberger Geistlichkeit die Zollfreiheit in ihren Landen.

Reg.: KAMPE, S. 209, Anm. 373.

1375, ohne Tag, o. O. Nr. 4

Gf. Günther III. v. Lindow-Ruppin begleitet Ks. Karl IV., als dieser seinen feierlichen Einzug in die Stadt Lübeck hält.

Reg.: KAMPE, S. 61, Anm. 114.

Nach 1375, ohne Tag, o. O. Nr. 5

Die Gfn. Albrecht VI. und Günther III. v. Lindow-Ruppin verpfänden denen v. Quitzow Burg und Städtchen Neustadt (Dosse).

Reg.: KAMPE, S. 212, Anm. 382.

1396, ohne Tag, o. O. Nr. 6

Die Gfn. Ulrich IV. und Günther V. v. Lindow-Ruppin verkaufen der Stadt Neuruppin für 100 Mark die Holzung Manhagen.
Reg.: Kampe, S. 143, Anm. 264.

1428, ohne Tag, o. O. Nr. 7

Die v. Fratz zu Kränzlin treten der Stadt Neuruppin all ihre Gerechtigkeiten an den Kesselhaken der Stadt ab.
Reg.: Kampe, 143, Anm. 265.

1433, ohne Tag, o. O. Nr. 8

Gf. Albrecht VIII. v. Lindow-Ruppin erlaubt der Stadt Möckern den Ausbau ihrer Befestigung.
Reg.: Kampe, S. 71, Anm. 145.

1443, ohne Tag, o. O. Nr. 9

Kf. Friedrich II. v. Brandenburg und sein Bruder, Mgf. Friedrich d. J., übereignen dem Prämonstratenserstift St. Marien auf dem Harlunger Berg zu Brandenburg a. d. Havel einige Güter; Gf. Albrecht VIII. v. Lindow unter den Zeugen.
Reg.: Kampe, S. 72, Anm. 151.

1448, ohne Tag, o. O. Nr. 10

Gf. Albrecht VIII. v. Lindow-Ruppin erlaubt der Stadt Neuruppin, Rossmühlen anzulegen.
Reg.: Kampe, S. 141, Anm. 260.

Um 1448, ohne Tag, o. O. Nr. 11

Fs. Adolf II. v. Anhalt-Köthen verträgt Gf. Albrecht VIII. v. Lindow-Ruppin, seinen Schwiegersohn, mit der Stadt Neuruppin wegen der umstrittenen Bede sowie wegen des Brauens, des Biermaßes und des

Kaufs und Verkaufs des Korns; Zeugen: Otto v. Gladow, Pfarrer zu Neuruppin, Otto v. Alem, Pfarrer zu Wusterhausen/Dosse, Nikolaus v. Bassute, Propst zu Lindow, Thilo v. Lo, Marschall, Nikolaus v. Gühlen und Liborius v. d. Groeben.
Reg.: KAMPE, S. 75, Anm. 162 u. S. 174, Anm. 299.

1450, ohne Tag, o. O. — Nr. 12

Gf. Albrecht VIII. v. Lindow-Ruppin verkauft Nikolaus Frese d. Ä. und seinen Erben für 80 Rh. Gulden 2 Schock und 40 Groschen jährlicher Rente aus der Urbede der Stadt Wusterhausen/Dosse.
Reg.: KAMPE, S. 68, Anm. 137.

Um 1450, ohne Tag, o. O. — Nr. 13

Gf. Albrecht VIII. v. Lindow-Ruppin verpfändet denen v. Quitzow die Burg zu Neustadt (Dosse) mit den Dörfern Klein und Groß Sieversdorf [sw Neustadt (Dosse)], Köritz [sö Neustadt (Dosse)] und Bückwitz [ö Neustadt (Dosse)], mit zwei Höfen im Dorf Kampehl und mit der wüsten Feldmark Gühlitz.
Reg.: KAMPE, S. 68, Anm. 139.

1457, ohne Tag, o. O. — Nr. 14

Gf. Albrecht VIII. v. Lindow-Ruppin belehnt die v. Wuthenow zu Segeletz [sö Wusterhausen/Dosse] für 50 Rh. Gulden, die er ihnen schuldet, mit zwei sintfreien Wiesen im Barsikowischen Luch und mit der freien Hütung auf der sog. Kühlung.
Reg.: KAMPE, S. 68, Anm. 133.

1475, ohne Tag, [Neuruppin] — Nr. 15

Ein Rechnungsbuch des Rates der Stadt Neuruppin verzeichnet 6 Gulden, die Gf. Johann III. v. Lindow-Ruppin seinem Bruder, Gf. Jakob I., nach Köln senden wolle, zudem 50 Gulden, die Gf. Jakob im Kampf gegen den Hzg. v. Burgund helfen sollen und ferner 6 Schock

für ein Pferd, das Gf. Jakob zukommen wird.
Reg.: KAMPE, S. 83, Anm. 175.

1480, ohne Tag, o. O. Nr. 16
Bericht darüber, dass die Stadt Gransee von Bürgern Prenzlaus besetzt und Gf. Johann III. v. Lindow-Ruppin zwischen Alt Ruppin und Gransee auf offener Heerstraße von diesen überfallen wurde.
Reg.: KAMPE, S. 88, Anm. 188.

Nach 1480, ohne Tag, o. O. Nr. 17
Schossregister des Landes Ruppin, das als Räuber [raptores] u. a. Tacke v. Wentz zu Preddöhl, Lüdecke v. Winterfeld, Reinhard v. Garz und Johann v. Lüderitz verzeichnet.
Reg.: KAMPE, S. 56, Anm. 101.

1500, ohne Tag, o. O. Nr. 18
Gf. Joachim I. v. Lindow-Ruppin nimmt die Huldigung der Stadt Neuruppin an und bestätigt ihr gegen 30 Schock alle Rechte und Freiheiten.
Reg.: KAMPE, S. 90, Anm. 200.

1502, ohne Tag, o. O. Nr. 19
Kf. Joachim I. v. Brandenburg bestätigt Gf. Joachim I. v. Lindow-Ruppin seine märkischen Lehen.
Reg.: KAMPE, S. 90, Anm. 202.

1506 April 16, o. O. Nr. 20
Der Kleriker Johann schenkt der Pfarrkirche St. Marien zu Neuruppin im Andenken an seine Schwester Margarethe Langenfeldt 5 Pfund jährlicher Rente, Hauptsumme wie Zinsen.
Reg.: KAMPE: 188, Anm. 335.

1508, ohne Tag, o. O. Nr. 21

Die Stadt Neuruppin bringt für ihren Herrn, Gfn. Wichmann v. Lindow-Ruppin, 500 Gulden zur Tilgung seiner Schulden auf.

Reg.: Kampe, S. 90, Anm. 207.

1522, nach Apr. 22, o. O. Nr. 22

Bf. Hieronymus v. Havelberg bestätigt Peter Millies zu Neuruppin den Besitz des Altars Unser Lieben Frauen in der Pfarrkirche zu Neuruppin.

Reg.: Kampe, S. 191, Anm. 343.

1522 Nov. 11, o. O. Nr. 23

Gfn. Anna v. Lindow-Ruppin, Witwe Gf. Jakobs I., empfängt aus der Urbede der Stadt Neuruppin 15 Schock weniger 2 Groschen, die ihr als Teil ihres Leibgedinges zustehen.

Reg.: *Kampe*, S. 84, Anm. 177.

1525 März 13, o. O. Nr. 24

Kf. Joachim I. v. Brandenburg erneuert die Belehnung derer v. Ziethen mit dem Städtchen Wildberg sowie den Dörfern Wustrau, Protzen, Langen, Walchow, Buskow, Radensleben und anderen.

Reg.: Kampe, S. 239, Anm. 413.

1539 Aug. 14, o. O. Nr. 25

Balthasar Eichstädt bittet Bf. Busso II. v. Havelberg, Peter Millies in den Besitz eines Altars in der Pfarrkirche St. Marien zu Neuruppin zu setzen.

Reg.: Kampe, 191f., Anm. 343.

Neuruppin vor dem großen Stadtbrand

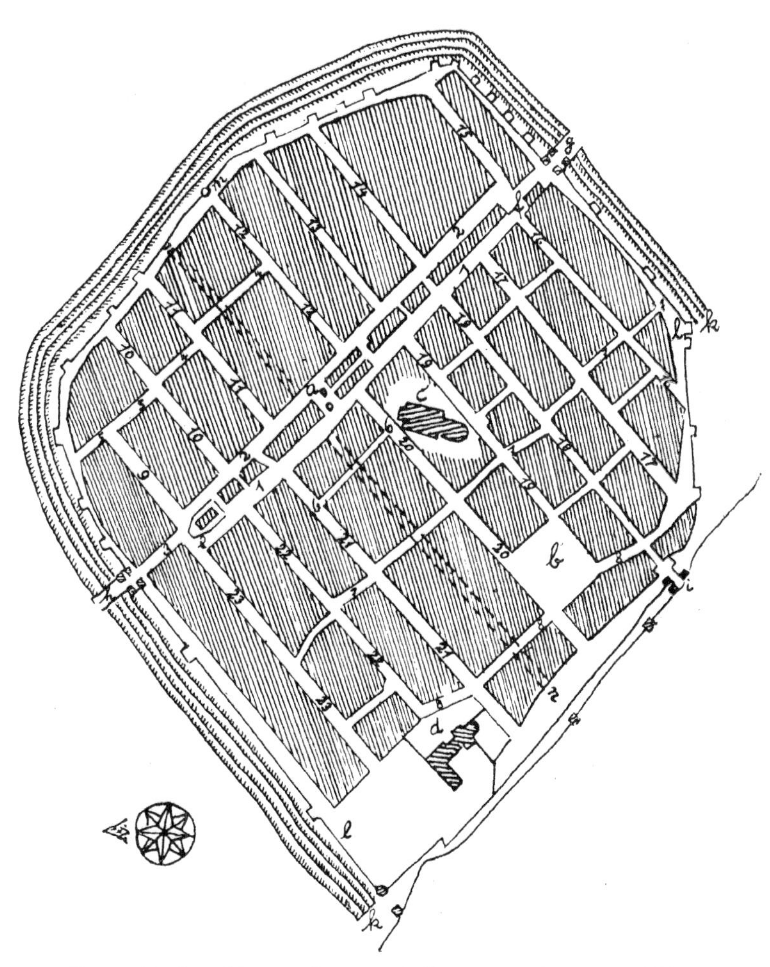

Der älteste Stadtplan von Neuruppin, vor 1723

a Alter Markt mit Rathaus. b Neuer Markt. c Marienkirche. d Klosterkirche mit Klosterresten. e Nikolaikirche. f St.-Spirituskapelle. g Altruppiner Tor. h Bechliner Tor. i Seetor. k Wälle. l Stadtmauer mit Weichhäusern. m Pulverturm. n Klappgraben.

Straßen: 1 Steinweg. 2 Baustraße. 3 Karnipp. 4 Nobbenholl. 5 Petersiliengasse. 6 Papenstraße. 7 Wedemerstraße. 8 Klapp- oder Lapstraße. 9 Rodehof. 10 Grünstraße. 11 Primkenstraße. 12 Schulzenstraße. 13 Bodeienstraße. 14 Schadelandstraße. 15 Ritterort. 16 Der Renzekow. 17 Roßmühlenstraße. 18 Fährstraße. 19 Judenstraße. 20 Scharrenstraße. 21 Große Beginenstraße. 22 Kleine Beginenstraße. 23 Taschenberg.

Abbildungen

Cover vorne:
MERIAN, Matthaeus; ZEILLER, Martin: Topographia Electoratus Brandenburgici et Ducatus Pomeraniae, etc. das ist die Beschreibung der vornehmsten und bekantisten Stätte und Plätz in dem Hochlöblichsten Churfürstenthum und March Brandenburg, und dem Herzogthum Pommeren (= Topographia Germaniae, Bd. XIII). Frankfurt am Main 1652.

Cover hinten:
Das Siegel ist das große Siegel Graf Wichmanns von Lindow-Ruppin und hängt an einer Urkunde aus dem Jahr 1507; die entsprechende Urkunde trägt die Signatur: BLHA, Rep. 37, Herrschaft Ruppin, U 2.

Stadtplan auf Seite 305:
MEYER, Paul: Graf Gebhard von Arnstein und die Begründung von Herrschaft und Stadt Ruppin, in: DERS. (Hrsg.): 700 Jahre Ruppin. Festschrift zur Siebenhundertjahrfeier der Stadt Neuruppin und des Kreises Ruppin. Neuruppin 1939, S. 17–42, hier S. 39.